凝煉知識品味閱讀

太陽電池

工作原理、技術與系統應用

Solar Cells Operating Prinicples, Technology and System Applications

◎ MARTIN A.GREEN 著
◎ 曹昭陽 狄大衛 李秀文 譯
◎ 周儷芬 校閱

五南圖書出版公司 印行

前言

當陽光照射到太陽電池時，可在無機械轉動或污染性副產物的情況下，將入射能量直接轉換為電能。而太陽電池早已不再是實驗室僅有的珍品，它已有廿多年的使用歷史。開始時只是提供太空用電源，近來已用於地面電力系統。在不久的將來，這類電池的製造技術很可能會有顯著改進。如此一來，太陽電池將可以在適當的價格下生產，進而對世界能源需求做出重要貢獻。

本書著重在太陽電池的基本工作原理和設計，目前採用的電池製造技術和即將實現的改進技術，以及這些電池系統設計上的考量重點。本書前面幾章概述了太陽光的性質、構成電池半導體材料的有關性質以及這兩者之間的交互作用。接下來幾章詳細地討論太陽電池設計中的重要因素、目前的電池製造技術以及未來可能的技術。最後幾章討論系統的應用，包括目前市售的小型系統和將來可能提供的住宅用和集中型發電系統。

本書可供受到這一迅速發展的領域所吸引而日益增多的從業人員，包括工程技術人員和科學研究工作者使用，也適合用作大學生和研究生的教課書。作者盡量使本書的內容能讓具有不同專業背景的讀者得以順利跨入這個領域。例如，以圖解的方式說明與太陽電池工作原理相關的半導體性質。對於許多讀者來說，這可作為簡捷的復習，而對其他讀者則可提供一個便於理解之後各章節內容的基礎。無論專業背景為何，藉由學習本書並做習題將使讀者未來可以勝任這個領域的工作。

我要對那些為數眾多以致不能一一提及的人們表示感謝。他們在過去十多年中促進了我對太陽電池的興趣。我要特別感謝 Andy Blakers, Bruce Godfrey, Phill Hart 和 Mike Willison 諸君的建議和間接支持我的這一嘗試。特別要感謝 Gelly Galang 幫我準備底稿以及 John Todd 和 Mike Willison 為書準備照片。最後我要感謝 Judy Green 在本書進展至緊鑼密鼓階段時給我的支持和鼓勵。

Martin A. Green

譯者序

太陽電池是一種經過特殊設計，藉由吸收陽光而產生電力的大面積光電元件。利用太陽電池發電具有下列優點：太陽光的取得較不受地形與地理位置之限制，所以在選址上遠較其他再生能源如風力發電、水力發電容易；太陽電池構造簡單，維護容易；無旋轉機構，因此故障率低，且運轉時不會產生噪音；不需要燃料也就無燃燒過程，故不會排放二氧化碳等溫室氣體或硫化物以及氮化物等污染。基於上述優點，太陽電池很適合安裝在負載端，例如安裝在屋頂或與建物整合，就近供應用户所需電力。然而，早期受限於技術與成本，其應用偏重在人造衛星等特殊用途以及偏遠地區之電力供應，近幾年來受惠於各先進國家的政策性鼓勵，市場規模大幅成長，大量生產帶動產品價格逐年下降，目前已被廣泛應用在住宅與集中型市電並聯等發電系統。由於太陽光提供取之不盡、用之不竭的潔淨能源，因此，研發高效率且低成本的太陽電池，早已廣受各國重視。

澳洲新南威爾斯大學（UNSW）過去三十年來在太陽電池研究開發上的投入不遺餘力，並且在此領域一直扮演著重要角色。例如，當今世界紀錄的單晶矽太陽電池 24.7% 轉換效率便是由 UNSW 於 1999 年所創，該校並於 2000 年時成立全世界第一個專門研究太陽電池的工程學系－太陽光電與再生能源工程系（School of Photovoltaic and Renewable Energy Engineering），其幕後功臣則是 Martin Green 教授所領導的研發團隊。

本書英文版係 Martin Green 教授所著，並於 1982 年發行的經典教科書，至今仍被許多大學用來作為此一領域的重點教材，也是目前 UNSW 太陽電池與系統這門課程的用書。早在 1987 年，其簡體中文版便已經由大陸電子工業部第十八研究所的李秀文、巾春幸、郭印池、杜福生、鄭彝盉、趙海濱、宋禮彬、胡宏勳、謝鴻禮、羅榮萱、趙秀田、王保民、張德群、伍炳珍等十餘位先進協力翻譯並出版（目前已絕版）。本繁體中文版的翻譯乃是以英文版為主，該簡體版為輔，在此謹對簡體中文版譯著前輩們的貢獻致上誠摯的敬意。此外，感謝博士班同學狄大衛先生的熱心參與以及 Peter Gress 先生在此翻譯期間提供的寶貴意見與協助，同時感謝台電同事周儷芬小姐對本書所做的細心校閱，並特別謝謝內人劉美琳在翻譯進行期間對我的支持與鼓勵。最後必須一提的是原書某些數據已落後現況，但是為了忠於原著，對於重要資訊，除了保留原數據外，並加註最新數據供讀者參考。譯者有幸投入 Martin 門下學習太陽電池技術，並承蒙系上委託此繁體中文版之翻譯，雖然力求採用台灣慣用術語，忠實呈現作者原意，惟才疏學淺，疏漏之處，尚祈各界先進不吝指教。

曹昭陽 謹識

2009 年 4 月於雪梨

目　錄

第9章 其他元件結構 185

第10章 其他半導體 203

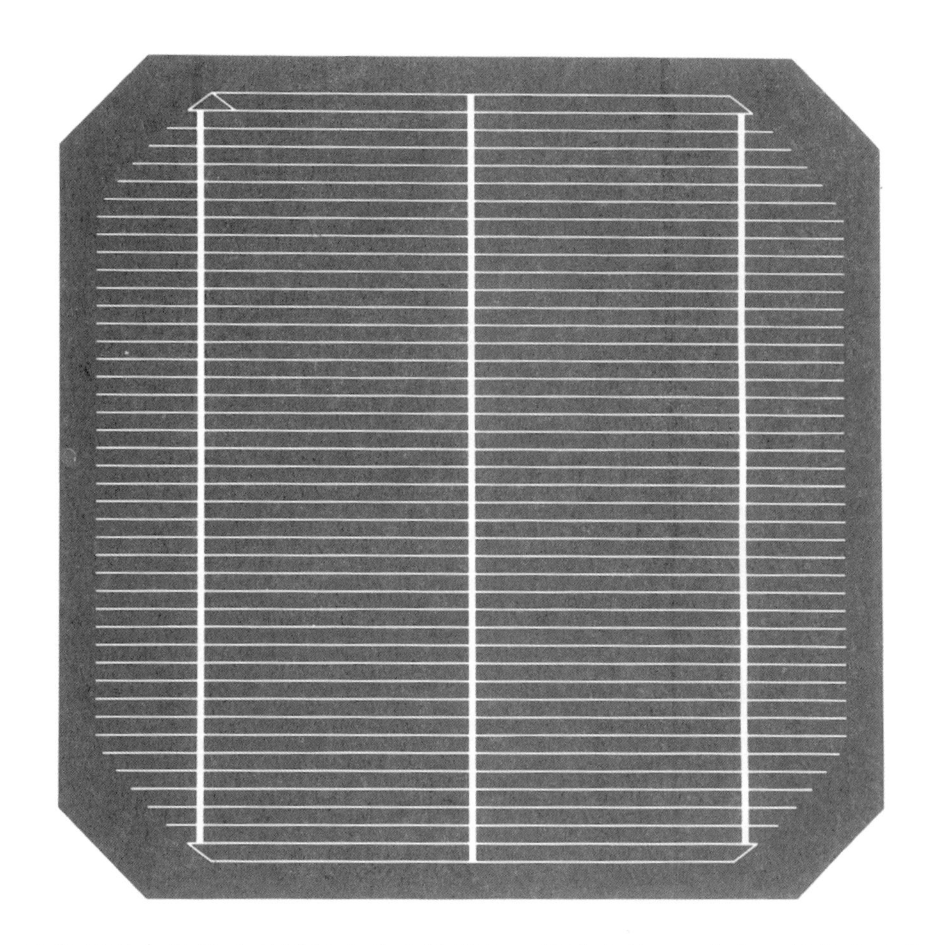

這是個以半導體矽晶圓製造的太陽電池，其邊長約 10 公分，厚度只有幾分之一個毫米。在照光下，此電池會將入射光的光子能量轉換成電能。在艷陽下，電池可以在電壓 0.5 V 下，供應高達 3 A 的電流給連接圖中所示的金屬電極以及背面電極之電氣負載。（照片承蒙 Motorola 公司提供）

第1章 太陽電池和太陽光

1.1 前　言

1.2 太陽電池發展概況

1.3 陽光的物理來源

1.4 太陽常數

1.5 地球表面的太陽輻射強度

1.6 直接輻射和漫射輻射

1.7 太陽的視運動

1.8 太陽的日照資料

1.9 結語

1.1 前言

太陽電池係利用半導體材料的電子特性把陽光直接轉換成電能。以下幾章，將從太陽電池工作的基本物理原理著手，探討這個微妙的能量轉換過程。以此為基礎，推導出定量的能量轉換關係之數學公式。接著，介紹目前市面商品中，以半導體矽為主要材料的太陽電池的生產技術和該技術的改進，以及可望大幅降低成本的其他技術。最後將討論太陽電池系統的設計，涵蓋的範圍從應用於偏遠地區的小型電力系統到住宅用電和將來可能應用的集中型發電廠（譯註：目前已有許多集中型發電廠應用實例）。

本章首先簡要地回顧太陽電池的發展歷史，同時將介紹太陽及其輻射特性。

1.2 太陽電池發展概況

太陽電池的工作原理乃是基於太陽光電效應（photovoltaic effect，亦稱為光伏特效應）。此一效應係由貝克勒爾（Becquerel）於 1839 年首先提出，他觀察到浸在電解液中的電極之間的電壓與光有關聯。1876 年，在硒（selenium）的全固態系統（all-solid-state system）中也觀察到了類似現象。隨後，研發了以硒和氧化亞銅（cuprous oxide）為材料的光電池。雖然 1941 年就有了關於矽電池的報導，但直到 1954 年才出現了現在矽電池的先驅產品。因為是第一個能以適當效率將光能轉為電能的太陽光電元件，所以它的出現代表太陽電池研發工作的重大進展。早在 1958 年，這種電池就已用作太空船的電源。到了 1960 年代初期，供太空用電池的設計技術已經建立。此後十多年，太陽電池主要用於太空。有關這個階段更詳細的資料見參考文獻 [1.1]。

70 年代初是矽太陽電池研發的創新時期，能量轉換效率（energy-conversion efficiency）獲得顯著提升。約此時，人們對太陽電池應用於地面上的興趣再度被喚起。到了 70 年代末，地面用太陽電池的數量已超過了太空用的數量。成本也隨著生產量的增加而明顯下降。80 年代初，一些新的元件技術藉由先導生產進行評估，奠定了之後十年進一步降低成本的基礎。隨著成本的不斷降低，這種藉由太陽光電伏特效應利用太陽能的方法，其商業應用範圍會越來越大。

1.3 陽光的物理來源

來自太陽的輻射能對地球上的生命是不可或缺的。此一能量決定了地球表面的溫度，而且實際上提供了地球表面和大氣層中自然規律所需的全部能量。

太陽實質上是一個由中心發生核融合反應所加熱的氣體球。熱物體發出電磁輻射，其波長或光譜分佈由該物體的溫度所決定。完全的吸收體，即「黑體（black body）」，所發出的輻射，其光譜分佈由普朗克輻射定律（Planck's radiation law）決定[1,2]。如圖 1.1 所示，這個定律指出，當物體被加熱時，不僅所發出的電磁輻射總能量增加，而且輻射光譜的峰值波長也變短。這可從我們日常生活經驗中獲得驗證。例如，當金屬被加熱時，隨著溫度升高，其顏色由紅變黃。

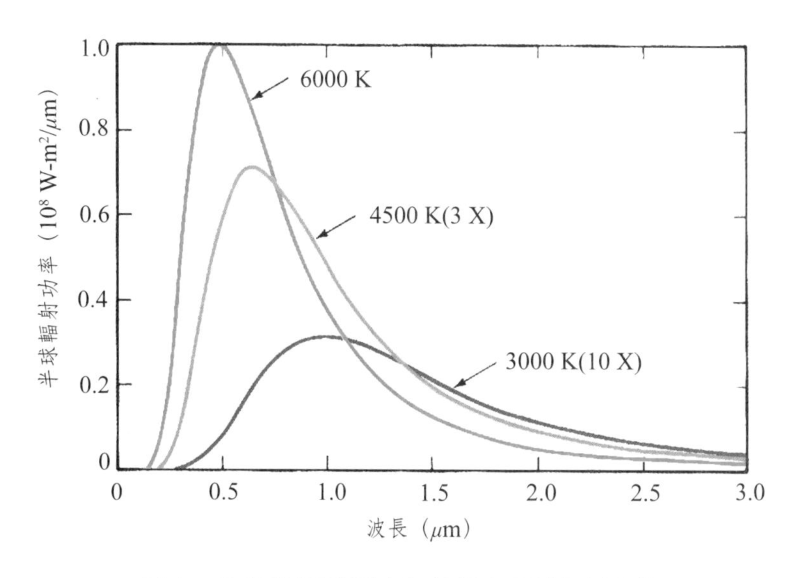

圖 1.1 不同黑體溫度的普朗克黑體輻射分佈

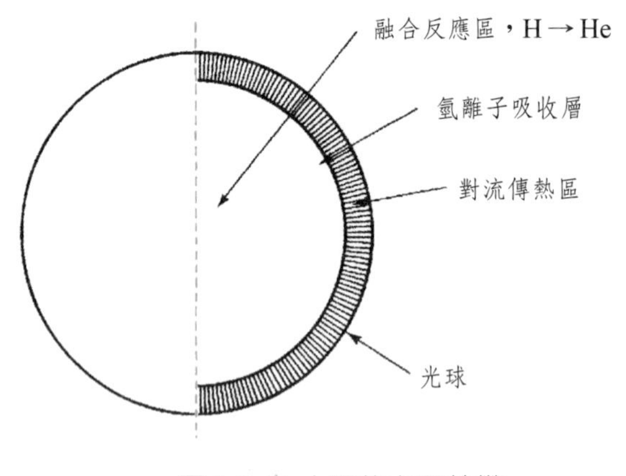

圖 1.2 ☼ 太陽的主要特徵

據估計，太陽中心附近的溫度高達 20,000,000 K。然而，這並不是決定太陽電磁輻射的溫度。來自太陽深處的強烈輻射大部分被太陽表面附近的負氫離子層所吸收。這些離子對很大波長範圍的輻射具有連續吸收的作用。這個負氫離子層聚積的熱量引起了對流，藉由對流，將過多的能量傳過光阻擋層（optical barrier）（圖 1.2）。能量一旦傳過光阻擋層之大部分範圍後，就被重新輻射到較易透射的外層氣體中。這個界限分明的層將對流傳熱轉為輻射傳熱，稱為光球（photosphere）。光球層的溫度比太陽內部的溫度低得多，但仍然高達 6000 K。光球層的輻射光譜基本上是連續的電磁輻射光譜，它和預期的黑體在此溫度下的輻射光譜很接近。

1.4 太陽常數

在地球大氣層之外，在地球－太陽間平均距離處，垂直於太陽光方向之單位面積上的輻射功率基本上為一常數。這個輻射強度稱為太陽常數（solar constant），或稱此輻射為大氣質量為零（air mass zero, AM 0）的輻射，其理由將在下面敘述。

目前，在太陽光電中採用的太陽常數值是 1.353 kW/m^2（譯註：現在已改為 1.3661 kW/m^2）。這個數值是由裝在氣球、高空飛機和太空船上的儀器之測量值加權平均而決定的 [1.3]。從圖 1.3 最上面的兩條曲線可以看出，AM 0 的輻射光譜分佈不同於理想黑體的光譜分佈。這是由於太陽大氣層對不同波長的輻射有不同的透射率等諸多影響造成的。目前採用的分佈值表列於參考文獻 1.3。了解太陽光能量的精確分佈對於太陽電池的工作很重要，因為這些電池對於不同波長的光有不同的響應。

1.5 ｜地球表面的太陽輻射強度

陽光穿過地球大氣層時，太陽輻射至少衰減了 30%。造成衰減的原因如下 [1.4]：

1. 瑞利散射（Rayleigh scattering）或大氣中分子引起的散射。這種散射對所有波長的太陽光都有衰減作用，但對短波長的光衰減最大。
2. 懸浮微粒和灰塵引起的散射。

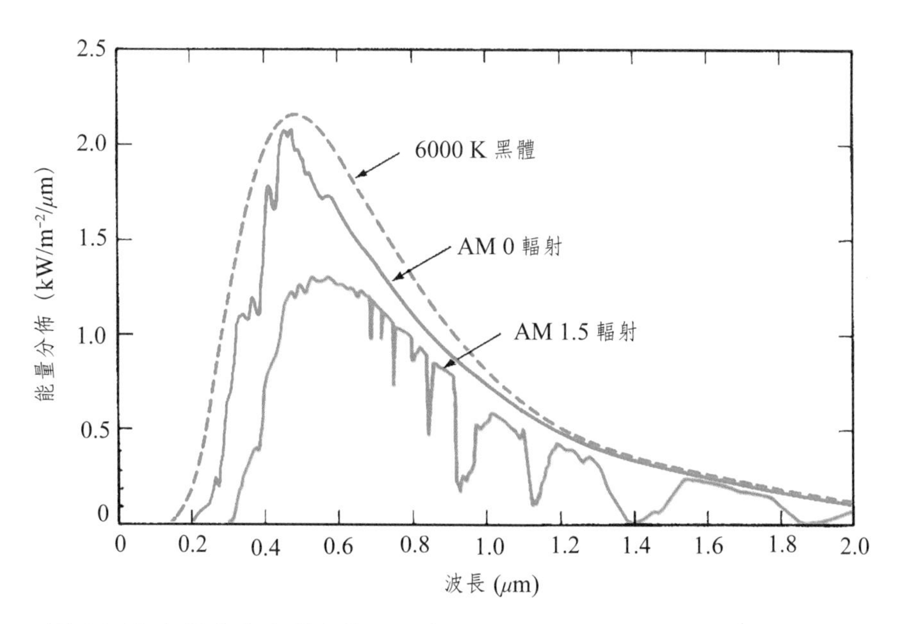

圖 1.3 太陽光的光譜分佈。圖中顯示出 **AM 0** 和 **AM 1.5** 輻射的光譜分佈，並顯示出如果太陽是 **6000 K** 的黑體時，所預期的太陽輻射光譜分佈。

3. 大氣，以及其組成氣體，特別是氧氣、臭氧、水蒸汽和二氧化碳，的吸收。

圖 1.3 中最下面的曲線表示到達地球表面的陽光之典型光譜分佈，同時顯示出與分子吸收有關的吸收帶。

衰減的程度變化相當大。晴天時，決定總入射功率的最重要參數是光線通過大氣層的路程。太陽在頭頂正上方時路程最短，而實際路程和此最短路程之比值稱為光學大氣質量（optical air mass）。太陽在頭頂正上方時，光學大氣質量為 1，這時的輻射稱為大氣質量 1（AM 1）的輻射。當太陽和頭頂正上方成某一個角度 θ 時，大氣質量可由下式求得：

$$\text{大氣質量} = \frac{1}{\cos\theta} \tag{1.1}$$

因此，當太陽偏離頭頂正上方成 60 度角時，輻射為 AM 2 輻射。估算大氣質量的最簡易方法是測量高度為 h 的豎立物體投射的陰影長度 s。於是，

$$\text{大氣質量} = \sqrt{1 + \left(\frac{s}{h}\right)^2} \tag{1.2}$$

在其他大氣變數不變的情況下，隨著大氣質量的增加，到達地球的能量在所有波段都遭到衰減，在圖 1.3 中的吸收帶附近衰減更為嚴重。

因此，與地球大氣層外的情況相反，在地面上太陽輻射的強度和光譜組成變化都相當大。為了對不同地點所測得太陽電池的性能進行有意義的比較，必須訂定一個地面標準，然後參照這個標準進行測量。雖然這個標準還在不斷修正，但在本書撰寫時，最廣泛使用的地面標準是表 1.1 中的 AM 1.5 的分佈，這些資料也已繪製成圖 1.3 中的地面光譜分佈曲線。1977 年美國政府的太陽光電計畫將此分佈按比例放大後作為標準 [1.5]。按比例放大的目的是使得總功率密度為 1 kw/m^2，即接近地球表面接收到的最大功率密度。

表 1.1 太陽光譜—大氣質量 1.5*

波長 (μm)	W/(m^2−μm)	波長 (μm)	W/(m^2−μm)	波長 (μm)	W/(m^2−μm)	波長 (μm)	W/(m^2−μm)	波長 (μm)	W/(m^2−μm)
0.295	0	0.595	1262.61	0.870	843.02	1.276	344.11	2.388	31.93
0.305	1.32	0.605	1261.79	0.875	835.10	1.288	345.69	2.415	28.10
0.315	20.96	0.615	1255.43	0.8875	817.12	1.314	284.24	2.453	24.96
0.325	113.48	0.625	1240.19	0.900	807.83	1.335	175.28	2.494	15.82
0.335	182.23	0.635	1243.79	0.9075	793.87	1.384	2.42	2.537	2.59
0.345	234.43	0.645	1233.96	0.915	778.97	1.432	30.06		
0.355	286.01	0.655	1188.32	0.925	217.12	1.457	67.14		
0.365	355.88	0.665	1228.40	0.930	163.72	1.472	59.89		
0.375	386.80	0.675	1210.08	0.940	249.12	1.542	240.85		
0.385	381.78	0.685	1200.72	0.950	231.30	1.572	226.14		
0.395	492.18	0.695	1181.24	0.955	255.61	1.599	220.46		
0.405	571.72	0.6983	973.53	0.965	279.69	1.608	211.76		
0.415	822.45	0.799	1173.31	0.975	529.64	1.626	211.26		
0.425	842.26	0.710	1152.70	0.986	496.64	1.644	201.85		
0.435	890.55	0.720	1133.83	1.018	585.03	1.650	199.68		
0.445	1077.07	0.7277	974.30	1.082	486.20	1.676	180.50		
0.455	1162.43	0.730	1110.93	1.094	448.74	1.732	161.59		
0.465	1180.61	0.740	1086.44	1.098	486.72	1.782	136.65		
0.475	1212.72	0.750	1070.44	1.101	500.57	1.862	2.01		
0.485	1180.43	0.7621	733.08	1.128	100.86	1.955	39.43		
0.495	1253.83	0.770	1036.01	1.131	116.87	2.008	72.58		
0.505	1242.28	0.780	1018.42	1.137	108.68	2.014	80.01		
0.515	1211.01	0.790	1003.58	1.144	155.44	2.057	72.57		
0.525	1244.87	0.800	988.11	1.147	139.19	2.124	70.29		
0.535	1299.51	0.8059	860.28	1.178	374.29	2.156	64.76		
0.545	1273.47	0.825	932.74	1.189	383.37	2.201	68.29		
0.555	1276.14	0.830	923.87	1.193	424.85	2.266	62.52		
0.565	1277.74	0.835	914.95	1.222	382.57	2.320	57.03		
0.575	1292.51	0.8465	407.11	1.236	383.81	2.338	53.57		
0.585	1284.55	0.860	857.46	1.264	323.88	2.356	50.01		

總功能量密度 = 832 W/m^2

1.6 直接輻射和漫射輻射

到達地面的太陽輻射，實際上的組成更為複雜。除了直接由太陽輻射來的分量之外，還包括由大氣層散射引起的，相當可觀的間接輻射或漫射（diffuse）輻射分量。所以，甚至在晴朗無雲的天氣，白天漫射輻射分量也能占水平面所接收的總體輻射量的 10 ～ 20%。

在陽光不足的天氣，水平面上的漫射輻射分量所占的百分比通常會增加。根據所觀察到的資料 [1.6]，可以看出下列統計趨勢。對於特別缺少日照的天氣，大部分輻射是漫射輻射。一般來說，如果一天中接收到的總體輻射量低於一年相同時間的晴天所接收到的總體輻射量的三分之一，則在這種日子裡接收到的輻射大部分是漫射輻射。而對介於晴天和陰天之間，所收到的輻射約為晴天的一半，通常所接收到的輻射中有 50% 是漫射輻射。壞天氣不僅使世界上一些地區只能收到少量的太陽輻射能，而且其中大部分是漫射輻射。

漫射陽光的光譜成分通常不同於直射陽光的光譜成分。一般而言，漫射陽光中含有更豐富較短波長的光或「藍色」波長的光，這使得太陽電池系統接收到的太陽輻射的光譜成分產生進一步變化。當採用通常在水平面上記錄的輻射資料來計算傾斜面上的輻射時，來自天空不同方向的漫射輻射分佈的不確定性會在計算上又帶來一些誤差。儘管圍繞太陽的空隙產生的漫射輻射最為強烈，通常仍假定漫射光是等方向性的（在所有方向都是均勻的）。

聚光型太陽光電系統只能在一定角度內接收太陽光。為了利用太陽光的直接輻射分量，系統必須隨時追蹤太陽（追日），然而，漫射輻射分量被浪費了。這就抵消了這種追日系統總是垂直於太陽射線而能接收到最大功率密度的優點。

1.7 太陽的視運動

地球每天繞虛設的地軸旋轉一周，地軸相對於地球繞太陽公轉的軌道平面有固定的方向。這個方向與軌道平面的夾角即黃赤交角（23°27'）。由於上述關係，太陽相對於地球上某一固定點的觀察者做視運動（apparent motion）的細節也許較不為人們所熟悉。

圖 1.4 顯示太陽對於一個位於北緯 35° 的觀察者的視運動。在任意指定的一天，太陽視運動的軌道平面和觀察者站立的垂直方向所成角度，等於其所在地點的緯度值。在春秋分的時候（3 月 21 日和 9 月 23 日），太陽從正東升起，由正西落下。因此，在春分和秋分這兩天，太陽在正午的高度等於 90° 減去緯度。夏至和冬至(對北半球分別是 6 月 21 日和 12 月 22 日，而南半球則相反)，正中午的太陽高度正好比春秋分增加或減少一個黃赤交角（23°27'）。

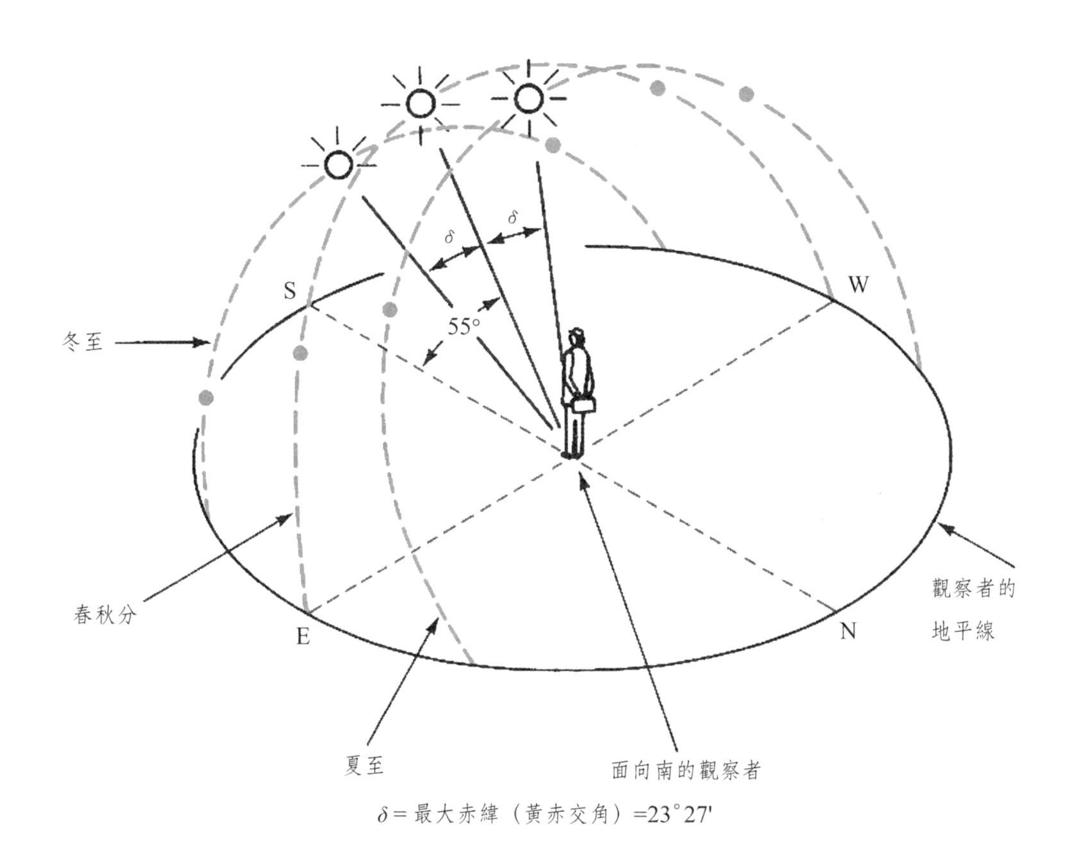

圖 1.4 太陽相對於一個北緯 **35°** 固定點的觀察者的視運動。圖中示出在春秋分、夏至和冬至的太陽路徑，並顯示出太陽在這幾天正午的位置。黑圓圈表示正午前後 **3** 小時的太陽位置。

1.8 太陽的日照資料

在設計太陽光電系統時，最理想的情況是掌握該系統安裝地點的日照情況詳細記錄。不僅需要直射和漫射光的數據，而且對應的環境溫度、風速及風向的資料也是有用的。儘管世界各地有著許多監測站對這些參數進行監測，但目前從經濟上考慮，太陽光電系統只在偏遠地區使用才有利，而偏遠地區不太可能取得到這些資料。

在一指定地點，有效日照不僅取決於如緯度、高度、氣候類別和主要的植被等總體地理特徵，而且也強烈地取決於當地的地理特徵。太陽日照分佈圖儘管未能考慮各地的地理特徵，但對世界上不同地方仍然有效。這些圖通常是綜合實測得的日照資料與遍佈世界各地的日照時間監測網估算資料繪製而成的。

最常使用的數據是水平面上總體輻射（global radiation）的日平均值。一般都採用參考資料 [1.7] 提供的數據。這篇資料列出了世界各地數百個日照監測站所測得的一年當中每個月的水平面上總體輻射量日平均值；並且也列出了由日照時間紀錄推估所得到的資訊，這裡考慮了其他幾百個地點的氣候與植披數據。這些資料已編入一系列的世界地圖中，這些地圖標示了一年當中每個月的等日照線。圖 1.5 中標出晝夜平分點的月份（九月）的等日照線。對大多數地方來說，這個月的日照大致近似全年的平均水準。

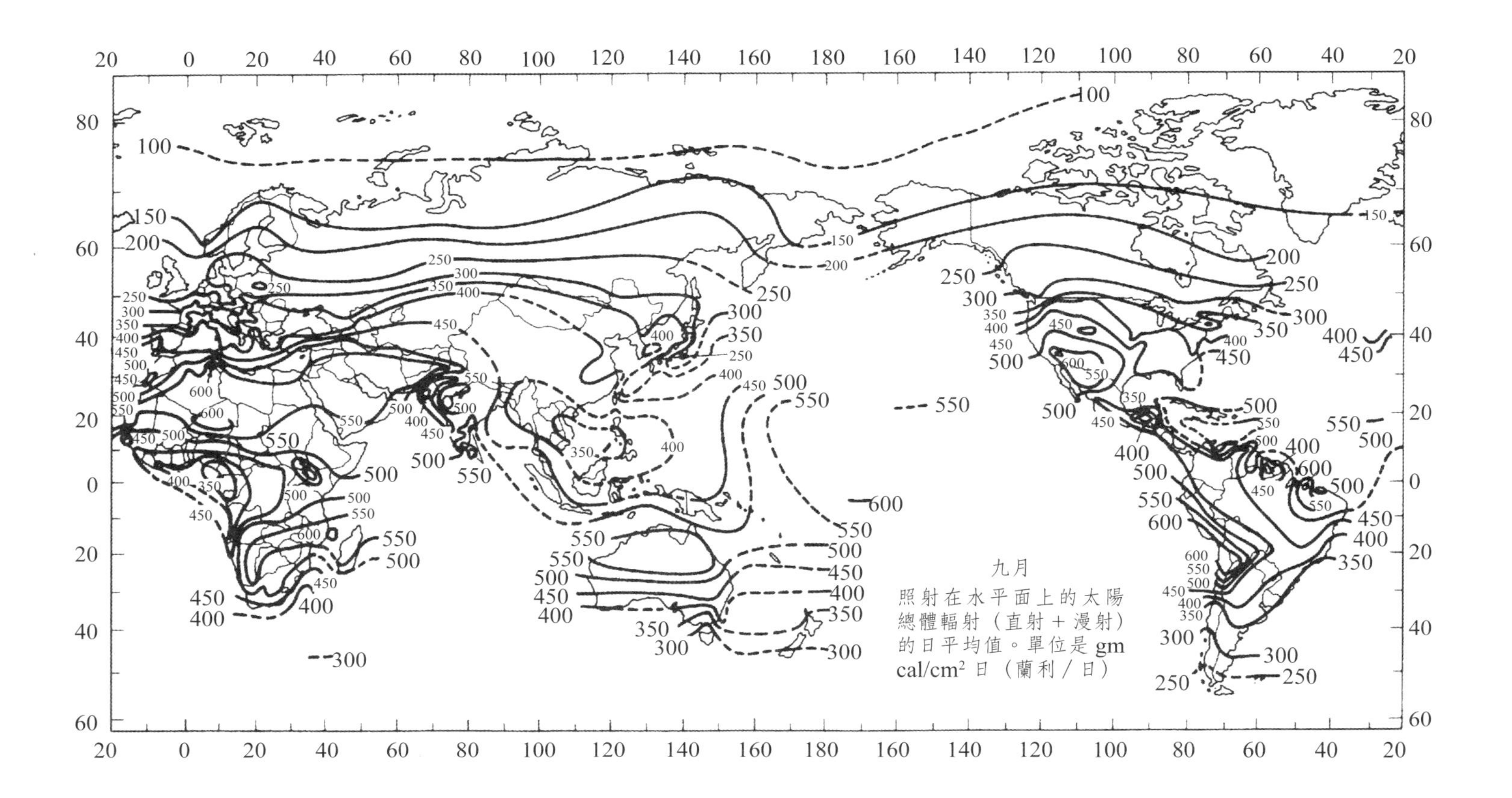
九月
照射在水平面上的太陽
總體輻射（直射＋漫射）
的日平均值。單位是 gm
cal/cm² 日（蘭利／日）

1.9 結語

雖然地球大氣層外的太陽輻射相對來說是不變的，但地球表面的情況就複雜些。地面太陽輻射的可用率、強度和光譜組成的變化劇烈且無法預測。晴天時，太陽輻射通過大氣層的路程，即光學大氣質量，是一個重要的參數。對不太理想的天氣，太陽的間接輻射，即漫射輻射部分尤為重要。雖然對世界上大部分地區而言，在水平面上接收到的年度總體輻射量（直射＋漫射）都可取得合理估算值。然而，將這些估算資料應用於特定地點時，由於各地地理條件差異大，可能引入誤差，所以在換算成傾斜面上的輻射時，得到的是近似值。

習題

1.1 已知太陽到地球、水星和火星的平均距離分別為 1.50×10^{11} m、5.8×10^{10} m 和 22.8×10^{12} m，請估算水星和火星的太陽常數。

1.2 太陽與水平面成 30° 仰角時，大氣質量是多少？

1.3 計算 6 月 21 日中午在雪梨（南緯 34°）、舊金山（北緯 38°）和新德里（北緯 29°）的太陽高度。

1.4 夏至中午在新墨西哥州的阿布奎基（Albuquerque，北緯 35°）總體輻射是 60 mW/cm^2，假定 30% 是漫射輻射，並且取如下近似：模組周圍地面無反射，漫射輻射在天空是均勻分佈的。試估算與水平面成 45° 角，向南平面上的輻射強度。

參考文獻

[1.1] M.Wolf, “Historical Development of Solar Cells,” in *Solar Cells*, ed.C. E. Backus (New York: IEEE Press, 1976).

[1.2] R. Siegel and J. R. Howell, *Thermal Radiation Heat Transfer* (New York: Mc Graw-

Hill, 1972).

[1.3] M. P. Thekackara, *The Solar Constant and the Solar Spectrum Measured from a Research Aircraft*, NASA Technical Report No. R-351, 1970.

[1.4] P. R. Gast, "Solar Radiation," in *Handbook of Geophysics*, ed. C. F. Campen et al. (New York: Macmillan, 1960), pp. 14-16 to 16-30.

[1.5] *Terrestrial Photovoltaic Measurement Procedures*, Report ERDA/NASA/1022-77/16, June 1977.

[1.6] B. Y. Liu and R. C. Jordan, "The Interrelationship and Characteristic Distribution of Direct, Diffuse and Total Solar Radiation," *Solar Energy 4* (July 1960), 1-19.

[1.7] G. O. G. Löf, J. A. Duffie, and C. O. Smith, *World Distribution of Solar Energy*, Report No. 21, Solar Energy Laboratory, University of Wisconsin, July 1966.

第 2 章
半導體特性的回顧

2.1 前言

在第一章中已經概略介紹過陽光的特性，現在該看看太陽能光電轉換中的另一個重要角色——半導體材料的特性了。

本章的目的，並不是從基本原理出發而慎密地研究半導體的特性，而是著重在敘述那些對太陽電池的設計和運作而言非常重要的半導體性質。因此，本章對已經熟悉半導體性質的讀者而言可作為一個簡捷的復習，而對不甚熟悉這些性質的讀者，本章有足夠資料協助他們理解往後各章內容並打好基礎。為加強這個基礎概念，後一類讀者可選擇一本更深入探討半導體性質的專業書籍作為參考書 [2.1 ~ 2.4]。

2.2 晶體結構和方向性

本書所談到的大部分太陽光電材料都屬於晶體，起碼在微觀（microscopic scale）上是如此。理想晶體的特徵是組成晶體的原子有規則地作週期性的排列，由小構造單元堆疊成整個晶體。最小的重複單元稱為「原胞（primitive cell）」。這種原胞當然包含有重現晶體中原子位置所需的全部參數，但其形狀通常較不便於分析。因此，採用較大的單胞（unit cell），較為方便，單胞也包含以上的參數，但形狀通常較簡單。例如，圖 2.1(a) 表示面心立方原子排列的單胞，而圖 2.1(b) 則表示相對應的原胞。用來定義單胞外型的三個方向是正交的，而原胞則不然。單胞的邊長稱為晶格常數（lattice constant）。

晶體內平面的方向性可利用密勒指數（Miller index）系統以單胞結構來表示。如圖 2.1(a) 所示，用來定義單胞的三個向量作為座標系的座標軸，想像未知方位的平面通過座標系原點，然後考慮平行於這個平面且通過座標軸上原子位置的下一個平面。圖 2.2 顯示一個例子，在此例子中，沿每個軸的截距是離原點為 1、3 和 2 個原子間隔，取倒數得出 1、1/3 和 1/2。具有相同比例的最小整數是 6、2 和 3。因此，該平面用密勒指數表示為（623）平面。負截距可在對應數的上方加一橫線表示（例如 −2 可寫成 2）。

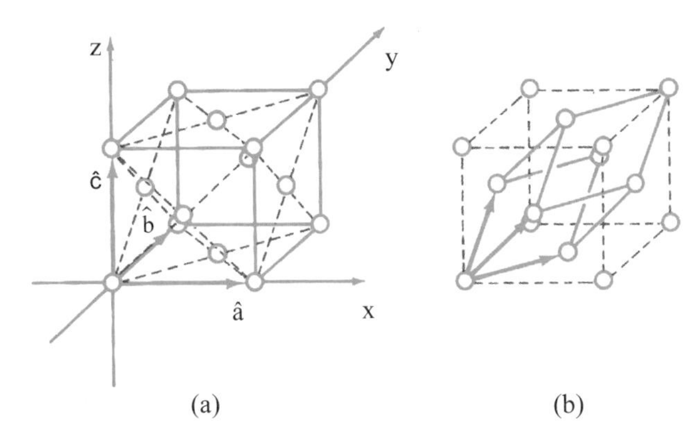

圖 2.1 ☼ **(a)** 面心立方原子排列的單胞。選擇這樣的單胞以使用來定義其外型的三個方向成正交，向量 **â**、**b̂** 和 **ĉ** 是每個方向上的單位向量；**(b)** 相同原子排列的原胞。

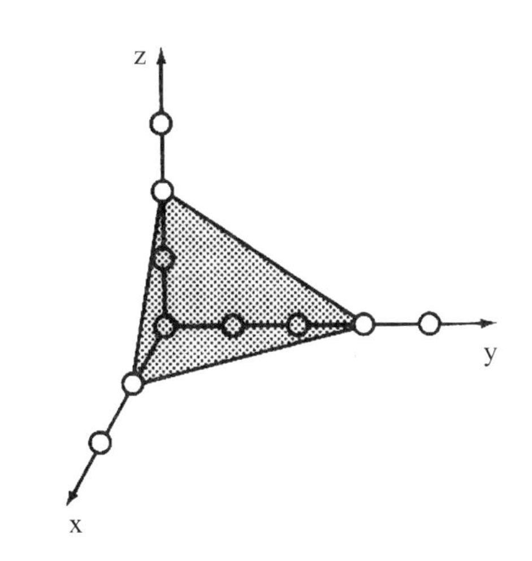

圖 2.2 ☼ 用密勒指數（**623**）描述的晶體平面

晶體內的方向用向量符號的縮寫型式表示，在所求方向上的向量可按比例縮放，因此可用 $h\hat{a}+k\hat{b}+l\hat{c}$ 的形式表示。這裡 $\hat{a}$、$\hat{b}$ 和 $\hat{c}$ 是沿著如圖 2.1(a) 所示座標系的各個軸的單位向量，h、k 和 l 是整數。因此，這個方向用 $[hkl]$ 方向來描述，用中括號表示方向，以有別於密勒指數。注意：對於立方單胞來說，$[hkl]$ 方向垂直於（hkl）平面。

最後，在晶體結構內部存在著等效的平面。例如，對於圖 2.1(a) 的面心立方晶格來說，(100)，(010) 和 (001) 平面的區別只在於原點選擇的不同。其對應的等效平面集合，合起來稱為 {100} 集合，在此情況下，使用大括弧。

圖 2.3(a) 顯示出在太陽電池技術中，許多重要半導體的原子排列，包括矽 (Si)、砷化鎵 (GaAs) 和硫化鎘 (CdS) 三種晶體的排列。後兩種是晶體結構中含有一種以上原子的化合物半導體，這種排列通常稱為鑽石晶格或閃鋅礦晶格 (Zincblende lattice)(例如 GaAs 類的化合物半導體)。如圖中所示，這種晶體的單胞是立方體。圖 2.3(b) ～ (d) 示出從所選擇的方向看到的原子排列。這些圖顯示出原子在不同方向自然排列的重大差別，這種方向性的差異對太陽電池的研發工作而言是非常重要的 (例如：見習題 2.2)。

2.3 禁止能隙 (FORBIDDEN ENERGY GAPS)

在自由空間 (free space) 中的電子所能得到的能量基本上是連續的，但在晶體中的情況就可能截然不同了。

孤立原子中電子的能階是彼此分開的，當原子靠近時，原來的能階就會分裂成允許的能帶，如圖 2.4 所示。當原子在晶體中規則地排列時，彼此之間存在一平衡的原子間距。圖 2.4(a) 表示晶體的一種情況，此時，在原子間平衡間距 d，晶體具有被禁帶所隔開的電子允許能帶 (相當於原子能階)。圖 2.4(b) 表示一種不同的情況，在另一種不同晶體材料的平衡間距 d 處，能帶互相重疊，實際上得到一個連續的允許能帶。

2.4 允許能態的佔有機率

在低溫時，晶體內的電子佔有最低的可能能態。

乍看起來，可能會想到晶體的平衡狀態是電子全都處在最低允許能階的一種狀態。然而，事實並非如此。根據基本物理理論——包利 (Pauli) 不相容原理，每個允許能階最多只能被兩個自旋方向相反的電子所佔據。這意味著，在

圖 2.3 ☼ **(a)** 鑽石晶格模型（太陽電池中許多重要半導體的原子結構），圖中還示出晶胞的外部輪廓；**(b)** 從 **[100]** 方向觀察同一結構；**(c)**、**(d)** 分別從 **[111]** 和 **[110]** 方向觀察。

低溫下，晶體的某一能階以下的所有可能能態都將被兩個電子佔據，該能階稱為費米能階（*Fermi Level*, E_F）。

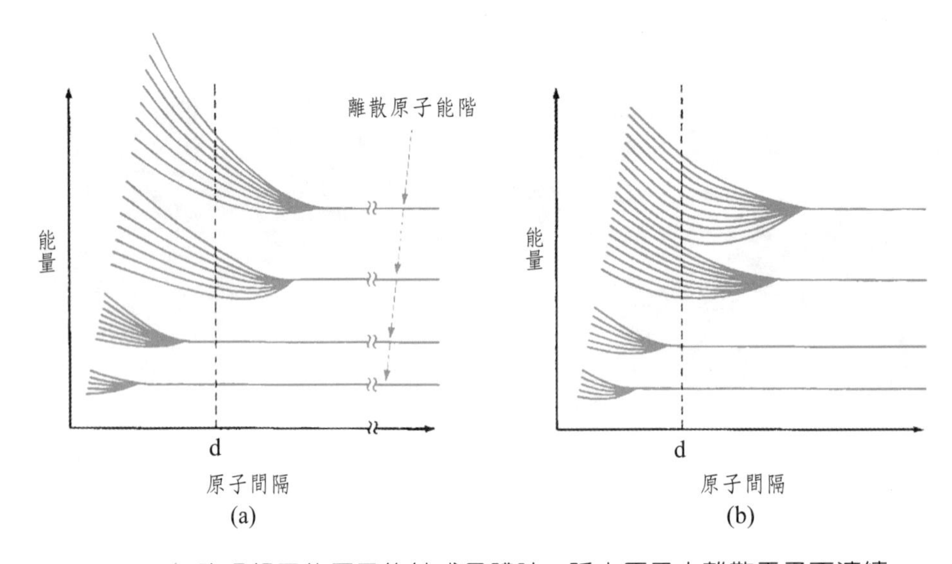

圖 2.4 ☼ 許多相同的原子集結成晶體時，孤立原子中離散電子不連續的允許能階如何分裂成允帶的示意圖。**(a)** 在晶體中原子的平衡間距 **d** 處存在著一些被禁帶隔開的電子允許能帶；**(b)** 在 **d** 處最上面的能帶發生重疊。

隨著溫度的升高，一些電子得到超過費米能階的能量，對這種較常見的情況，考慮到包利不相容原理的限制，對任一給定能量 E 的一個所允許的電子能態的佔有機率可以根據統計規律計算 [2.1～2.4]，其結果是如下式所示的費米一狄拉克分佈（Fermi-Dirac distribution）函數 $f(\mathrm{E})$，即

$$f(E)=\frac{1}{1+e^{(E-E_F)/kT}} \tag{2.1}$$

其中，k 是波茲曼常數，T 是絕對溫度。該函數的關係曲線如圖 2.5 所示。正如預期，接近絕對零度時，能量低於 E_F 時，$f(E)$ 基本上是 1，而能量高於 E_F 時，$f(E)$ 為零。隨著溫度的升高，電子的分佈漸漸不那麼集中，能量高於 E_F 的能態具有一定的佔有機率，能量低於 E_F 的能態具有一定的空位機率。

現在可以用電子能帶結構來描述金屬、絕緣體和半導體之間的差別了。金屬的電子能帶結構是 E_F 位於允許能帶之內（圖 2.6）。其原因可能為：如果能

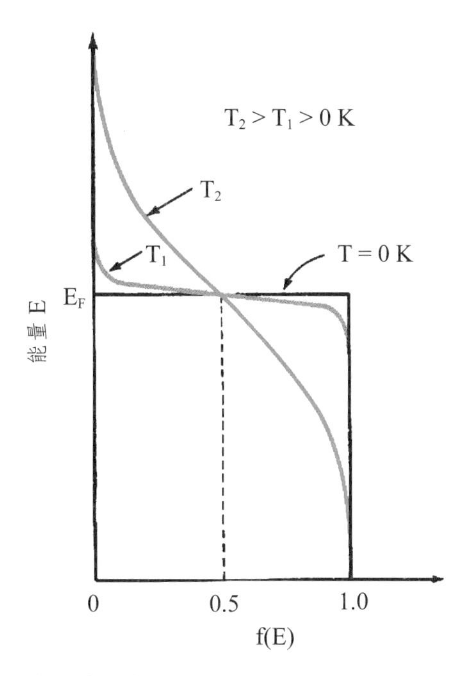

圖 2.5 ☼ 費米—狄拉克分佈函數。費米能階 E_F 以上的能態的電子佔據機率低，而以下的能態則幾乎全被佔據。

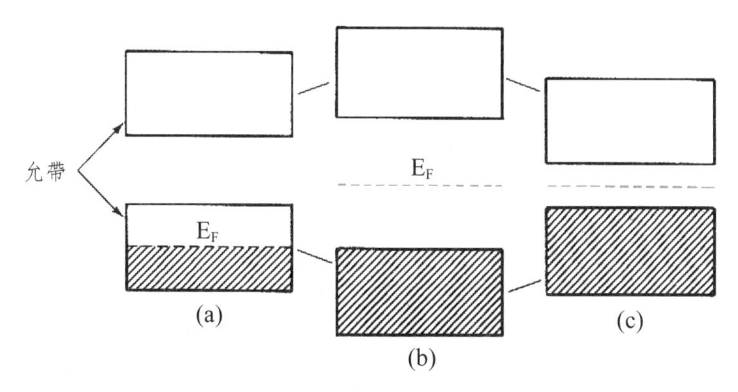

圖 2.6 ☼ 允許能態被電子佔據的方式
(a) 在金屬中；**(b)** 在絕緣體中；**(c)** 在半導體中

帶結構如圖 2.4(a) 所示，可用的電子不足以填滿現有能帶；或者換一種說法，存在著重疊能帶，如圖 2.4(b) 所示。絕緣體有著被電子完全佔據了的較低能帶，而且與其鄰近的、低溫下沒有電子的較高能帶之間有一個很大的能隙存在。從本節稍早的討論中可看出，E_F 必定位於禁帶之中（圖 2.6）。

無電子存在的能帶顯然不能對晶體內的電流流動有任何貢獻。更令人訝異的是，被電子完全填滿的能帶也是如此。為了對電流有所貢獻，電子必須從外加電場(applied field)中吸取能量。在一個完全填滿的能帶中，這是不可能的，因為附近沒有空著的允許能階可供受激電子躍遷到它上面。因此，絕緣體不導電，而金屬則具有大量的這種能階，故能夠導電。

半導體只不過是一種具有窄禁止能隙的絕緣體。在低溫下，它不能導電；在較高溫度下，費米一狄拉克函數不那麼集中，使得原來完全被填滿的能帶（價電帶）中的某些能階現在是空的，而鄰近的高能帶（導電帶）中有一些能階被佔據，導電帶中的電子因附近有許多未被佔據的能態，故可對電流作出貢獻。因為現在在價電帶中存在著未被佔據的能階，所以價電帶中的電子也對電流作出貢獻。

2.5 電子和電洞

我們可以用一個理想化的兩層停車場（圖 2.7）來對半導體中電流流動過程做一個十分簡單而又相當好的類比。

首先考慮如圖 2.7(a) 所示的情況，此時停車場的底層完全被汽車填滿，而頂層完全空著，因此沒有任何可供汽車移動的餘地。如果一輛汽車如圖 2.7(b) 所示地從第一層移動到第二層，那麼第二層的汽車就能任意自由移動。這輛汽車相當於半導體內導電帶中的電子。現在，在底層將存在一個空位，附近的汽車可以移動到這個空位而留下一個新的空位。因此，現在汽車同樣也可以在底層移動。這種移動相當於電子在價電帶中的運動。我們可以不把底層的運動看作是許多汽車運動的結果，而比較簡單地描述成是單個空位的運動，同樣地，在晶體中用價電帶中空能態的運動來考慮問題比較容易。如果把空能態看成是稱為「電洞（hole）」的帶正電的物質粒子，那麼在許多情況下，空能態符合一般準則的運動是可以預測的。因此，半導體內的電流可以看成是導電帶中的電子和價電帶中的電洞運動的總和。

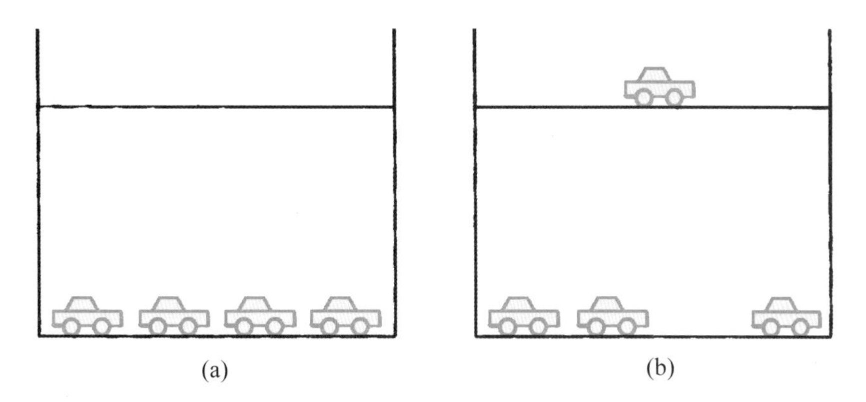

圖 2.7 半導體中導電過程的簡單「停車場」類比
(a) 不可能移動；**(b)** 上下兩層都可能移動

2.6 ｜電子與電洞的動力學

半導體內的電子和電洞受到作用力而產生的運動與自由空間粒子的運動不同，除了作用力以外，總是存在著晶體原子週期力的影響。然而，量子力學計算的結果指出，在與本書有關的大部分情況下，將描述自由空間粒子的概念稍加修正就可應用到半導體中的電子和電洞上。

例如，對於晶體導電帶內的電子，牛頓定律變成

$$F = m_e^* a = \frac{dp}{dt} \tag{2.2}$$

其中，F 是作用力；m_e^* 是電子的「等效」質量（effective mass），它包括了晶格原子的週期力的影響；p 稱為晶體動量（crystal momentum），它與自由空間的動量相似。

對自由電子而言，能量和動量間係一個拋物線的關係，即

$$E = \frac{p^2}{2m} \tag{2.3}$$

對於半導體中的載子，情況可能更複雜一些。在一些半導體中，類似的定律適用於導電帶中能量接近於該帶最小能量（E_c）的電子，即

$$E - E_c = \frac{P^2}{2m_e^*} \tag{2.4}$$

類似的關係式適用於價電帶中能量近於最大（E_v）的電洞，即

$$E_v - E = \frac{P^2}{2m_h^*} \tag{2.5}$$

圖 2.8 表示出上述關係。這樣的半導體稱為直接能隙半導體（direct-band-gap），其中在科技應用上最重要的化合物半導體為砷化鎵（GaAs）。

在另一些半導體中，導電帶的最小值可以是某一晶體動量值，遵循下面關係式：

$$E - E_c = \frac{(p - p_0)^2}{2m_e^*} \tag{2.6}$$

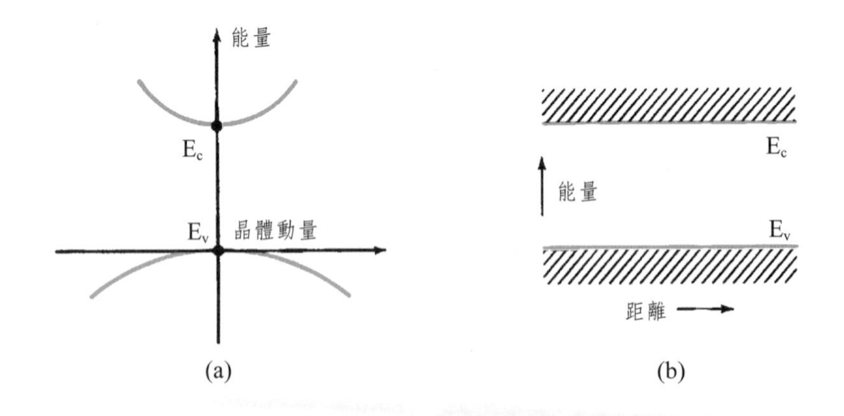

圖 2.8 (a) 直接能隙半導體的導電帶中的電子和價電帶中的電洞在接近帶邊處的能量－晶體動量關係；(b) 半導體中允許能量的對照空間表示。

對於價電帶，存在一個相似的關係式：

$$E_v - E = \frac{(p - p_0)^2}{2m_h^*} \tag{2.7}$$

如果 $p_0 = p_0'$，則半導體具有直接能隙。然而，如果 $p_0 \neq p_0'$，則能隙被稱為間接能隙。最常見的元素半導體 Ge 和 Si 都是間接能隙材料。二者都是 $p_0' = 0$，而 p_0 為某一限值。該情況如圖 2.9 所示。

請注意，在半導體元件中，表示能量關係時，一般都是畫出能量與距離的關係（如圖 2.8 和 2.9 所示），並不區分直接和間接能隙半導體。

2.7 允許狀態的能量密度

單位體積半導體中，在禁帶的能量範圍內其允許狀態（allowed state）密度顯然是為零，而在允帶內就不是零，這就產生了究竟有多少電子狀態分佈在允帶內的問題。

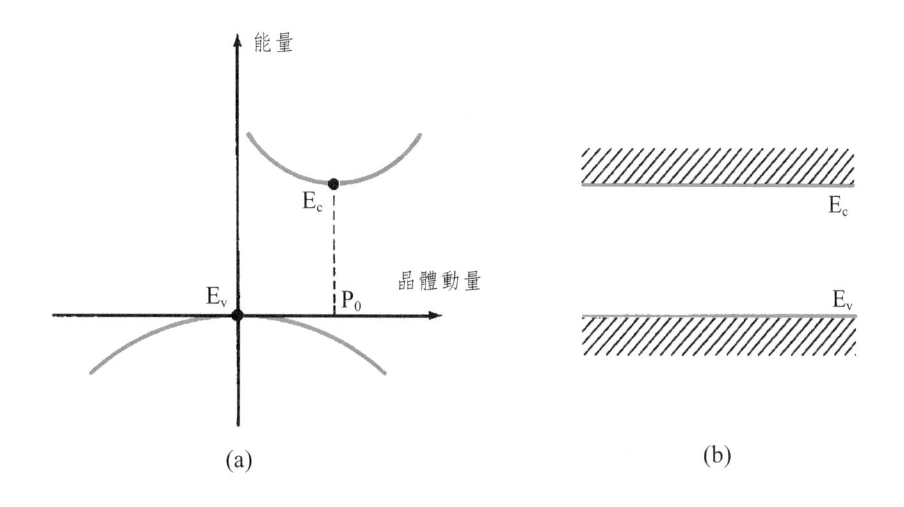

圖 2.9 間接能隙半導體在接近帶邊處的能量—晶體動量關係及能帶的空間表示

答案可以相當容易地找到[2.1～2.4]，至少對於靠近允帶邊緣的能量是如此，在允帶邊緣，可將載子看成類似於自由載子。對於靠近導電帶邊（在無各向異性（anisotropy）的情況下）的能量 E。單位體積、單位能量的允許狀態數 $N(E)$ 由下式得出，即

$$N(E)=\frac{8\sqrt{2}\pi m_e^{*3/2}}{h^3}(E-E_c)^{1/2} \tag{2.8}$$

其中，h 是普朗克常數。對靠近價電帶邊的能量，存在類似的表示式。這些允許狀態的分佈如圖 2.10(b) 所示。

2.8 電子和電洞的密度

知道了允許狀態的密度〔式（2.8）〕和這些狀態的佔有機率〔式（2.1）〕，現在就可以計算電子和電洞的實際能量分佈了。結果如圖 2.10 所示。

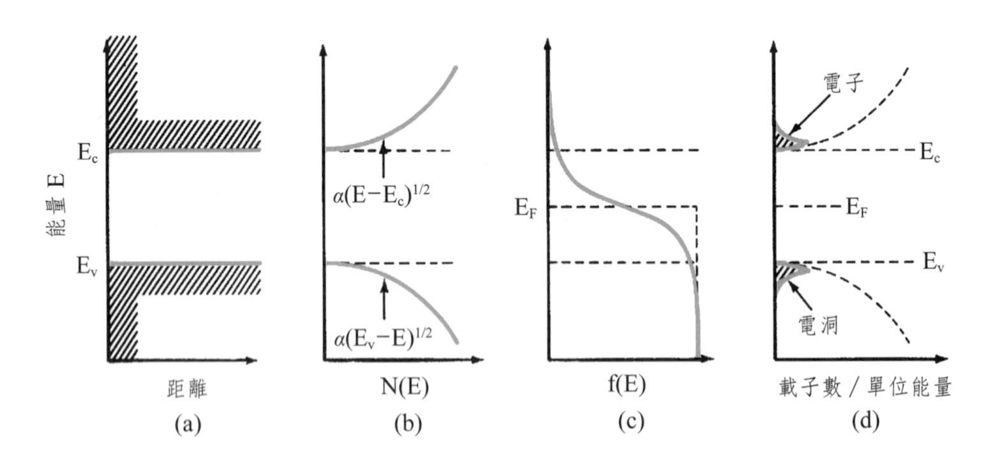

圖 2.10 **(a)** 半導體的能帶圖；**(b)** 電子的允許狀態能量密度；**(c)** 這些狀態的佔有機率；**(d)** 所得到的電子和電洞的能量分佈（注意：大部分集中在各自的帶邊附近）

由於費米—狄拉克分佈函數的性質，導電帶中的大多數電子和價電帶中的電洞都聚集在帶邊附近，每個帶中的總數可透過積分求得。單位體積晶體中，在導電帶內的電子數 n 由下式得出，即

$$n = \int_{E_c}^{E_{c\max}} f(E)\, N(E)\, dE \tag{2.9}$$

因為 $(E_C - E_F) >> k_T$，所以對於導電帶，$f(E)$ 可簡化為

$$f(E) \approx e^{-(E-E_F)/kT} \tag{2.10}$$

並且用無窮大來代替積分上限 $E_{c\,max}$，只有些微的誤差，因此，

$$n = \int_{E_c}^{\infty} \frac{8\sqrt{2}\pi m_e^{*3/2}}{h^3} (E - E_c)^{1/2} e^{(E_F - E)kT} dE \tag{2.11}$$

$$= \frac{8\sqrt{2}\pi}{h^3} m_e^{*3/2} e^{E_F/kT} \int_{E_c}^{\infty} (E - E_c)^{1/2} e^{-E/kT} dE$$

把積分變數變為 $x = (E - E_c)/kT$，則

$$n = \frac{8\sqrt{2}\pi}{h^3} (m_e^* kT)^{3/2} e^{(E_F - E_c)/kT} \int_0^{\infty} x^{1/2} e^{-x} dx \tag{2.12}$$

式中的積分是標準型，並等於 $\sqrt{\pi}\ /2$。因此，

$$n = 2\left(\frac{2\pi m_e^* kT}{h^2}\right)^{3/2} e^{(E_F - E_c)/kT} \tag{2.13}$$

$$n = N_C\, e^{(E_F - E_c)/kT} \tag{2.14}$$

這裡，對於固定的 T，N_c 是常數，通稱為導電帶內的有效態位密度（effective density of states），可藉由比較式（2.13）和（2.14）來定義。同樣，單位體積晶體中在價電帶內的電洞總數為

$$p = N_V e^{(E_v - E_F)/kT} \tag{2.15}$$

價電帶內的有效態密度 N_V 用同樣的方法決定。

對於無表面、純淨而完美的半導體的理想情況，n 等於 p，因為導電帶中的每一個電子都在價電帶中留下一個空位即電洞。因此，

$$n = p = n_1 \tag{2.16}$$

$$\begin{aligned} np = n_i^2 &= N_C N_V e^{(E_v - E_c)/kT} \\ &= N_C N_V e^{-E_g/kT} \end{aligned} \tag{2.17}$$

其中，n_i 通稱為「本質濃度」（intrinsic concentration），E_g 是導電帶和價電帶之間的能隙。從式（2.16）也可看出

$$N_C e^{(E_F - E_c)/kT} = N_V e^{(E_v - E_F)/kT} \tag{2.18}$$

於是得到

$$E_F = \frac{E_C + E_V}{2} + \frac{kT}{2} \ln\left(\frac{N_V}{N_C}\right) \tag{2.19}$$

因此，在純淨、完美的半導體中，費米能階位於能隙中央附近，它偏離能隙中央的程度取決於導電帶和價電帶的有效態位密度的差。

2.9 | IV族半導體的鍵結模型

為了討論化學元素週期表中IV族的這一類半導體，可從另一種觀點來看一些比較重要的半導體特性。雖然下面的「鍵結模型」描述方式並不普遍適用於所有半導體材料，但它能以簡單的方式說明雜質對半導體電子學特性的影響。

圖 2.3 顯示了週期表IV族半導體的特有的晶格結構。圖 2.11(a) 是矽晶格的二維示意圖。每個矽原子都以共價鍵與四個相鄰的原子連接，每個共價鍵需要兩個電子。矽有四個價電子，於是，每個共價鍵皆共用一個來自中心原子的電子和一個來自相鄰原子的電子。

在圖 2.11(a) 所示的情況下，半導體不能導電。然而，在較高溫度下，共價鍵的某些電子可獲得足以脫離鍵的能量，如圖 2.11(b) 所示。在這種情況之下，釋放出的電子可以在整個晶體內自由地運動，並可對電流作出貢獻。位於斷鍵附近的共價鍵的電子也可能向留下的空位移動，同時留下另一個斷鍵，該過程也對電流流動作出貢獻。

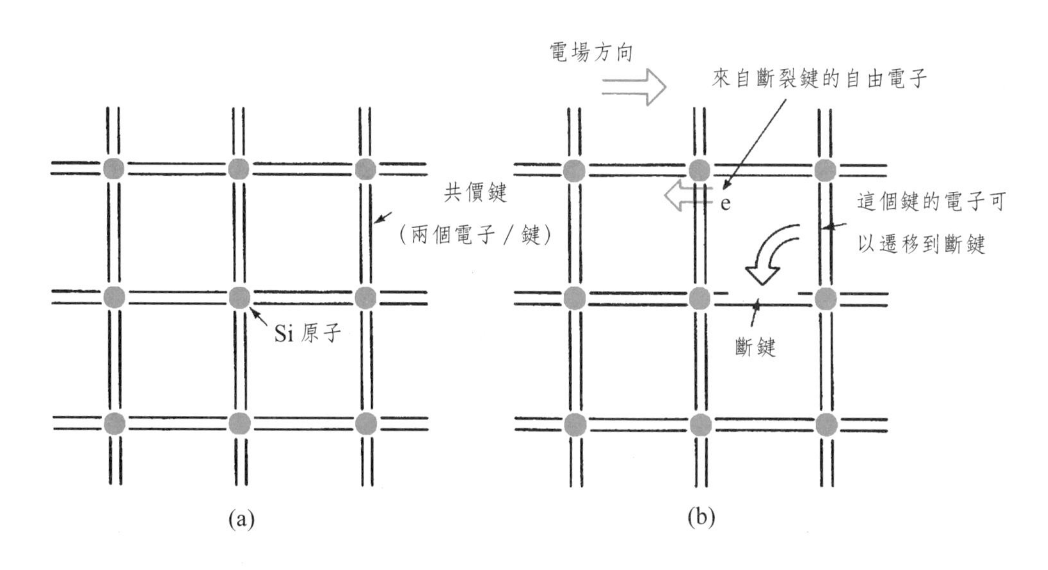

圖 2.11 矽晶體晶格示意圖。**(a)** 沒有斷裂的共價鍵；**(b)** 有一個斷裂的共價鍵，並示出被釋放出電子的運動及鄰近鍵的電子向留下的空位的運動。

回到前面幾節的說法，從共價鍵釋放出的電子可被認為是在導電帶中，而與共價鍵連在一起的那些電子是在價電帶中。一個斷鍵可被視為價電帶中的一個電洞。因此，共價鍵釋放出一個電子所需的最小能量等於半導體的能隙。

鍵結模型對於討論矽中雜質對矽的電子特性的影響特別有用。下一節將敘述稱為摻雜劑的專用雜質的影響。

2.10 III族和V族摻雜劑

雜質原子可通過兩種方式摻入晶體結構：它們可以擠在基質晶體原子間的位置上，這種情況稱為間隙雜質（interstitial impurities）；另一種方式是，它們可以置換基材（host）晶體的原子，保持晶體結構中的有規律的原子排列，在這種情況下，稱為置換雜質（substitutional impurities）。

週期表中Ⅲ族和Ⅴ族原子在矽中屬於置換雜質，圖 2.12 示出一個Ⅴ族雜質原子（如磷）替換了一個矽原子的部分晶格。四個價電子與周圍的矽原子組成共價鍵，但第五個卻處於不同的情況，它不在共價鍵上，因此不在價電帶內。對於所表示的情況，它是被束縛於Ⅴ族原子，所以不能穿過晶格自由運動，因此也不在導電帶內。

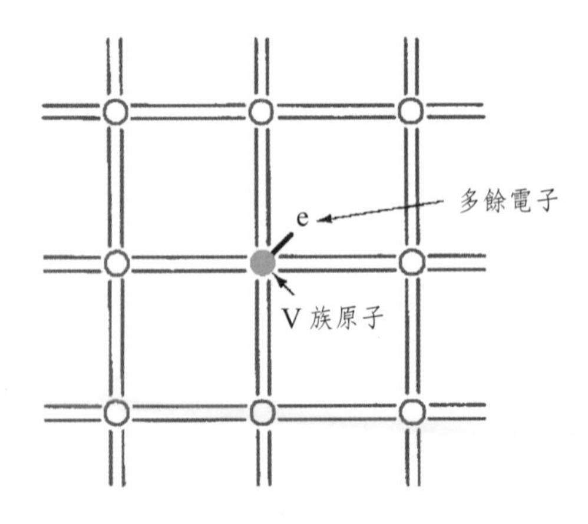

圖 2.12 一個V族原子置換了一個矽原子的部分矽晶格

可以預期地，與束縛在共價鍵內的電子相比，釋放這個多餘電子只須較小的能量。實際上情況正是如此。由於與束縛於氫原子的電子的相似性，因此可粗略地估算出所需能量。在氫原子的情況下，解離能（釋放電子所需能量）的公式是

$$E_i = \frac{m_0 q^4}{8\,\epsilon_0^2 h^2} = 13.6 \quad 電子伏特（eV） \qquad (2.20)$$

其中，m_0 是電子的靜止質量，q 是電子電荷，ϵ_0 是自由空間的介電常數。而在摻雜的 V 族原子中，多餘的電子繞V族原子運動，該原子帶有一個未被中和的正電荷。因此，這種情況下的電離能公式與氫原子是一樣的。由於氫原子外層電子的軌道半徑比原子間的距離大得多，因此式（2.20）中的 ϵ_0 用矽的介電常數（11.7 ϵ_0）來代替。同時因為軌道電子受到矽晶格的週期作用力，所以電子的質量也要用有效質量（對矽來說，$m_e^*/m_0 = 0.2$）來代替，釋放多餘電子所需能量為

$$E_i \approx \frac{13.6(0.2)}{(11.7)^2} \approx 0.02\text{eV} \qquad (2.21)$$

這要比矽的能隙能量 1.1 eV 小得多。自由電子位於導電帶中，因此，束縛於V族原子的多餘電子，其能量是位於導電帶下能量為 E_i' 的地方，如圖 2.13(a) 所示。注意：這就在「禁止的」能隙中安插了一個允許的能階。

與此類似，Ⅲ族雜質沒有足夠的價電子來滿足四個共價鍵，這就造成一個束縛於Ⅲ族原子的電洞。釋放電洞所需的能量與式（2.21）所得到的相同。因此，一個Ⅲ族原子在禁帶中接近價電帶頂端引入了一個電子允許能階，如圖 2.13(b) 所示。

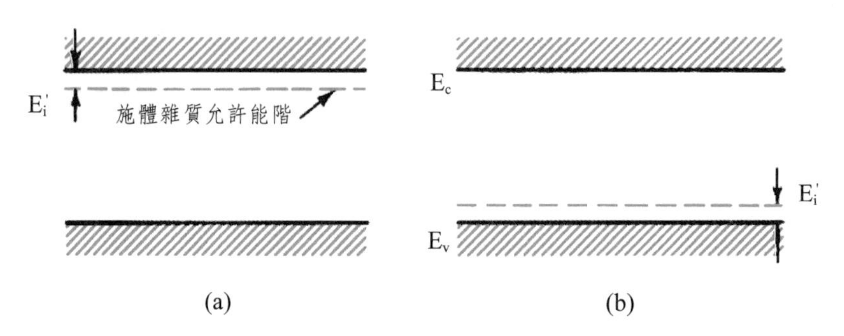

圖 2.13 (a) V族雜質在禁帶中引入的允許能階；
(b) III族雜質的對應能態

2.11 載子濃度

因為從V族原子釋放多餘電子所需的能量很小，可以預料，在室溫下，大多數多餘電子都獲得了這個能量。因此，大部分多餘電子離開了V族原子，留下帶淨正電荷的原子，這些電子可穿過晶體自由地運動。因為V族原子向導電帶「施捨」出電子，所以被稱為「施體」（donor）。關於已獲得能量的電子數目的較定量的概念可從圖 2.14 得到。費米—狄拉克分佈函數的形式：施體能階的佔有機率小[1]，這意味著，大多數電子都離開施體位置進入導電帶。

在此情況下，導電帶中的電子和價電帶中的電洞之總數可由如下的半導體中的電中性條件得到，即

$$p - n + N_D^+ = 0 \tag{2.22}$$

1 實際上，決定施體能階被佔機率的統計理論與決定允帶內的能階被佔機率的統計理論是稍有不同的。施體能階一旦被任一個「自旋」的電子佔據，中心施體原子上的有效正電荷就被中和，那麼就不存在允許被反向自旋的第二個電子佔據的引力。其結果得到一個與費米—狄拉克函數稍有不同的佔有機率運算式。此差別在本書中並不是很重要。

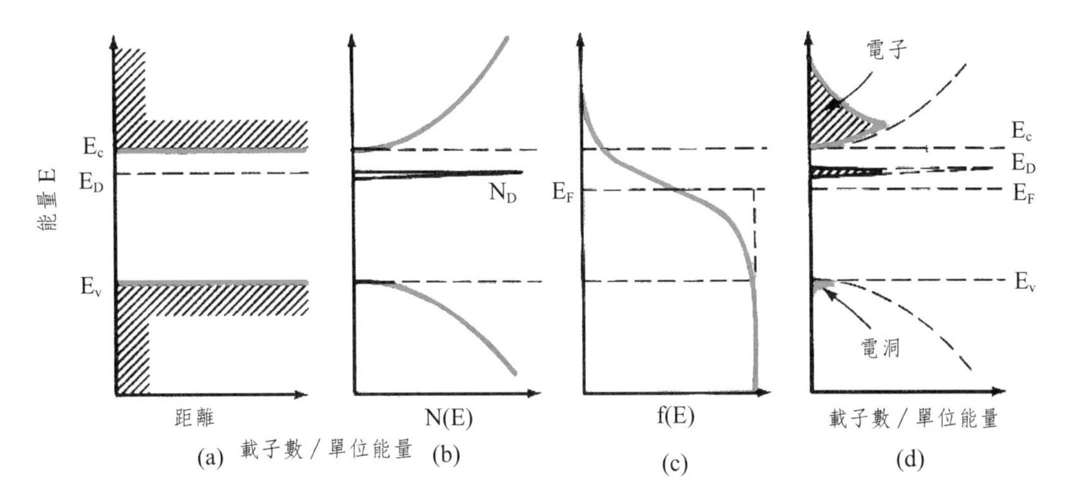

圖 2.14 (a) 摻有單位體積濃度為 N_D 的Ⅴ族置換雜質的Ⅳ族半導體的能帶圖；(b) 對應的允許態的能量密度；(c) 這些能態的佔有機率；(d) 所得到的電子與電洞的能量分佈（圖中所示的是相當高溫度下的情況。在中等溫度下，施體態的電子佔有機率比圖示的還要小些）。

其中，p 是價電帶中的電洞濃度，n 是導電帶電子濃度，N_D^+ 是離子化施體（即電子脫離後，留下的正電荷）的濃度。從式（2.17）得到另一個重要的關係式：

$$np = n_i^2 \tag{2.23}$$

與前面討論的純半導體的情況相比，這是一個更一般的關係式。將式（2.14）、(2.15)和(2.22)連同費米—狄拉克分佈函數一起求解，可得出一般情況下的 n、p、N_D^+ 的精確值。然而，對於本書感興趣的大多數情況，是以下所提到的，近似卻簡單得多的解法，將提供具有足夠精確度的結果。

因為絕大多數施體都將離子化，所以，N_D^+ 接近等於總的施體濃度 N_D。從式（2.22）可看出，n 將大於 p。事實上，當 N_D 增大時，n 比 p 大得多。因此，近似解是

$$N_D^{\ +} \approx N_D \qquad (2.24)$$
$$n \approx N_D$$
$$p \approx \frac{n_i^2}{N_D} \ll n$$

當摻有Ⅲ族雜質時，情況十分類似，這些雜質很容易把多餘的一個電洞讓給價電帶，也就是相當於從價電帶接受一個電子，因此稱它們為「受體」。一離子化了的受體有一淨負電荷。因此，

$$p - n - N_A^{\ -} = 0 \qquad (2.25)$$

其中，$N_A^{\ -}$ 是離子化受體濃度。

這種情況下的近似解是

$$N_A^{\ -} \approx N_A \qquad (2.26)$$
$$p \approx N_A$$
$$n \approx \frac{n_i^2}{N_A} \ll p$$

2.12 摻雜半導體中費米能階的位置

先前推導出的電子和電洞濃度方程式（2.14）和（2.15）適用於比純半導體更一般的情況。對於摻有施體雜質的材料（通稱 n 型材料），這些方程式變成

$$n = N_D = N_C\, e^{(E_F - E_c)/kT} \qquad (2.27)$$

或等效為

$$E_F - E_C = kT \ln\left(\frac{N_D}{N_C}\right) \tag{2.28}$$

同樣地，對於摻有受體雜質的材料（p 型半導體），則

$$p = N_A = N_V e^{(E_v - E_F)/kT} \tag{2.29}$$

$$E_v - E_F = kT \ln\left(\frac{N_A}{N_V}\right) \tag{2.30}$$

隨著半導體材料摻雜濃度的增加，費米能階 E_F 離開能隙中央，而接近導電帶（n 型材料）或價電帶（p 型材料），如圖 2.15 所示。

2.13｜其他類型雜質的影響

儘管對矽中Ⅲ、Ⅴ族以外雜質的實際影響已廣為人知，但從理論上探討其特性的研究卻較少。

正如Ⅲ、Ⅴ族雜質在矽禁帶中產生一個允許能階一樣，一般雜質也是如此。圖 2.16 示出一系列雜質在矽和 GaAs 中產生的允許能階。如圖所示，某些雜質造成多重能階，晶體缺陷同樣在禁帶中引進允許能階。

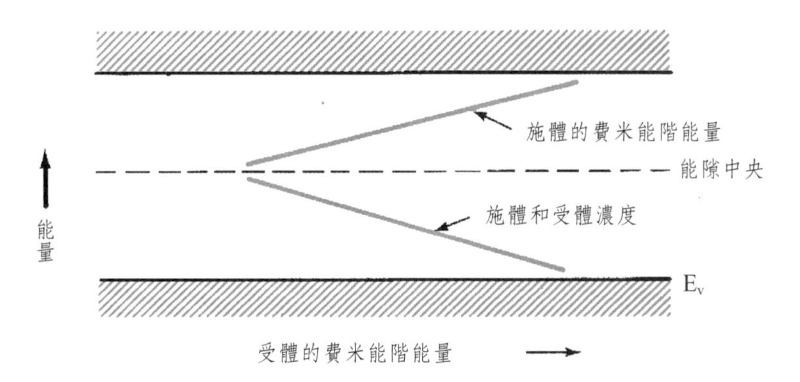

圖 2.15 ☼ 費米能階的能量與施體和受體濃度的關係

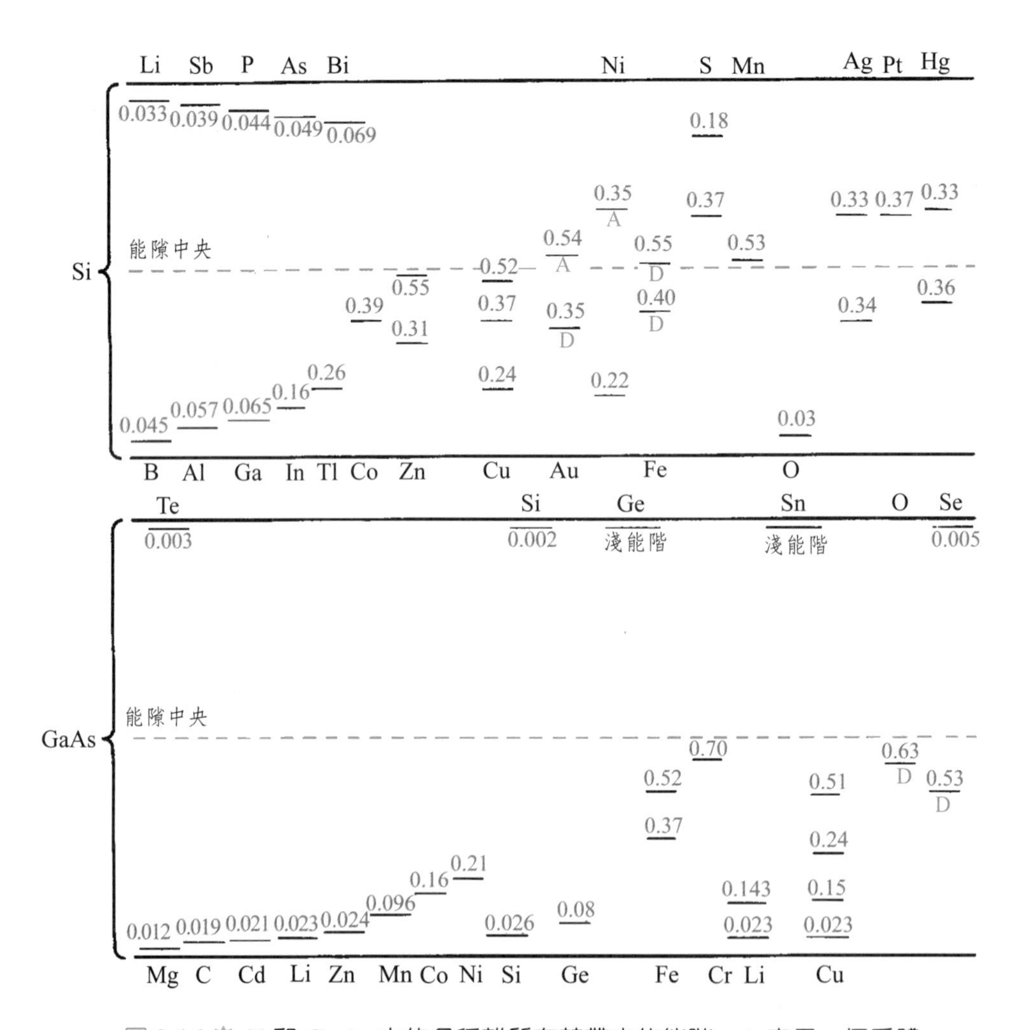

圖 2.16 ☼ **Si** 和 **GaAs** 中的各種雜質在禁帶內的能階。**A** 表示一個受體能階，**D** 表示一個施體能階。〔引用 **S.M. Sze and J. Irwin,** ***Solid-State Electronics 11*** **(1968), 599**〕

雜質，特別是那些在禁帶中央附近產生能階的雜質，通常使半導體元件的性能變差。因此，製造半導體元件的原材料中雜質濃度要低於製程技術所允許的限度（通常低於十億分之一）。

2.14 載子的傳輸

2.14.1 漂移

在外加電場 ξ 的影響下，一個隨機運動的自由電子在與電場相反的方向上有一加速度 $a = q\xi/m$，在此方向上，它的速度隨時間不斷地增加。晶體內的電子情況則不同，它運動時的質量不同於自由電子的質量，電子也不會長久持續地加速，最終將與晶體原子、雜質原子或晶體結構缺陷相碰撞。這種碰撞將造成電子隨機地運動。換句話說，電子從外加電場得到的外加速度將會降低。兩次碰撞之間的「平均」時間稱為鬆弛時間 t_r（relaxation time），由電子隨機熱速度來決定。此速度通常要比電場給與的速度大得多。在兩次碰撞之間由電場所引起的電子平均速度的增量稱為漂移速度。導電帶內電子的漂移速度由下式得出

$$v_d = \frac{1}{2}at = \frac{1}{2}\frac{qt_r}{2m_e^*}\xi \tag{2.31}$$

（如果 t_r 是對所有的電子速度取平均，則去掉係數 2）。電子載子的遷移率定義為

$$\mu_e = \frac{v_d}{\xi} = \frac{qt_r}{2m_e^*} \tag{2.32}$$

來自導電帶電子的對應的電流密度將是

$$J_e = qnv_d = q\mu_e n\xi \tag{2.33}$$

對於價電帶內的電洞，其類似公式為

$$J_h = q\mu_h p\xi \tag{2.34}$$

總電流就是這兩部分的和，因此，半導體的電導率 σ 為

$$\sigma = \frac{1}{\rho} = \frac{J}{\xi} = q\mu_e n + q\mu_h p \tag{2.35}$$

其中，ρ 是電阻率。

雖然式（2.32）的推導略為簡化，但它使我們對載子的遷移率 μ_n 和 μ_p 如何隨摻雜物的濃度、溫度和電場強度變化有一個直觀的理解。

對於結晶品質很好的較高純度半導體來說，載子由於與基材晶體原子碰撞而使其速度變得紊亂。然而，離子化的摻雜原子是非常有效的散射體，因為它們帶有淨電荷。因此，隨著半導體摻雜的加重，兩次碰撞間的平均時間以及遷移率都將降低。對於高品質的矽，載子遷移率與摻雜程度 N（單位為 cm^{-3}）的相互關係的經驗運算式是 [2.5]

$$\begin{aligned}\mu_e &= 65 + \frac{1265}{1+(N/8.5\times10^{16})^{0.72}}\ \mathrm{cm^2/V\text{-}s}\\ \mu_h &= 47.7 + \frac{447.3}{1+(N/6.3\times10^{16})^{0.76}}\ \mathrm{cm^2/V\text{-}s}\end{aligned} \tag{2.36}$$

同樣的原因，非刻意摻雜的雜質及晶格缺陷將進一步降低遷移率。

當溫度升高時，基材（host）原子的振動更劇烈，使這些原子變為更大的「靶」，進而降低了兩次碰撞間的平均時間及遷移率。重摻雜時，這個影響變得不太顯著，因為此時已離子化的摻雜劑是有效的載子散射體。

電場強度的提高最終將使載子的漂移速度增加到可與隨機熱速度相抗衡。因此，電子的總速度最終將隨著電場強度的增加而增加，減少碰撞之間的時間及遷移率。

2.14.2 擴散

除了漂移運動以外，半導體中的載子也可以藉由擴散而流動。像氣體分子

那樣的任何粒子過度集中時，若不受到限制，它們就會自己散開，這是大家都熟悉的一個物理現象。此現象的基本原因是這些粒子的隨機熱速度。

粒子通量與濃度梯度的負值成正比（圖 2.17）。因為電流與荷電粒子通量成正比，所以對應於電子的一維濃度梯度的電流密度是

$$J_e = q D_e \frac{dn}{dx} \tag{2.37}$$

其中，D_e 是電子的擴散常數。同樣地，對於電洞，則

$$J_h = -q D_h \frac{dp}{dx} \tag{2.38}$$

注意：式（2.37）和（2.38）之間符號不同是由於所涉及的電荷類型相反。從根本上講，漂移和擴散兩個過程是有關係的，因而遷移率和擴散常數不是獨立的，兩者間藉由愛因斯坦關係互相關聯，即

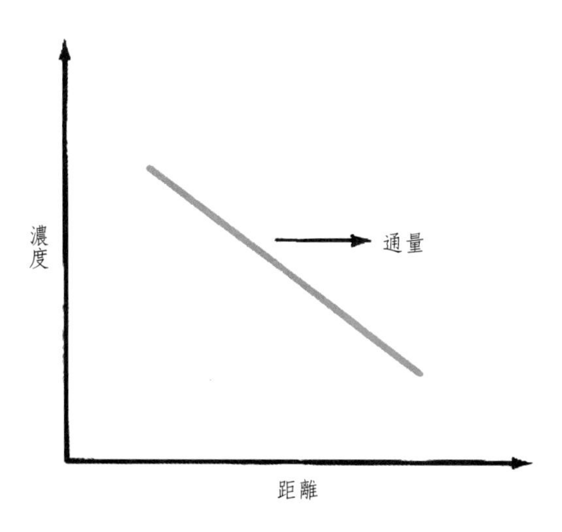

圖 2.17 ☼ 存在濃度梯度時，載子的擴散流

$$D_e = \frac{kT}{q}\mu_e \quad 和 \quad D_h = \frac{kT}{q}\mu_h \tag{2.39}$$

kT/*q* 是在與太陽電池有關的關係式中經常出現的參數，它具有電壓的單位，室溫時為 26 mV，是一個值得記住的數值！

2.15 結語

本章的重點如下：半導體的電子結構，實際上完全被電子佔有的允帶（價電帶）與鄰近的實際上沒有電子的允帶（導電帶）之間由一個禁帶隔開；半導體中的電流是由導電帶內的電子運動和價電帶內的空位或電洞的有效運動二者所構成；在許多情況下，只要用「等效質量」來反映晶體內基材原子週期作用力的影響，則導電帶內的電子和價電帶內的電洞便可以認為是自由粒子；大多數導電帶電子都具有接近導電帶邊的能量，而大部分電洞都具有接近價電帶邊的能量。

根據導電帶內電子的能量和它們的晶體動量之間的關係，半導體可分為直接能隙和間接能隙兩種類型。

藉由將稱為摻雜劑的專用雜質摻進半導體，可以控制半導體導電帶內的電子和價電帶內的電洞的相對濃度。當有適當的擾動時，這些能帶內的載子可藉由漂移和擴散兩種方式流動。

在第三章中敘述了當有光擾動時半導體內所發生的另外一些電子運動過程。從本章和下章所討論的基本機制將綜合出一個自洽（self-consistent）方程組，這個方程組將在以後的一些章節中用來建立太陽電池的設計原則。

習題

2.1 對於具有立方單胞的晶體，在晶胞圖上指出下列晶面：(a)（100）、(b)（010）；(c)（110）；(d)（111）。

2.2 (a) 藉由選擇性地腐蝕電池表面以減小反射損失，有可能改善矽太陽電池的性能。圖 7.6 示出一個原來方向平行於（100），在經過化學腐蝕的矽晶體表面。由於在晶體不同方向腐蝕速度不同，結果露出如圖所示的許多方形底面的金字塔。已知金字塔的側面都是 {111} 等效面集合的組成部分，求金字塔相對面之間的夾角。

(b) 垂直入射至原來矽表面的光，其中一部分 R 被反射。忽略對入射角和波長的關聯性，證明經選擇性腐蝕後被反射部分減小到略小於 R^2。

2.3 有一種可有效控制摻入矽中雜質數量的方法，稱為離子佈植（ion implantation）技術。將所要求的雜質離子加速到很高的速度並對準矽表面，如果離子以平行於圖 2.3(b) ～ (d) 所示的每個晶體方向撞擊表面，那麼您預期在那種情況下離子穿入矽中的距離最大？

2.4 半導體中一個允許電子佔有的狀態位於費米能階上面 0.4 eV 能量處。問在 300 K 的熱平衡條件下，該狀態被電子佔有的機率是多少？

2.5 假設電子和電洞的有效品質等於自由電子質量，計算在 300 K 時矽的導電帶和價電帶中的有效態密度。假設能隙為 1.1 eV，求此溫度下矽中的本質濃度。

2.6 (a) 矽用磷均勻摻雜，其摻雜濃度為 10^{22} 磷原子 / m^3。假設所有這些施體雜質都被離子化，估算在 300 K 的熱平衡條件下此材料中的電子和電洞濃度。並由所得的濃度計算材料中費米能階位置相對於導電帶邊的位置。

(b) 已知磷的施體能階位於導電帶下 0.044 eV，計算該能階被電子佔有的機率，並進而檢驗所有施體都被電離的假設（用 $N_c = 3\times10^{25}\ m^{-3}$、$N_v = 10^{25}\ m^{-3}$ 和 $n_i = 1.5\times10^{10}\ m^{-3}$）。

2.7 利用有關矽中電子和電洞遷移率的公式（2.36），估算習題 2.6 的矽樣品的電阻率。

2.8 估算輕摻雜矽導電帶中的電子與基材晶體原子兩次碰撞之間的平均時間。

2.9 一個 10^4 V/m 的電場加在摻有 10^{22} 個施體／ m^3 的 300 K 的矽樣品上，已知熱速度是 10^5 m/s，比較導電帶電子的漂移速度和熱速度。問在多大場強下兩者才差不多相等。

2.10 在 300 K 的矽截面內，場強為零，導電帶電子的濃度在 1 μm 距離內從 10^{22} /m^2 變到 10^{21} /m^2。設電子濃度的變化是線性的，求對應的電流強度。

參考文獻

[2.1] V. Azaroff and J. J. Broohy, *Electronic Processes in Materials* (New York: McGraw-Hill, 1963).

[2.2] A.van der Ziel, *Solid State Physical Electronics*, 3rd ed. (Englewood Cliffs, N.J.：Prentice-Hall, 1976).

[2.3] S. Wang, *Solid-State Electronics* (New York: McGraw-Hill, 1966).

[2.4] W. Shockley, *Electrons and Holes in Semiconductors* (New York: Van Nostrand Rheinhold, 1950).

[2.5] D. M. Caughey and R. E. Thomas, “Carrier Mobilities in Silicon Empirically Related to Doping and Field,” *Proceedings of the IEEE 55* (1967), 2192-2193.

第 3 章

產生、復合及元件物理的基本方程式

3.1 前言

第一、二章已經概述了陽光和半導體的有關性質，本章將探討這兩個太陽電池基本要素之間的交互作用。

接著將敘述半導體材料中過量載子（excess carriers）產生和復合的概念，以及所涉及的物理機制。最後，所討論有關半導體性質的素材，將被歸納為一組描述包括太陽電池等大多數半導體元件理想特性的基本方程式組。

3.2 光與半導體的交互作用

圖 3.1 顯示一束單色光垂直入射到半導體平面部位的情況。入射光的一部分（R）被反射，而其餘部分（T）則透射到半導體中。

透射光藉由其能量將電子從所佔有的低能態激發到未被佔據的較高能態，而被半導體吸收。由於在半導體中價電帶的能態大量被佔有而導電帶的能態大部分未被佔有，兩者被禁帶隔開，所以，當入射光的光子，其能量大於半導體禁帶能隙 E_g 時，光的吸收才比較可能發生。

吸光材料的折射率（index of refraction）$\hat{n}_C$ 是一個複數，此折射率可寫為 $\hat{n}_C = \hat{n} - i\hat{k}$。式中，$\hat{k}$ 稱為消光係數（extinction coefficient）。對矽而言，這個複數的兩個成分是入射光波長的函數如圖 3.2 所示。在垂直入射的情況下，反射的部分由下式決定 [3.1 和 3.2]，即

$$R = \frac{(\hat{n}-1)^2 + \hat{k}^2}{(\hat{n}+1)^2 + \hat{k}^2} \tag{3.1}$$

將矽的折射指數數值代入式（3.1），可發現，對太陽電池工作有用的所有波長，超過 30% 的入射光將被反射掉。從製造高效率太陽電池的觀點來看，這顯然不是我們想要的。為了盡可能減小這個數值，太陽電池採用抗反射層（antireflection coating）及其他技術的應用（見習題 2.2）。

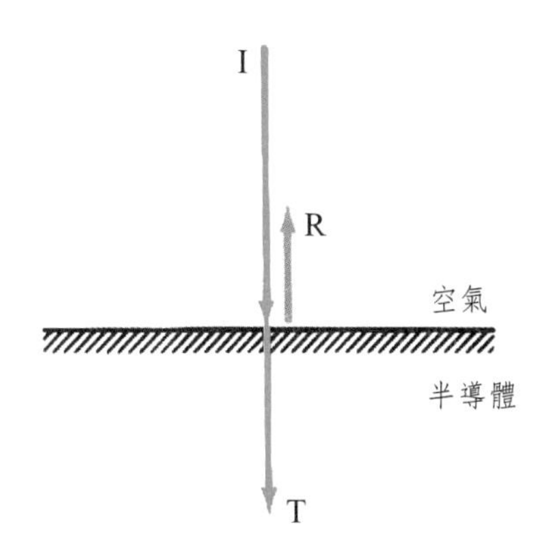

圖 3.1 ☼ 單色光入射到半導體上

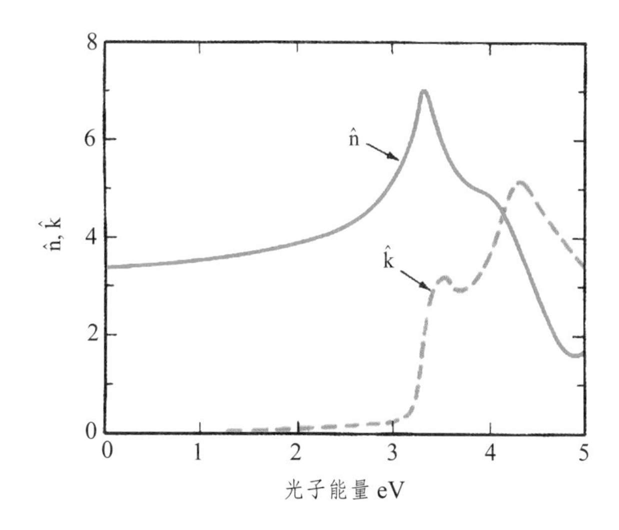

圖 3.2 ☼ 矽折射率的實部和虛部（負值）

〔引用 H. R. Phillip and E. A. Taft，Physical Review 120 (1960), 37~38.〕

透射光穿過半導體時會衰減。對特定的波長而言，光的吸收率與光強度（光子通量）成正比。這個物理現象使單色光穿過半導體時，其強度呈現指數衰減，數學運算式為

$$g(x) = g(x_0)\, e^{-\alpha\,(x-x_0)} \qquad (3.2)$$

其中，α 是波長的函數，通稱為吸收係數（absorption coefficient）。這個參數在太陽電池設計中很重要，因為它決定了特定波長的光，在進入電池表面多深的距離處可以被吸收掉。

吸收係數 α 與消光係數 $\hat{k}$ 有關。當藉由以速度 υ 而頻率 f 的平面波在 x 方向傳播來描述光時，相關的電場強度是 [3.2]。

$$\xi = \xi_0 \exp\left[i\,2\pi f \left(t - \left(\frac{x}{\upsilon} \right) \right) \right] \tag{3.3}$$

光在半導體中的速度 υ 與光在真空中的速度 c 的關係為

$$\upsilon = \frac{c}{\hat{n}_C} \tag{3.4}$$

因此，

$$\frac{1}{\upsilon} = \frac{\hat{n}}{c} - \frac{i\hat{k}}{c} \tag{3.5}$$

將式（3.5）代入式（3.3），得

$$\xi = \xi_0 \exp(i\,2\pi f t) \exp\left(-\frac{i\,2\pi f\,\hat{n}\,x}{c} \right) \exp\left(-\frac{i\,2\pi f\,\hat{k}\,x}{c} \right) \tag{3.6}$$

式（3.6）中的最後一項是一個衰減因數。透射光的功率隨電場強度的平方而衰減，因此，比較式（3.2）和（3.6）平方後的最後一項，可得到下列關係：

$$\alpha = \frac{4\pi f \hat{k}}{c} \tag{3.7}$$

3.3 光吸收

3.3.1 直接能隙半導體

基本吸收（fundamental absorption）是指由於將電子從價電帶激發到導電帶，同時在價電帶留下電洞所引起的光子消失或吸收。在這種躍遷過程中，能量和動量均必須守恆。光子具有相當大的能量（hf），但只有小的動量（h/λ）。

直接能隙半導體吸收過程的方式示於圖 3.3 能量一動量示意圖中。因為光子的動量比晶體動量小，因此，躍遷過程中晶體動量基本上是守恆的。初始能態和終止能態之間的能量差等於原始光子的能量，即

$$E_f - E_i = hf \tag{3.8}$$

按第二章所述的拋物線關係式，則

$$\begin{aligned} E_f - E_c &= \frac{p^2}{2m_e^*} \\ E_i - E_v &= \frac{p^2}{2m_h^*} \end{aligned} \tag{3.9}$$

因此，躍遷發生時，晶體動量的特定值為

$$hf - E_g = \frac{p^2}{2}\left(\frac{1}{m_e^*} + \frac{1}{m_h^*}\right) \tag{3.10}$$

隨著光子能量 hf 的增加，躍遷發生時晶體的動量值也增大（圖 3.3），初始能態和終止能態與帶邊能量之差也增加。吸收的機率不僅取決於處在初始能態的電子密度，而且也取決於終止能量的空態（empty states）密度。因為離能帶邊越遠這兩個密度越大，所以，在光子能量大於 E_g 時，吸收係數隨光子能量的增大而迅速增大是不足為奇的。簡單的理論處理可得到下列結果 [3.2]：

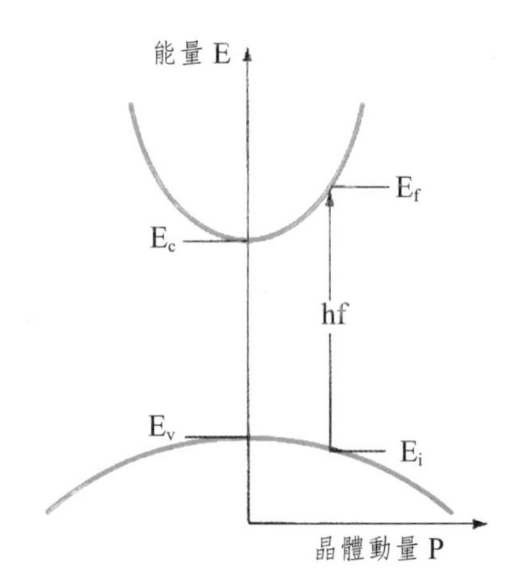

圖 3.3 ☼ 直接能隙半導體的能量—晶體動量圖。圖中顯示了電子從價電帶被激發到導電帶所引起的光子吸收過程。

$$\alpha(hf) \approx A^*(hf - E_g)^{1/2} \tag{3.11}$$

式中，當 α 用 cm^{-1} 表示，hf 和 E_g 用電子伏特（eV）表示時，A^* 是一個常數，其值為 2×10^4。圖 3.4 是直接能隙半導體 GaAs 以這個表示式的計算結果與實驗結果比較。在吸收係數較高的區域，兩種結果相當一致。

由於入射光穿透半導體 $1/\alpha$ 距離時，光的強度將降低到其初始值的 $1/e$。方程式（3.11）顯示，光子能量大於 E_g 的太陽光進入直接能隙半導體幾微米的距離處就被吸收掉。

3.3.2 間接能隙半導體

在間接能隙半導體中，導電帶的最低能量與價電帶的最高能量分別對應不同的晶體動量值（圖 3.5），為使 3.3.1 節中敘述的電子從價電帶直接躍遷到導電帶的過程得以進行，光子能量需要比禁帶能隙大很多。

然而，藉由一種不僅包括光子和電子，而且還包括第三粒子，即聲子（phonon），的兩段式過程，躍遷可在能量較低的情況下發生。正如光可以被看成波或粒子，構成晶體結構的原子在其平衡位置附近的振動也可認為有波粒二

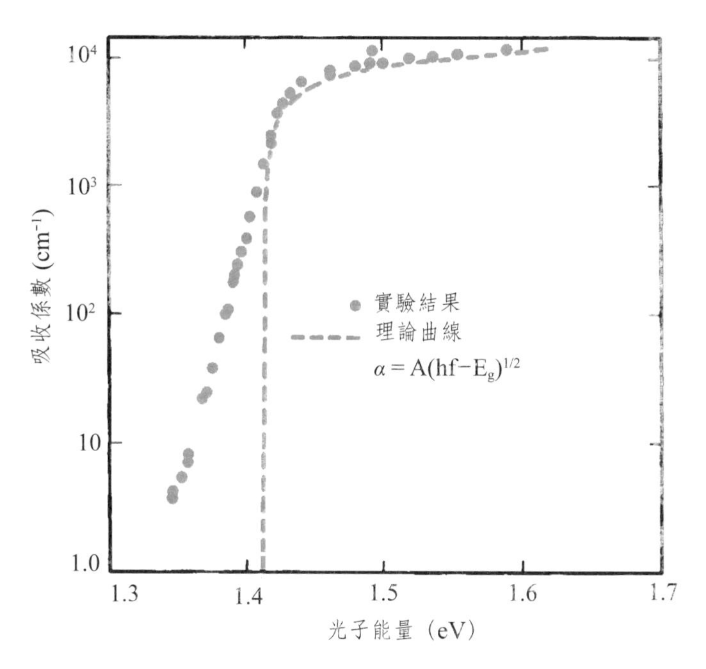

圖 3.4 GaAs 吸收係數與光子能量的關係

〔引用 T. S. Moss 和 T. D. F. Hawkins, Infrared Physics 1, (1961), 111.〕

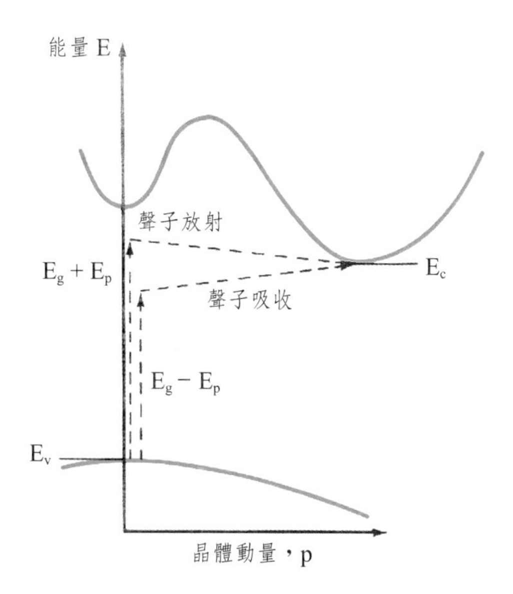

圖 3.5 間接能隙半導體的能量—晶體動量圖。圖中顯示出包括聲子放射或聲子吸收的光子兩段式吸收過程。

元性。聲子就是晶格振動的量子（quantum）或基本粒子。與光子相反，聲子具有低的能量，但具有比較高的動量。

注意一下聲子和聲音之間的關係，這種差別便可得到解釋。聲音靠晶格原子振動在固體中傳播。固體中光速和聲速的較大差別與對應的基本粒子的能量和動量的比值之間的差別有關。

正如圖 3.5 的能量一動量示意圖所示，具有適當能量的光子，藉由放射或吸收所需動量的聲子，電子能從價電帶的最高能量躍遷到導電帶（譯註：原文誤植為價電帶）的最低能量。因此，將一個電子從價電帶激發到導電帶所需的最小光子能量是

$$hf = E_g - E_p \tag{3.12}$$

式中，E_p 是具有所需動量的聲子的能量。

由於間接能隙吸收過程需要額外的「粒子」。所以此過程的光吸收機率比直接能隙的小得多，因此，此時吸收係數低，光進入半導體相當距離才被吸收掉。吸收系統的理論分析得到如下結果 [3.2]：對包括聲子吸收的躍遷過程，為

$$\alpha_a(hf) = \frac{A(hf - E_g + E_p)^2}{\exp(E_p / kT) - 1} \tag{3.13}$$

而包括聲子放射的躍遷過程，為

$$\alpha_e(hf) = \frac{A(hf - E_g - E_p)^2}{1 - \exp(-E_p/kT)} \tag{3.14}$$

在 $hf > E_g + E_p$ 的情況下，因為聲子放射和聲子吸收都是可能的，於是吸收係數為

$$\alpha(hf) = \alpha_a(hf) + \alpha_e(hf) \tag{3.15}$$

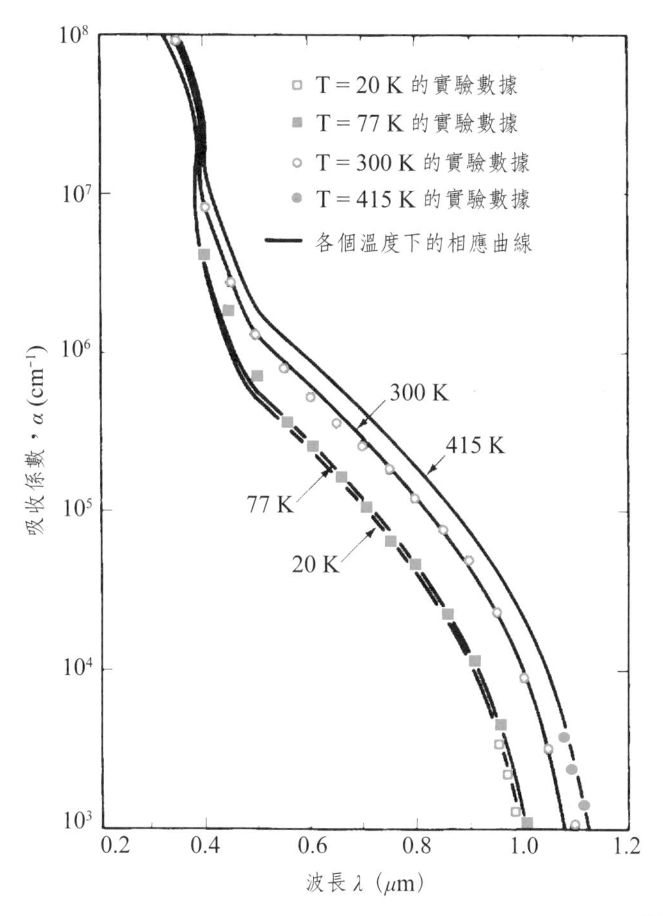

圖 3.6 不同溫度下矽的吸收係數與入射光波長的關係 [3.3]

圖 3.6 示出在不同溫度下，矽的吸收係數隨入射光波長的變化情況。波長大於 0.5 μm 的弱吸收區對應間接能隙過程；波長低於 0.4 μm 時，吸收係數迅速地增大，可以視為是直接能隙吸收引起的。在 20 到 500 K 溫度範圍內，光子能量在 1.1 到 4.0 eV 區間。有一個包括式（3.11）、（3.13）和（3.14）諸項的經驗公式，它能精確地描述這些實驗結果。此經驗公式 [3.3] 為

$$\alpha(hf,T)=\sum_{\substack{i=1,2\\j=1,2}} A_{ij}\left\{\frac{[hf-E_{gj}(T)+E_{pi}]^2}{\exp(E_{pi}/kT)-1}+\frac{[hf-E_{gj}(T)-E_{pi}]^2}{1-\exp(-E_{pi}/kT)}\right\} \tag{3.16}$$
$$+A_d[hf-E_{gd}(T)]^{1/2}$$

式中，常數 A_{ij}、E_{gi} 和 E_{pi} 的值已在表 3.1 中提供。

3.3.3 其他吸收過程

光在半導體中的吸收並不僅止於至今討論的吸收。光子具有足夠高的能量時，藉由激發使電子穿過像矽這樣的間接能隙半導體的直接禁帶間隙，吸收也能夠發生。同樣地，如圖 3.7(a) 所示，在直接能隙半導體中，也能發生包括聲子發射或聲子吸收的兩段式吸收過程。這個過程與 3.3.1 節中所討論的更為強烈的直接吸收過程同時發生。

同樣地，如圖 3.7(b) 所示，在伴有聲子放射或聲子吸收的情況下，光子能將載子激發到各自能帶的較高能階，這個過程相對地弱，但是可以預料，其最強時出現在載子濃度高時的長波部分。雖然這種過程在太陽電池工作中並不重要，但它證明的確存在沒有電子一電洞對產生的吸收過程。

如圖 3.8 所示，藉由載子在半導體允帶和禁帶中的雜質能階之間的受激躍遷也能發生光的吸收。

表 3.1 矽吸收係數經驗公式的常數值

參數	數值
$E_{g1}(0)^*$	1.1557 eV
$E_{g2}(0)^*$	2.5 eV
$E_{gd}(0)^*$	3.2 eV
E_{p1}	1.872×10^{-2} eV
E_{p2}	5.773×10^{-2} eV
A_{11}	1.777×10^{3} cm^{-1}/eV^{2}
A_{12}	3.980×10^{4} cm^{-1}/eV^{2}
A_{21}	1.292×10^{3} cm^{-1}/eV^{2}
A_{22}	2.895×10^{4} cm^{-1}/eV^{2}
A_{d}	1.052×10^{6} cm^{-1}/eV$^{1/2}$

*$E_g(T) = E_g(0) - [\beta T^2/(T+\gamma)]$ 其中 $\beta = 7.021\times10^{-4}$ eV/K 而 γ = 1108 K.

資料來源：參考文獻 3.3

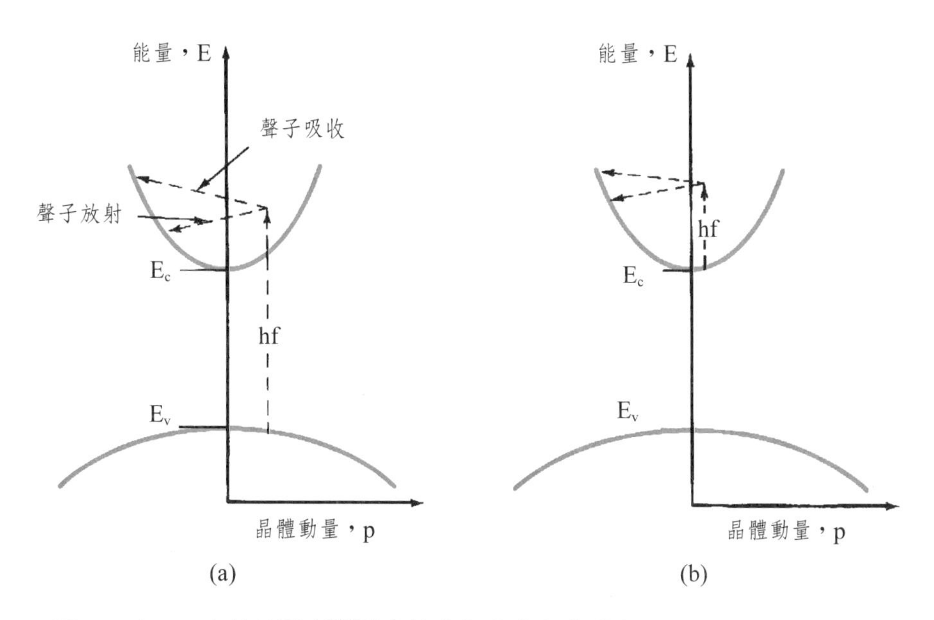

圖 3.7 **(a)** 直接能隙半導體中的光子兩段吸收過程；
(b) 導電帶中的自由載子吸收過程，此過程不產生電子—電洞對。

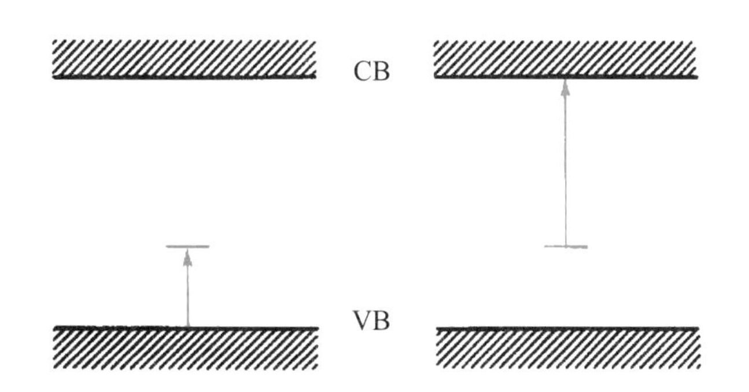

圖 3.8 載子由允帶激發到禁帶中能階的光吸收過程

最後，在此簡要地提一下在太陽電池中可能會產生次級效應（second-order effects）的兩個過程。一是在外加強電場的情況下，例如在太陽電池的某些區域中，會出現弗蘭茨—凱耳戴士（Franz-Keldysh）效應 [3.2]。這個效應使吸收邊緣移到較低能量處，其效果如同減小了禁帶間隙寬度。另一是當高摻雜濃度時也會影響吸收邊緣，在這樣的濃度下，禁帶間隙寬度也會減小。

3.4 復合過程

3.4.1 從鬆弛（relaxtion）到平衡

適當波長的光照射在半導體上會產生電子—電洞對。因此，照光時材料中的載子濃度將超過未照光時的值。如果切斷光源，則載子濃度就會衰減回平衡時的值。這種衰減過程通稱為復合（recombination）過程。後面幾節將敘述三種不同的復合機制，這些機制可能同時發生，在這種情況下，復合率就是所有個別復合率之總和。

3.4.2 輻射復合（radiative recombination）

輻射復合就是 3.3 節所敘述吸收過程的逆過程。具有較熱平衡時更高能態的電子有可能躍遷到空的較低能態，兩能態間能量差全部（或大部分）會以光的形式放射。前述所有已考慮到的吸收機制都有相反的輻射復合過程（圖 3.9）。由於間接能隙半導體需要包括聲子的兩段式復合過程，所以輻射復合在直接能隙半導體中進行得更快。

總輻射復合率 R_R 與導電帶中佔有態（電子）的濃度和價電帶中未佔有態（電洞）的濃度乘積成正比，即

$$R_R = Bnp \tag{3.17}$$

式中，B 對特定的半導體來說是一個常數。由於光吸收和這種復合過程有關，利用半導體的吸收係數能夠計算出 B 值 [3.2]。

熱平衡時，即 $np = n_i^2$ 時，復合率由數目相等但過程相反的產生率所平衡。在無外部激勵源產生載子對的情況下，與式（3.17）相對應的淨復合率 U_R 可藉由總的復合率減去熱平衡時產生率得到，即

$$U_R = B(np - n_i^2) \tag{3.18}$$

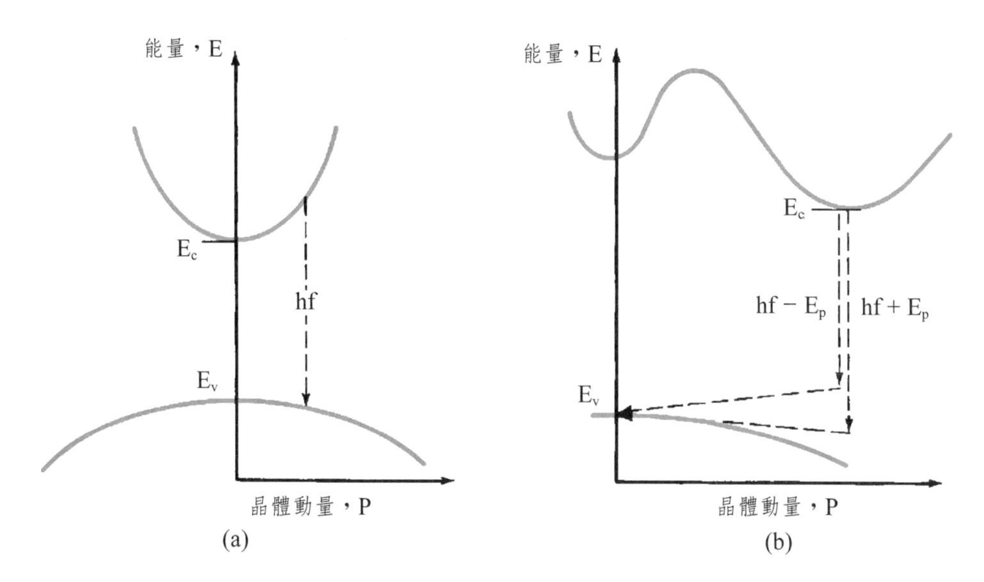

圖 3.9 半導體中的輻射復合 **(a)** 直接能隙；**(b)** 間接能隙

對任何復合機制，都可定義其相關載子的存活期 τ_e（對電子）和 τ_h（對電洞），分別為

$$\tau_e = \frac{\Delta n}{U} \qquad (3.19)$$

$$\tau_h = \frac{\Delta p}{U}$$

式中，U 為淨復合率，Δn 和 Δp 是對應的載子擾動，其熱平衡時的值分別是 n_0 和 p_0。

對 $\Delta n = \Delta p$ 的輻射復合機制而言，由式（3.18）決定的特性存活期（characteristic lifetime）是 [3.2]

$$\tau = \frac{n_0 p_0}{B n_i^2 (n_0 + p_0)} \qquad (3.20)$$

矽的 B 值約為 2×10^{-15} cm^3/s[3.2]。

正如所料，直接能隙材料的輻射復合存活期比間接能隙材料的小得多。以GaAs及其合金為材料的半導體雷射和發光二極體就是以輻射復合為基礎的。但對矽來說，其他的復合機制遠比這重要得多。

3.4.3 歐歇復合

在歐歇（Auger，發音如「oh-shay」）效應中，電子與電洞復合時，將多餘的能量傳給第二個電子（無論在導電帶中或者在價電帶中）而不是放射光。圖 3.10 示出了這個過程。然後，第二個電子藉由放射聲子而回到原來的能階。歐歇復合就是比較為人熟悉的衝擊離子化（impact ionization）效應的逆過程。在衝擊離子化的過程中，具有高能量的電子與原子碰撞，打破了一個鍵結並產生了一電子一電洞對。對充滿電子和電洞的材料來說，與歐歇過程有關的特性存活期 τ 分別是 [3.2]：

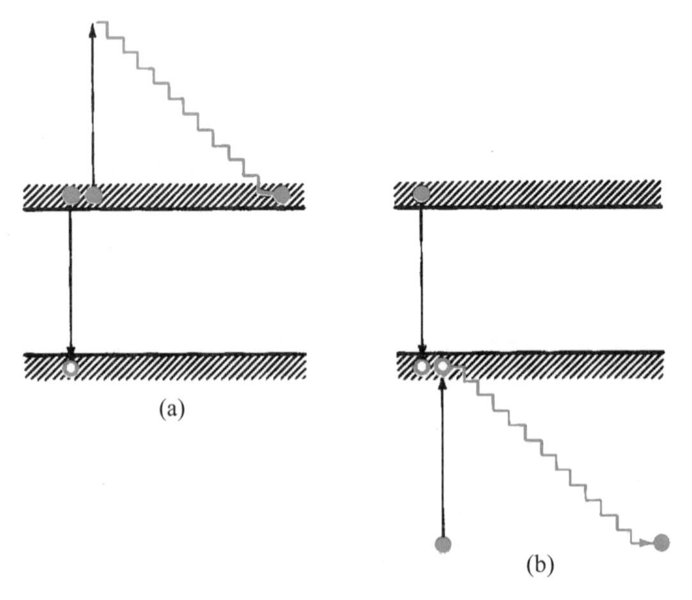

圖 3.10 ☼ 歐歇復合過程

(a) 多餘的能量傳給導電帶中的電子；**(b)** 多餘的能量傳給價電帶中的電子

$$\frac{1}{\tau}=Cnp+Dn^2 \quad 或 \quad \frac{1}{\tau}=Cnp+Dp^2 \tag{3.21}$$

在這兩種情況下，右邊的第一項描述少數載子能帶的電子激發，第二項描述多數載子能帶的電子激發。由於第二項的影響，高摻雜材料中，歐歇復合尤其顯著。對於品質良好的矽而言，摻雜濃度大於 10^{17} cm^{-3} 時，整個復合過程以歐歇復合為主。圖 3.11 示出高品質矽中存活期隨摻雜濃度增加而變化的實驗結果。結果顯示，在高摻雜的情況下，由於歐歇復合，存活期將迅速減小。

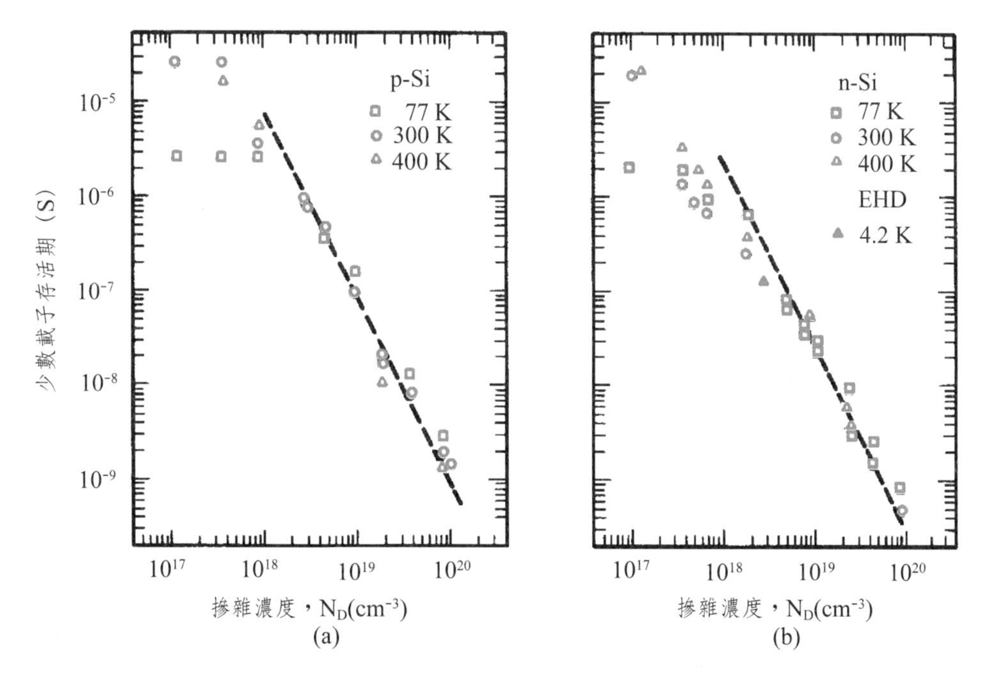

圖 3.11 高品質矽復合存活期的實驗結果。虛線代表理論預估的平方關係曲線。**(a)p-** 型矽；**(b)n-** 型矽

〔引用 J. Dziewior 和 W. Schmid, *Applied Physics Letters 31* (1977), 346~348〕

3.4.4 經由陷阱的復合

在第二章已經指出，半導體中的雜質和缺陷會在禁帶間隙中產生允許能階。這些缺陷能階導致一種很有效率的兩段式復合過程。如圖 3.12(a) 所示，在此過程中，電子從導電帶能階鬆弛到缺陷能階，然後再鬆弛到價電帶，最後與電洞復合。

對此過程的動力學分析是簡單而冗長的 [3.4]。其結果是，經由陷阱的淨復合一產生率 U_T 可寫為

$$U_T = \frac{np - n_i^2}{\tau_{h0}(n+n_1) + \tau_{e0}(p+p_1)} \tag{3.22}$$

式中，τ_{h0} 和 τ_{e0} 是存活期參數，其大小取決於陷阱缺陷的體積密度；n_1 和 p_1 是分析過程中產生的參數，此分析過程引入一個復合率與陷阱能階 E_t 的關係式：

$$n_1 = N_C \exp\left(\frac{E_t - E_c}{kT}\right) \tag{3.23}$$

$$n_1 p_1 = n_i^2 \tag{3.24}$$

式（3.23）在形式上與用費米能階表示電子濃度的公式（2.14）和（2.15）很相似。如果 τ_{e0} 和 τ_{h0} 數量級相同，不難證明：當 $n_1 \approx p_1$ 時，U 有其峰值。當缺陷能階位於禁帶間隙中央附近時，就會出現這種情況。因此，在能隙中央附近引入能階的雜質是非常有效的復合中心。

3.4.5 表面復合

表面可以說是晶體結構中缺陷相當嚴重的地方。如圖 3.12(b) 所示，在表面處存在許多能量位於禁帶中的允許能態。因此，根據 3.4.4 節所敘述的機制，在表面處，復合很容易發生。對單能階表面態而言，每單位面積的淨復合

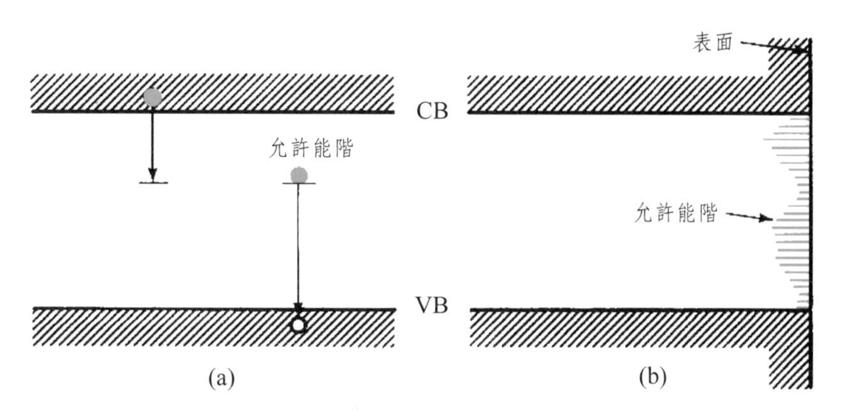

圖 3.12 **(a)** 經由半導體禁帶中陷阱能階的兩段式復合過程；**(b)** 在半導體表面位於禁帶中的表面態

率 U_A 具有與式（3.22）類似的形式，即

$$U_A = \frac{S_{e0}\, S_{h0}\, (np - n_i^2)}{S_{e0}\, (n + n_1) + S_{h0}\, (p + p_1)} \tag{3.25}$$

式中，S_{e0} 和 S_{h0} 是表面復合速度。位於能隙中央附近的表面態能階也是最有效的復合中心。

3.5｜半導體元件物理的基本方程式

3.5.1　概述

在前面幾節中已經概述了半導體的有關特性，這些內容現在將被歸納為一組能描述半導體元件工作的基本方程式。這些方程式的解使我們能夠決定包括太陽電池的大部分半導體元件的理想特性。忽略其餘二維空間的變化，方程組將寫成一維的形式。除了是用對向量數值（電場，電流密度）以散度運算子和對純量（濃度，電位）以梯度運算子來代替空間導函數外，它們的三維形式與一維形式是相似的。

3.5.2 波松方程式

這個方程組的第一方程式也許讀者在靜電學中就已經熟悉了。這第一個方程式就是波松（Poisson）方程式。它是馬克斯威爾（Maxwell）方程組中的一個方程式 [3.5]，描述了電場散度（divergence）與空間電荷密度 ρ 之間的關係，在一維情況下，其形式為

$$\frac{d\xi}{dx}=\frac{\rho}{\epsilon} \tag{3.26}$$

式中，ϵ 是材料的介電常數（permittivity）。此方程式是高斯定律的微分形式。高斯定律對我們來說可能更熟悉些。

讓我們來看一看半導體中電荷密度的貢獻者。導電帶中的電子貢獻一個負電荷，而電洞貢獻一個正電荷。一個已離子化的施體雜質（也就是多餘的電子已脫離）由於不能抵消原子核的多餘正電荷因而貢獻一個正電荷；同理，一個已離子化的受體雜質貢獻一個負電荷。因此，

$$\rho=q(p-n+N_D^+-N_A^-) \tag{3.27}$$

式中，p 和 n 是電洞和電子的濃度，N_D^+ 和 N_A^- 分別是已離子化的施體和受體的濃度。非刻意摻雜的雜質和缺陷也具有電荷儲存中心的作用，因此，對應的項應該包括在式（3.27）中。然而，由於這種雜質和缺陷的體積密度在太陽電池中應盡可能的小，因此對電荷的貢獻相對來講是很小的。

如第二章中所提到的，在正常情況下，大部分施體和受體都被離子化，因此

$$\begin{aligned} N_D^+ &\approx N_D \\ N_A^- &\approx N_A \end{aligned} \tag{3.28}$$

式中，N_D 和 N_A 為施體和受體雜質的總濃度。

3.5.3 電流密度方程式

在第二章中已經看出，電子和電洞藉由漂移和擴散過程可對電流作出貢獻。因此，電子和電洞的總電流密度 J_e 和 J_h 的運算式可寫成

$$J_e = q\mu_e n\xi + qD_e\frac{dn}{dx}$$
$$J_h = q\mu_h p\xi + qD_h\frac{dp}{dx} \tag{3.29}$$

遷移率（mobility）和擴散常數（diffusion constant）的關係由愛因斯坦關係式 $[D_e = (kT/q)\,\mu_e, D_h = (kT/q)\,\mu_h]$ 決定。

3.5.4 連續方程式

方程組之最後的一個方程式是「簿記」型（"bookkeeping"）方程式，此方程式僅留意系統中電子和電洞數目並保證電流的連續性。

參考圖 3.13 中長為 δ_x、截面積為 A 的單元體積，我們可以說這個體積中電子的淨增加率等於電子流入的速率減去電子流出的速率，加上該體積中電子的產生率，減去電子的復合率。而電子的流入速率和流出速率是與單元體積所對應進出面上的電流密度成正比的。因此，

$$\text{流入速率} - \text{流出速率} = \frac{A}{q}\{-J_e(x) - [-J_c(x+\delta x)]\} \tag{3.30}$$
$$= \frac{A}{q}\frac{dJ_e}{dx}\delta x$$

$$\text{產生率} - \text{合率} = A\,\delta x\,(G - U) \tag{3.31}$$

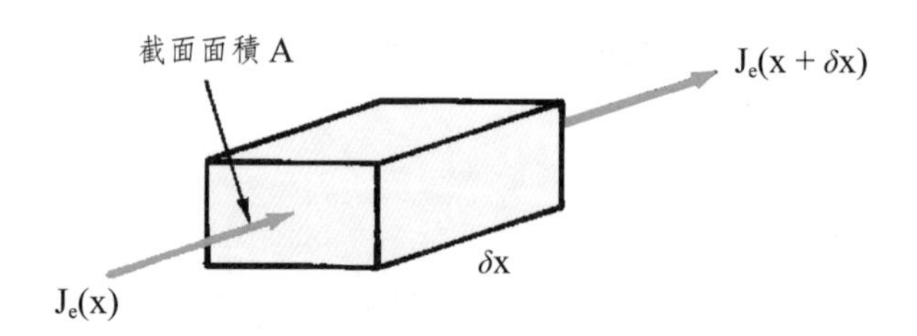

圖 3.13 推導電子連續方程式所用的單元體積

式中，G 是由於外部作用（如照光）所引起的淨產生率，U 是淨復合率。在穩態情況下，淨增加率必須為 0，因此

$$\frac{1}{q}\frac{dJ_e}{dx} = U - G \tag{3.32}$$

同樣，對電洞而言，則

$$\frac{1}{q}\frac{dJ_h}{dx} = -(U - G) \tag{3.33}$$

3.5.5 方程組

基本方程組為：

$$\begin{gathered}
\frac{d\xi}{dx} = \frac{q}{\epsilon}(p - n + N_D - N_A) \\
J_e = q\mu_e n\xi + qD_e\frac{dn}{dx} \\
J_h = q\mu_h p\xi - qD_h\frac{dp}{dx} \\
\frac{1}{q}\frac{dJ_e}{dx} = U - G \\
\frac{1}{q}\frac{dJ_h}{dx} = -(U - G)
\end{gathered} \tag{3.34}$$

對於 U 和 G 還需要輔助的關係式，這些項的運算式取決於所涉及的特定過程。

式（3.34）形成一組互相關聯的非線性微分方程組，因此不可能找到通用的解析解。但可用數位電腦求出一系列半導體元件結構的理想特性的數值解。參考文獻 3.6~3.8 介紹了應用數位電腦求解太陽電池問題的例子。藉由導入一系列考慮周詳的近似處理，很容易就可求得這些方程式的解，而且對所包括的物理原理有更透徹的理解。這個方法將在第四章中討論。

3.6 | 結語

在半導體中，由能量大於能隙的光子所組成的光，能藉由產生電子一電洞對而被吸收。在直接能隙材料中，光很快被吸收。在間接能隙材料中，對於光子能量接近能帶間隙寬度的情況，光的吸收過程還需要放射或吸收一個聲子，因此，間接能隙材料對這類能量的光子的吸收比較微弱。但是，當光子能量較高時，由於也能直接躍遷，間接能隙材料便變成為對光強烈吸收。

超過平衡狀態值的載子濃度，其復合可藉由各式各樣的過程發生。輻射復合是光吸收的逆過程。對直接能隙半導體來說，輻射復合是一個重要的復合機制。在高摻雜濃度的情況下，歐歇復合是重要的。而對間接能隙半導體和對那些用落後技術生產的半導體材料來說，由雜質和缺陷引起的陷阱復合是重要的。這些復合過程是同時進行的，總復合率就是所有個別復合率的總和。淨復合存活期的倒數等於個別存活期倒數之和。在半導體表面也特別容易發生復合。

作為復習半導體特性的結尾和分析太陽電池特性的起點，我們歸納出一組互相關連的微分方程組，這些方程式描述了對決定太陽電池內部工作很重要的參數之空間分佈。對這些方程式求解的方法將在第四章討論。

習題

3.1　單色光垂直入射到平的矽表面，利用圖 3.1 的資料，計算下列波長下的反射係數：(a)1000 nm；(b)400 nm；(c)300 nm。〔注意：光子能量（hf）和真空中波長之間的關係為 λ（μm）= 1.24/hf（eV）〕。

3.2　(a) 光子通量為每秒、每單位面積 N 個光子的單色光入射到半導體表面，其反射部分為 R。如果半導體在該波長的吸收係數是 α，求光子通量與光進入半導體之深度 x 的關係式。

(b) 假設每吸收一個光子產生一電子一電洞對，根據上述參數求出電子一電洞對的產生率 G 與光穿透半導體之深度的關係式。

3.3　地面陽光的光子通量約在 700 nm 波長附近達到峰值。利用圖 3.4 和 3.6 的資料，試比較在此波長下光子通量在 Si 和 $GaAs$ 中減小到光剛進入半導體時的數量 10% 時的深度。

3.4　考慮一個特殊的半導體樣品，通過計算，已知少數載子輻射復合存活期為 100 μs，歐歇復合存活期為 50 μs，陷阱過程的存活期為 10 μs。假定沒有其他的有效復合過程，那麼該材料的淨存活期是多少？

3.5　一個 n 型矽樣品經光照射後，電子濃度穩定在 10^{22} m^{-3}，電洞濃度也穩定在 10^{15} m^{-3}。假定陷阱位於導電帶邊下面的下列各個能階處：(a)0.03 eV；(b)0.3 eV；(c)0.5 eV；(d)0.8 eV；(e)1.0 eV。藉由計算以上各種情況下的電子和電洞的復合率，求出陷阱復合效率與陷阱所在能量的關係。假設每種情況所具有的陷阱密度和俘獲截面使得 τ_{e0} 和 τ_{h0} 二者都等於 1 μs，並利用數值：$N_c = 3\times10^{25}$ m^{-3}，$n_i = 1.5\times10^{16}$ m^{-3}，及 kT/q = 26 mV。

3.6　根據半導體的電特性，說明為什麼當光子能量接近能隙時吸收係數隨光子能量的增加而增大。

參考文獻

[3.1] O. S. Heavens, *Optical Properties of Thin Solid Films* (London: Butterworths, 1955).

[3.2] J. I. Pankove, *Optical Processes in Semiconductors* (Englewood Cliffs, N. J.: Prentice-Hell, 1971).

[3.3] K. Rajkanan, R. Singh, and J. Shewchun, "Absorption Coefficient of Silicon for Solar Cell Calculations," *Solid-State Electronics 22* (1979), 793.

[3.4] C. T. Sah, R. N. Noyce, and W. Shockley, "Carrier Generation and Recombination in *p-n* Junctions and *p-n* Junctions Characteristics," *Proceedings of the IRE 45* (1957), 1228.

[3.5] S. M. Sze, *Physics of Semiconductor Devices* (New York : Wiley, 1969).

[3.6] P. M. Dunbar and J. R. Hauser, "A Study of Efficieney in Low Resistivity Silicon Solar Cells," *Solid-State Electronics 19* (1976), 95-102 .

[3.7] J. G. Fossum, " Computer-Aided Numerical-Analysis of Silicon Solar Cells," *Solid-State Electronics 19* (1976), 269-277.

[3.8] M. A. Green, F. D. King, and J. Shewchun, " Minority Carrier MIS Tunnel Diodes and Their Application to Electron- and Photo-voltaic Energy Conversion," *Solid-State Electronics 17* (1974), 551-561.

第 4 章
p-n 接面二極體

4.1 前言

摻有施體雜質的半導體，在常溫下其導電帶中的電子數量比摻雜前多，稱為 *n* 型材料；而摻有受體雜質的則稱為 *p* 型材料。最常見的太陽電池實質上就是面積很大的 *p-n* 接面二極體。這樣的二極體是藉由在 *n* 型和 *p* 型區之間製造一個接面而形成。本章將分析這種接面未照光和照光時的基本特性。

對於太陽光電能量轉換來說，元件的基本要求是半導體結構的電子非對稱性（electronic asymmetry）。圖 4.1(a) 顯示 *p-n* 接面具有所要求的非對稱性。由於 *n* 型區的電子濃度高而電洞濃度低，因此，電子容易流過這種材料，而電洞卻很困難。對 *p* 型材料來說，情況正好相反。當半導體材料受到光照射時，材料內產生過量電子－電洞對。載子傳輸特性的固有非對稱性促使所產生的電子從 *p* 型區向 *n* 型區流動，而電洞流往相反方向。照光下的 *p-n* 接面在短路時，導線中將有電流流過。本章將指出這種光生（light-generated）電流是疊加到正常二極體整流特性上的。因此可得到如圖 4.1(b) 所示，可以從電池擷取電力

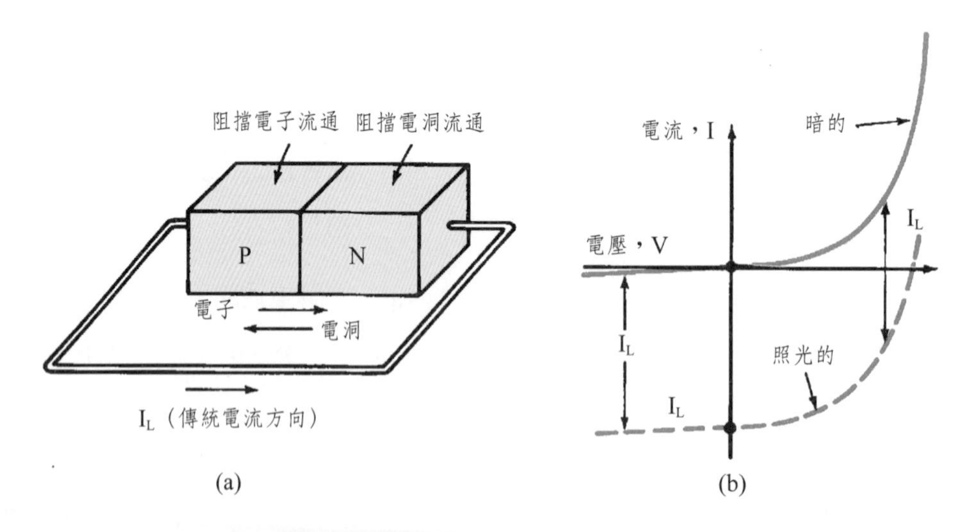

圖 4.1 (a)*p-n* 接面二極體的非對稱性。接面受光照射時，非對稱特性將使得連接 *p* 型區和 *n* 型區的外部導線中有淨電流通過；(b) 該光生電流疊加到正常二極體的整流電流－電壓特性上，結果在第四象限形成一個可以從元件擷取電力的區域。

的工作區。

4.2 | *p-n* 接面的靜電學

假設有如圖 4.2 所示獨立的 n 型和 p 型半導體。如果將兩者合併在一起，可以預期電子將從高濃度區（n 型側）向低濃度區（p 型側）流動，電洞也一樣。然而，n 型側由於失去電子所呈現出的離子化施體（正電荷）將造成這一側的電荷不平衡。同樣地，p 型側由於失去電洞將呈現負電荷。這些電荷將建立一個阻礙電子和電洞繼續自然擴散的電場，最後達到一個平衡狀態。

藉由研究費米能階，我們可以找出平衡狀態的特性。熱平衡狀態下的系統只能有一個費米能階。

可以預期地，在距離冶金接面足夠遠的地方，獨立材料的狀態將不受擾動影響。參考圖 4.3，這意味著在接面附近必定有一個過渡區，在過渡區中，產生電位變化 ψ_0 的值，即

$$q\,\psi_0 = E_g - E_1 - E_2 \tag{4.1}$$

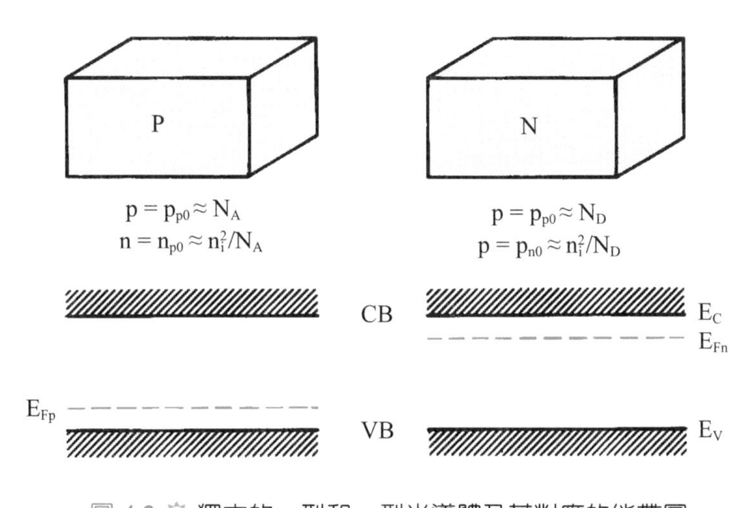

圖 4.2 ☼ 獨立的 p 型和 n 型半導體及其對應的能帶圖

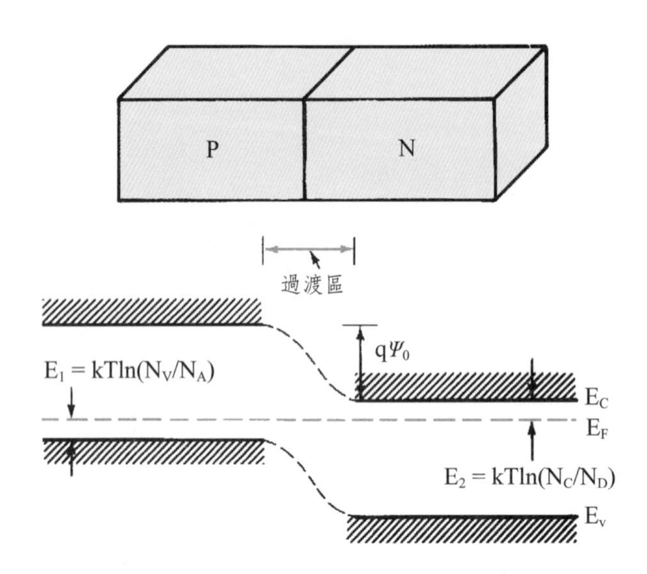

圖 4.3 將獨立的 ***p*** 型和 ***n*** 型區合併在一起所形成的 ***p-n*** 接面及對應的熱平衡狀態下的能帶圖。

E_1 和 E_2 的運算式已在式（2.28）和（2.30）推導，並且顯示在圖 4.3 中。因此

$$q\Psi_0 = E_g - kT\ln\left(\frac{N_V}{N_A}\right) - kT\ln\left(\frac{N_C}{N_D}\right) = E_g - kT\ln\left(\frac{N_C N_V}{N_A N_D}\right) \tag{4.2}$$

而由式（2.17），得到

$$n_1^2 = N_C N_V \exp\left(-\frac{E_g}{kT}\right)$$

因此，

$$\Psi_0 = \frac{kT}{q}\ln\left(\frac{N_A N_D}{n_i^2}\right) \tag{4.3}$$

外加電壓 V_a，將使二極體兩邊的電位差變化 V_a。因此，過渡區兩端的電位差將變成（$\psi_0 - V_a$）。

畫出對應於圖 4.3 的載子濃度圖將有助於了解。這些載子濃度與費米能階和各自能帶之間的能量差呈指數關係，在此用對數座標表示的載子濃度示於圖 4.4 中。其對應的的空間電荷密度 ρ，式（3.27）所給的分佈圖如圖 4.5(a) 的虛線所示。空乏區邊緣附近 ρ 的急劇變化產生第一個近似，即空乏近似（depletion approximation）。

在這個近似中，元件被分成兩個區域，即假設空間電荷密度為零的準中性區（quasi-neutral region），和假設載子濃度非常小以至於對空間電荷密度的貢獻僅來自離子化雜質的空乏區。這個近似實質上只是使空間電荷分佈曲線更加陡峭，正如圖 4.5(a) 中實線所示。

藉由這種近似，要求出如圖 4.5(b) 和 (c) 所示的空乏區電場和電位分佈是簡單的事情。只要將空間電荷分佈連續積分，並記住電場強度是電位的負梯度就可以。空乏區電場強度最大值 ξ_{max}，空乏區寬度 W，以及該區在接面兩邊所延伸的距離 l_n 和 l_p，分別由下列各式表示 [4.1]：

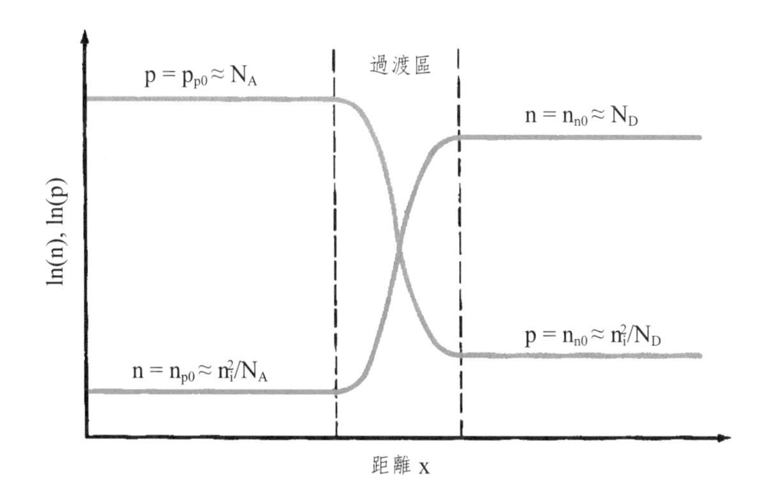

圖 4.4 ☼ 對應於圖 **4.3** 之電子和電洞濃度分佈，以自然對數座標表示。由於這些濃度與費米能階和各自能帶之間的能量差呈指數關係，所以與圖 **4.3** 對應的濃度分佈圖用對數座標表示時，其分佈形狀呈線性。

$$\zeta_{max}=-\left[\frac{2q}{\varepsilon}(\Psi_0-V_a)\Big/\left(\frac{1}{N_A}+\frac{1}{N_D}\right)\right]^{1/2}$$

$$W=l_n+l_p=\left[\frac{2\epsilon}{q}(\Psi_0-V_a)\Big/\left(\frac{1}{N_A}+\frac{1}{N_D}\right)\right]^{1/2} \tag{4.4}$$

$$l_p=W\frac{N_D}{N_A+N_D} \qquad l_n=W\frac{N_A}{N_A+N_D}$$

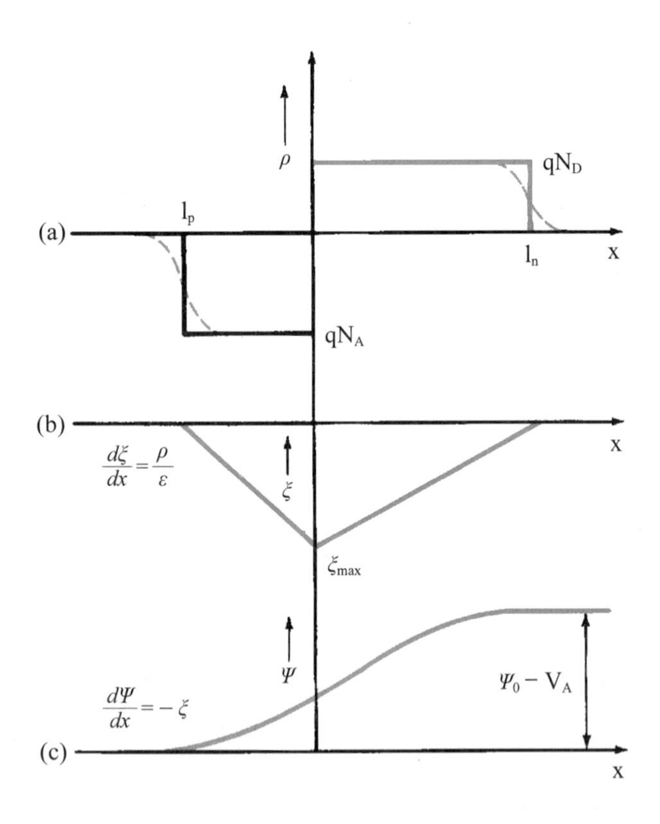

圖 4.5 ☼ **(a)** 對應於圖 **4.4** 的空間電荷密度，虛線表示實際分佈，實線表示在空乏近似假設情況下的分佈；**(b)** 對應的電場強度；**(c)** 對應的電位分佈；

4.3 接面電容

檢視 p-n 接面二極體中空乏區的存在和測量其寬度是非常容易的事。在空乏近似中，外加電壓的變化會直接導致空乏區邊緣儲存電荷的變化，如圖 4.6 所示。這與間距為 W 的平行板電容器情況一樣。因此，空乏區電容 C 是

$$C = \frac{\epsilon A}{W} \tag{4.5}$$

式中，W 由式（4.4）決定。如果二極體的一邊是重摻雜，式（4.5）可簡化為

$$\frac{C}{A} = \left[\frac{q\epsilon N}{2(\Psi_0 - V_a)}\right]^{1/2} \tag{4.6}$$

式中，N 是 N_A 和 N_D 中取較小者。逆向偏壓時，二極體總電容主要取決於空乏區電容。因此，測量出二極體或太陽電池中 C 對逆向偏壓的變化，並畫出 $1/C^2$ 對 V_a 的變化曲線，就可求出二極體輕摻雜側的摻雜濃度 N。當摻雜濃度不是常數時，也可以用類似方法 [4.2] 來計算摻雜濃度的空間變化。

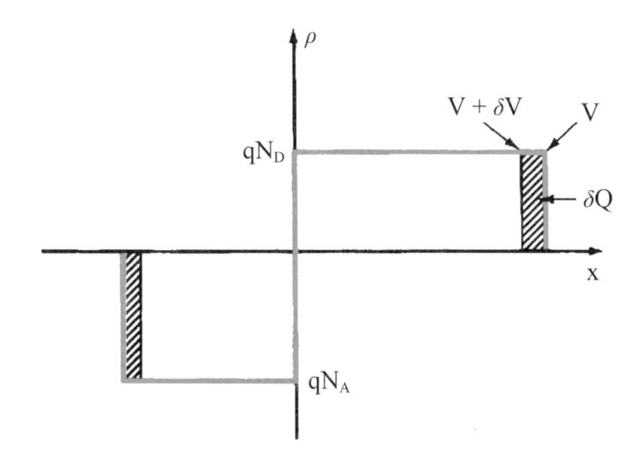

圖 4.6 外加電壓微量增加時空乏區儲存電荷的變化（空乏近似）

4.4 載子注入

下面的計算將求出在空乏區邊緣載子濃度與偏壓的關係，參考圖 4.7，可找到濃度 n_{pa} 和 p_{nb} 的值。

在零偏壓時，已知它們的值（圖 4.4）為

$$p_{nb} = p_{n0} = p_{p0} \exp\left(-\frac{q\Psi_0}{kT}\right) \approx \frac{n_i^2}{N_D} \tag{4.7}$$

$$n_{pa} = n_{p0} = n_{n0} \exp\left(-\frac{q\Psi_0}{kT}\right) \approx \frac{n_i^2}{N_A}$$

在空乏區內，既存在最高電場強度，也存在最大的濃度梯度。通過該區的淨電流實際上是兩大項間的微小差值。對於電洞，則

$$J_h = q\mu_h p\zeta - qD_h\frac{dp}{dx} \tag{4.8}$$

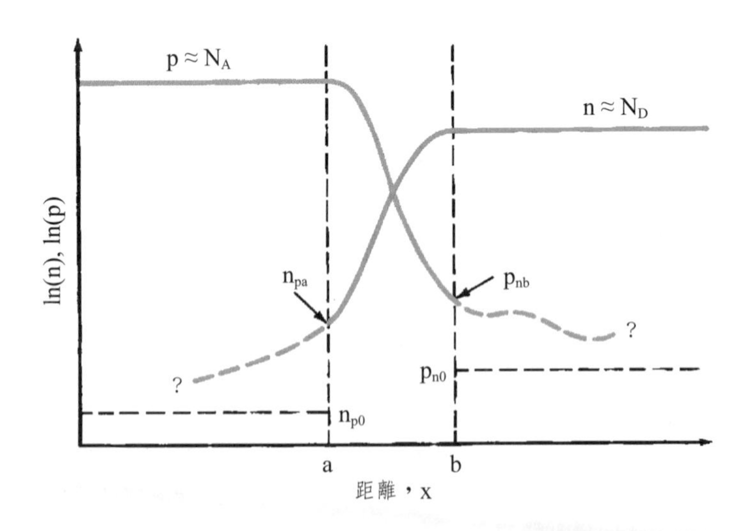

圖 4.7 ☼ ***p-n*** 接面外加偏壓時的載子濃度分佈。正文中已求出接面空乏區邊緣的少數載子濃度 n_{pa} 和 p_{nb} 的運算式，後面，還計算了虛線所示分佈的精確形式。

無論是漂移項，還是擴散項都是很大的，但是方向相反。零偏壓時，它們保持平衡。在中等程度偏壓點時，這兩項比零偏壓時大得多，而淨電流是這兩項間的微小差值。這導致第二個近似的出現，即在空乏區內，

$$q\mu_h p\zeta \approx qD_h\frac{dp}{dx} \tag{4.9}$$

利用 μ_h 和 D_h 間的愛因斯坦關係式，可得到

$$\zeta \approx \frac{kT}{q}\frac{1}{p}\frac{dp}{dx} \tag{4.10}$$

在空乏區內對式（4.10）兩邊之負值分別求積分，得到

$$\Psi_0 - V_a = \frac{kT}{q}\ln p\Big|_a^b = \frac{kT}{q}\ln\frac{p_{pa}}{p_{nb}} \tag{4.11}$$

整理後得到

$$p_{nb} = p_{pa}\, e^{-q\Psi_0/kT}\ e^{qV_a/kT} \tag{4.12}$$

但是，由於在 a 點空間是荷應遵守電中性條件，在引入第三個近似，即只考慮少數載子濃度比多數載子濃度低得多的情況下（$p_{pa} >> n_{pa}$，$n_{na} >> p_{na}$），可得到

$$\begin{aligned} p_{pa} &= N_A + n_{pa} \\ &\approx p_{p0} \approx p_{n0}\, e^{q\Psi_0/kT} \quad \text{（在此 } n_{pa} \text{ 很小）} \end{aligned} \tag{4.13}$$

因此，

$$p_{nb}=p_{n0}\,e^{qV_a/kT}=\frac{n_i^2}{N_D}\,e^{qV_a/kT}$$
$$n_{pa}=n_{p0}\,e^{qV_a/kT}=\frac{n_i^2}{N_A}\,e^{qV_a/kT} \tag{4.14}$$

所以，在空乏區邊緣少數載子濃度隨外加電壓增加而呈指數增加，由接面兩邊的偏壓來控制少數載子濃度的過程，稱為少數載子注入（minority-carrier injection）。

4.5 準中性區內的擴散流

載子可以透過漂移和擴散兩種方式流動。如果半導體材料的均勻摻雜區是準中性的（空間電荷密度近似為零），而且少數載子流並不很小，那麼，少數載子的流動將以擴散方式為主。

證明【歸謬法（reductio ad absurdum）】：考慮 n 型準中性材料，$n >> p$，而且少數載子電流並不很小（即 $J_e \not\gg J_h$，符號 $\not\gg$ 意指「不是遠大於」）。

則

$$J_e=q\mu_e n\zeta+qD_e\frac{dn}{dx}$$
$$J_h=q\mu_h n\zeta-qD_h\frac{dp}{dx} \tag{4.15}$$
$$p-n+N_D\approx 0\ (\text{準中性})$$

微分後一個方程式，並記住 N_D 是常數，得到

$$\frac{dp}{dx}\approx\frac{dn}{dx} \tag{4.16}$$

假設少數載子電流中漂移成分不能忽略，即

$$|q\mu_h n\zeta| \not< \not< \left|qD_h\frac{dp}{dx}\right| \tag{4.17}$$

由於 $n >> p$，應用式（4.17）以及式（4.16），可得

$$|q\mu_h n\zeta| \gg \left|qD_h\frac{dp}{dx}\right|$$

$$|q\mu_h n\zeta| \gg \left|qD_h\frac{dn}{dx}\right|$$

同樣地，

$$|q\mu_e n\zeta| \gg \left|qD_e\frac{dn}{dx}\right| \tag{4.18}$$

此外，由於 μ_e 和 μ_h 的大小差不多，因此

$$|q\mu_e n\zeta| >> |q\mu_h p\zeta| \tag{4.19}$$

從式（4.17）和式（4.19）可得出結論：

$$J_e >> J_h$$

這就違反了初始條件之一。因此，式（4.17）的假設是錯誤的而導致了下面的結果：

$$|q\mu_h p\zeta| \ll \left|qD_h\frac{dp}{dx}\right|$$

即，準中性區少數載子的流動以擴散方式為主，證明前面所述的結論是正確

的。因此，第四個近似是

$$J_h = -qD_h \frac{dp}{dx} \text{（}n\text{ 型準中性區）}$$

$$J_e = qD_e \frac{dn}{dx} \text{（}p\text{ 型準中性區）} \qquad (4.20)$$

與多數載子相比，數量較少的少數載子基本上不受電場的影響。在下面章節中可以看到，它與 ***p-n*** 二極體電流關係將逐漸明朗。

4.6 ｜暗特性

4.6.1 準中性區內的少數載子

總結至目前為止的進度。我們已經說明了在分析過程中將二極體分成空乏區和準空間電荷中性區是一個合理的近似；已經得知空乏區邊緣的少數載子濃度與施加到二極體上的電壓呈指數關係，其結果示於圖 4.7；此外，還證明了，當準中性區是均勻摻雜而且多數載子電流很小時，少數載子主要透過擴散方式傳輸。這樣，就可以對圖 4.7 中虛線所示的分佈進行計算。

在二極體的 ***n*** 型側，

$$J_h = -qD_h \frac{dp}{dx} \qquad (4.21)$$

而由連續方程式得到

$$\frac{1}{q}\frac{dJ_h}{dx} = -(U - G) \qquad (4.22)$$

在第三章中我們已得到幾種復合機制復合率的明確運算式。由式（3.19）所定義的載子存活期，在 ***n*** 型區的復合率可以下式表示：

$$U=\frac{\Delta p}{\tau_h} \tag{4.23}$$

式中，Δp 是過量的少數載子電洞的濃度，它等於總濃度 p_n 減去平衡濃度 p_{n0}。τ_h 是少數載子的存活期，可以看成是常數，至少在平衡狀態時，發生微小擾動的情況下可以這樣認為。將上面三個方程式聯立，得到

$$D_h\frac{d^2p_n}{dx^2}=\frac{p_n-p_{p_{n0}}}{\tau_h}-G \tag{4.24}$$

未照光時，$G=0$，且 $d^2p_{n0}/dx^2=0$。因此，方程式（4.24）可簡化為

$$\frac{d^2\Delta p}{dx^2}=\frac{\Delta p}{L_h^2} \tag{4.25}$$

式中

$$L_h=\sqrt{D_h\tau_h} \tag{4.26}$$

L_h 具有長度的單位，稱為擴散長度（diffusion length）。以後就會明白，在太陽電池工作中，這是一個十分重要的參數，方程式（4.25）的通解是

$$\Delta p=Ae^{x/L_h}+Be^{-x/L_h} \tag{4.27}$$

常數 A 和 B 利用下面兩個邊界條件可以求出：

1. 在 $x=0$ 處，$p_{xb}=p_{n0}e^{qV/kT}$；
2. 當 $x\to\infty$時，p_n 是有限的，因此，$A=0$，這些邊界條件可得到特解：

$$p_n(x)=p_{n0}+p_{n0}\left[e^{qV/kT}-1\right]e^{-x/L_h} \tag{4.28}$$

同樣地，

$$n_p(x') = n_{p0} + n_{p0}\left[e^{qV/kT} - 1\right]e^{-x'/L_e} \tag{4.29}$$

式中，x' 的定義見圖 4.8(b)。

在整個二極體範圍內，這些少數載子濃度的解繪製於圖 4.8(a) 中。在準中性區，為了保持空間電荷的中性，多數載子濃度的分佈必須有相對應的變化，如圖 4.8(a) 中所示。儘管絕對變化相同，但在圖 4.8(b) 的對數座標圖上多數載子濃度的相對變化就顯得小得多。

在整個二極體範圍內，這些少數載子濃度的解繪製於圖 4.8(a) 中。在準中性區，為了保持空間電荷的中性，多數載子濃度的分佈必須有相對應的變化，如圖 4.8(a) 中所示。儘管絕對變化相同，但在圖 4.8(b) 的對數座標圖上多數載子濃度的相對變化就顯得小得多。

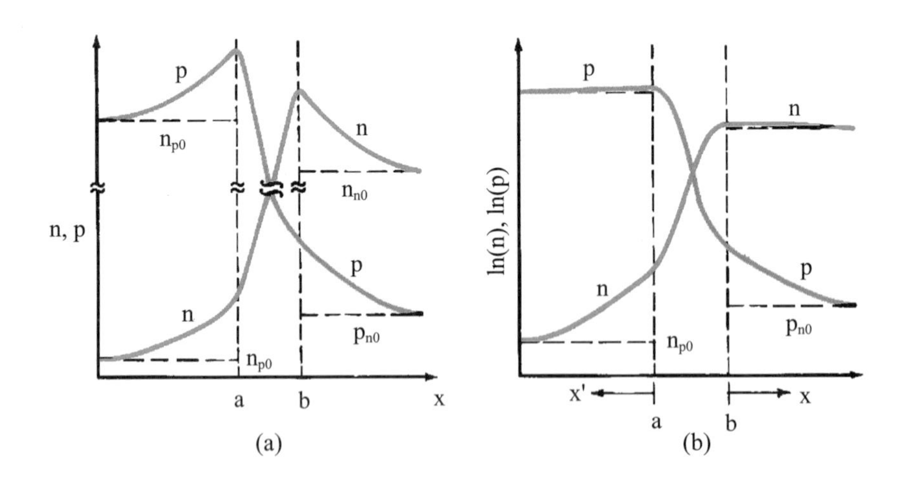

圖 4.8 (a) 順向偏壓下，整個 p-n 接面二極體的載子線性座標分佈圖；(b) 對應的半對數座標圖；注意圖中多數載子的不同。

4.6.2 少數載子電流

一旦載子分佈已知，計算少數載子電流就是件很簡單的事。由於在準中性區電流是擴散電流，在 n 型側，

$$J_h = -qD_h \frac{dp}{dx} \quad (4.30)$$

將式（4.28）代入，得到

$$J_h(x) = \frac{qD_h p_{n0}}{L_h}(e^{qV/kT} - 1)e^{-x/L_h} \quad (4.31)$$

類似地，在 p 型區，

$$J_e(x') = \frac{qD_e n_{p0}}{L_e}(e^{qV/kT} - 1)e^{-x'/L_e} \quad (4.32)$$

這些關係式得到的電流分佈示於圖 4.9(a)。為了計算二極體的總電流，必須知道同一點的電子和電洞的分量。現在，我們來考慮空乏區的電流，由連續方程式可得到

$$\frac{1}{q}\frac{dJ_e}{dx} = U - G = -\frac{1}{q}\frac{dJ_h}{dx} \quad (4.33)$$

因此，流過空乏區的電流變化量為

$$\delta J_e = |\delta J_h| = q\int_{-W}^{0}(U - G)dx \quad (4.34)$$

W 通常比 J_e 和 J_h 的特性衰減長度 L_e 和 L_h 小得多。這表示圖 4.9(a) 與實際比例非常不相符。既然 W 很小，那麼假設式（4.34）中的積分可以忽略，就是一個合理的近似，因此，$\delta J_e = |\delta J_h| \approx 0$ 。這樣一來，如圖 4.9(b) 所示，J_e 和 J_h

在整個空乏區基本上是維持不變的。如果按比例繪出 W，這個近似，亦即第五個近似，就會顯得更加合理。由於在空乏區各點的 J_e 和 J_h 都已知，現在就可以求出總電流，因此，

$$\begin{aligned} J_{total} &= J_e\big|_{x'=0} + J_h\big|_{x=0} \\ &= \left(\frac{q D_e n_{p0}}{L_e} + \frac{q D_h p_{n0}}{L_h}\right)(e^{qV/kT} - 1) \end{aligned} \tag{4.35}$$

由於 J_{total} 不隨位置變化而改變，現在就能夠畫出整個二極體的 J_e 和 J_h 的分佈曲線，如圖 4.9(b) 虛線所示。

分析的結果導出了理想二極體定律：

$$I = I_0(e^{qV/kT} - 1) \tag{4.36}$$

對本書來說，在意的重點是所導出的飽和電流密度的表示式：

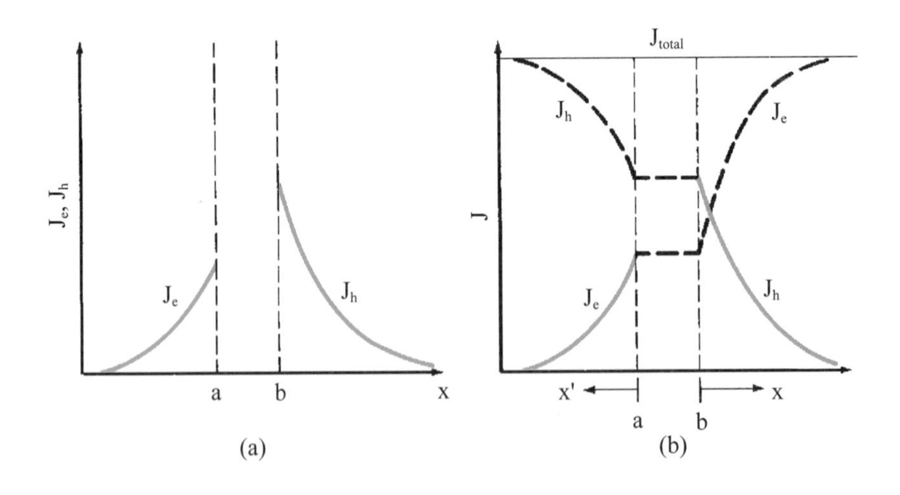

圖 4.9 ☼ **(a)** 對應於圖 **4.8** 的 ***p-n*** 接面二極體的少數載子電流密度；**(b)** 在忽略空乏區中復合的情況下，二極體的少數載子電流密度、多數載子電流密度和總電流密度的分佈。

$$I_0 = A\left(\frac{q D_e n_i^2}{L_e N_A} + \frac{q D_h n_i^2}{L_h N_D}\right) \tag{4.37}$$

式中，A 是二極體的截面積。

4.7 照光特性

接下來要探討照光時二極體的特性。為了數學上的簡化起見，假設所考慮的是一個理想的情況，即假設照光時電子—電洞對的產生率在整個元件中都相同。這相當於電池受到能量接近於半導體能隙的光子，所組成的長波長光照射下的特定物理狀況。這樣的光只會被微弱吸收，因而在整個與特性有關的距離內，電子—電洞對的體積產生速率近似不變。在此強調，這種均勻產生率的情況與太陽能轉換的實際情況並不相符。比較真實的情況將在後面幾章中用不同的方法進行研究。

問題：當照光所引起電子—電洞對的體積產生率 G 在整個元件中都相同時，推導 p-n 接面二極體在照光下的理想電流—電壓特性。

這種分析非常類似於未照光二極體的分析。為了加深印象，在此鼓勵讀者先不看後面的解法，自己設法將這個問題解一遍。

已完成的解答：讀者首先應當確信，不管元件是否受到光照，第一個到第四個近似以及由它們得到的中間結果都同樣是有效的。既然如此，式（4.24）就仍然有效，只是此時 G 不是零而是常數。因此，在 n 型側，

$$\frac{d^2 \Delta p}{dx^2} = \frac{\Delta p}{L_h^2} - \frac{G}{D_h} \tag{4.38}$$

由於 G/D_h 是常數，其通解為

$$\Delta p = G\tau_h + Ce^{x/L_h} De^{-x/L_h} \tag{4.39}$$

邊界條件與未照光二極體分析中的保持不變。這就得到特解為

$$p_n(x) = p_{n0} + G\tau_h + [p_{n0}(e^{qV/kT} - 1) - G\tau_h]e^{-x/L_h} \tag{4.40}$$

如圖 4.10 所示，對於 $n_p(x')$ 也有類似表示式。

對應的電流密度為

$$J_h(x) = \frac{qD_h p_{n0}}{L_h}(e^{qV/kT} - 1)e^{-x/L_h} - qGL_h e^{-x/L_h} \tag{4.41}$$

對於 $J_e(x')$ 也有類似運算式。

再次忽略空乏區的復合效應（近似 5），但納入空乏區的產生效應，這種情況下可得到該區電流密度的變化為

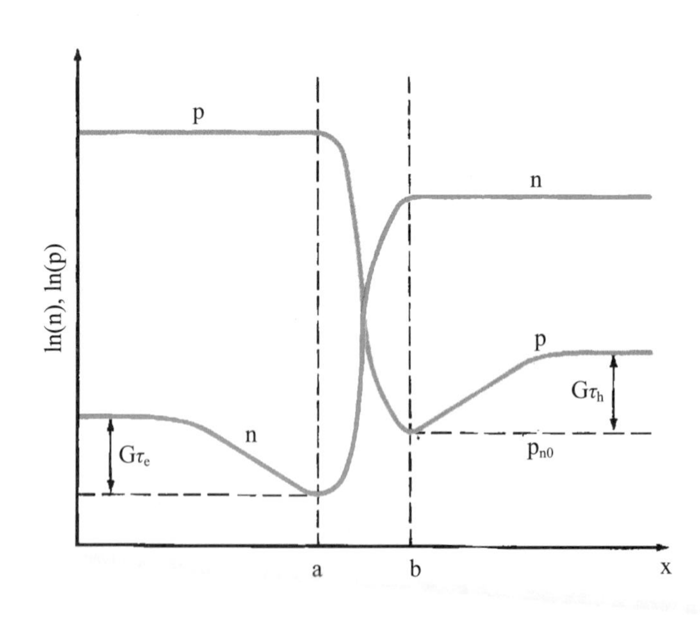

圖 4.10 ☼ 在紅外光照射下（假設整個二極體內電子—電洞對的產生率相同）短路時 ***p-n*** 接面的載子分佈。

$$|\delta J_e| = |\delta J_h| = q\,GW \tag{4.42}$$

因此，按前面所述方法處理，可得出如下電流一電壓特性的關係式：

$$I = I_0\,(e^{qV/kT} - 1) - I_L \tag{4.43}$$

式中，I_0 同式（4.37）的值，而 I_L 的值為

$$I_L = qAG\,(L_e + W + L_h) \tag{4.44}$$

這個結果示於圖 4.11。請注意，照光下的特性曲線僅僅是將暗特性曲線下移 I_L。如此一來，就在該圖的第四象限形成一個可以從二極體擷取電力的區域。

請注意，式（4.44）的形式提出了一個將在稍後證實的結論。光生電流 I_L 可預期為在二極體空乏區及其兩側一個少數載子擴散長度範圍內，全部光生載子的貢獻。空乏區和通常比空乏區大得多的兩側一個擴散長度內的區域，確實是 *p-n* 接面太陽電池的「有效」收集區。

4.8 | 太陽電池的輸出參數

通常用來描述太陽電池輸出特性的參數有三個（圖 4.11）。

其中之一是短路電流 I_{sc}，理想情況下，它等於光生電流 I_L。第二個參數是開路電壓 V_{oc}。令式（4.43）中 $I = 0$，則得到理想值：

$$V_{oc} = \frac{kT}{q}\ln\left(\frac{I_L}{I_0} + 1\right) \tag{4.45}$$

V_{oc} 由於與 I_0 有關，因而取決於半導體的特性。第四象限中任一工作點的輸出功率等於圖 4.11 所示的矩形面積。特定工作點 (V_{mp}, I_{mp}) 會使輸出功率最大。第三個參數，即填滿因子（fill factor），FF，定義為

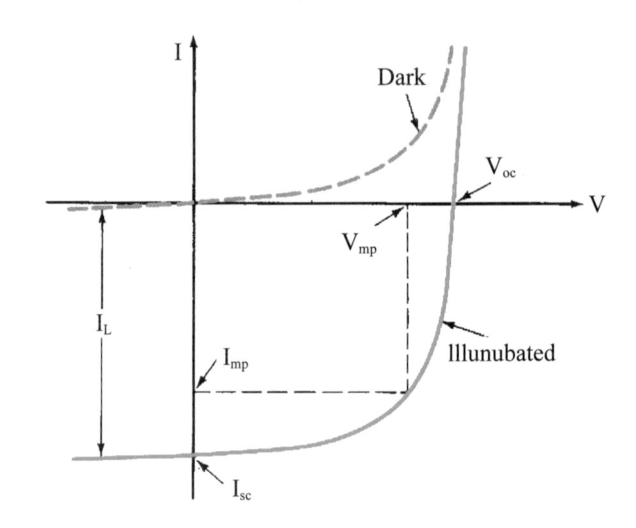

圖 4.11 ☼ 未照光和照光時 ***p-n*** 接面二極體的輸出特性

$$FF=\frac{V_{mp}I_{mp}}{V_{oc}I_{sc}} \tag{4.46}$$

它是輸出特性曲線「方形」程度的度量，對具有適當效率的電池來說，其值約在 0.7 ～ 0.85 範圍內。理想情況下，它只是開路電壓 V_{oc} 的函數。圖 4.12 示出 FF 的理想（最大）值與正歸化開路電壓 v_{oc} 的關係，v_{oc} 定義為 $V_{oc}/(kT/q)$。當 $v_{oc}>10$ 時，描述這個關係（精確到四位有效數字）的經驗公式為（可參看 5.4.4 節）

$$FF=\frac{v_{oc}-\ln(v_{oc}+0.72)}{v_{oc}+1} \tag{4.47}$$

於是，能量轉換效率 η 由下式得到，即

$$\eta=\frac{V_{mp}I_{mp}}{P_{in}}=\frac{V_{oc}I_{sc}FF}{P_{in}} \tag{4.48}$$

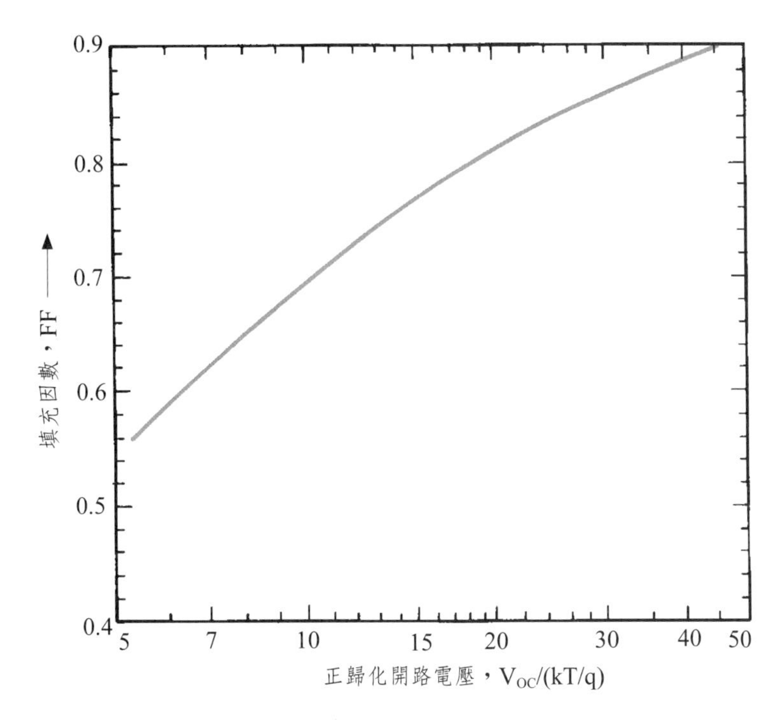

圖 4.12 填滿因子的理想值與經由熱電壓 kT/q 正歸化的開路電壓之關係

式中，P_{in} 是電池上入射光的總功率。商品化太陽電池的能量轉換效率通常為 12 ～ 14%。

4.9 有限電池尺寸對 I_0 的影響

正如式（4.45）所指出的，二極體飽和電池 I_0 決定了 V_{oc}。在推導有關 I_0 的式（4.37）時，隱含著二極體在接面兩邊延伸無限遠距離的假設。實際的元件並非如此。一個有限大小的太陽電池示於圖 4.13。

這就要對飽和電流 I_0 的值進行修正。修正值取決於外露表面的表面復合速度（3.4.5 節）。所關心的兩種極端情況是：(1) 復合速度很高，接近於無限大；(2) 復合速度很低，接近於零。在前一種情況下，表面過量少數載子濃度為零；在後一種情況下，流入表面的少數載子電流為零。用這些作為邊界條件，就可

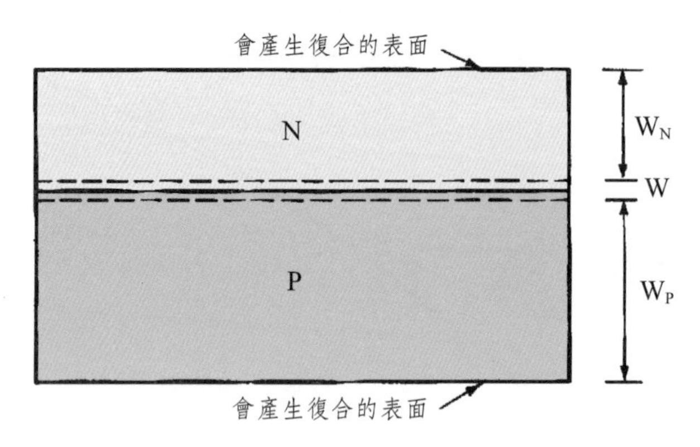

圖 4.13 標示重要尺寸之基本太陽電池

求出修正的 I_0 運算式（習題 4.3）。其形式如下[1]：

$$I_0 = A\left(\frac{q\,D_e\,n_i^2}{L_e\,N_A} * F_P + \frac{q\,D_h\,n_i^2}{L_h\,N_D} * F_N\right) \tag{4.49}$$

如果元件 p 型側的表面具有高復合速度，則 F_P 有如下的形式：

$$F_P = \coth\left(\frac{W_P}{L_e}\right) \tag{4.50}$$

式中，W_P 標示在圖 4.13 中，如果 n 型側的表面也是高復合速度表面，則對應的公式適用於 F_N。如果此表面是低復合速度表面，那麼 F_N 由下式決定，即

$$F_N = \tanh\left(\frac{W_N}{L_h}\right) \tag{4.51}$$

[1] F_N 和 F_P 的一般表示式是[4.3]

$$F_N = \frac{S_h \cosh(W_N/L_h) + D_h/L_h \sinh(W_N/L_h)}{D_h/L_h \cosh(W_N/L_h) + S_h \sinh(W_N/L_h)}$$

$$F_P = \frac{S_e \cosh(W_P/L_e) + D_e/L_e \sinh(W_P/L_e)}{D_e/L_e \cosh(W_P/L_e) + S_e \sinh(W_P/L_e)}$$

式中，S_e 和 S_h 是 3.4.5 節中所介紹的各表面的表面復合速度。

如果 p 型區的表面也是低復合速度表面，則類似的公式適用於與 F_p。

請注意：如果兩個表面都具有低的復合速度，I_0 就會出現最小值，因此 V_{oc} 將出現最大值。

4.10 結語

藉由一系列近似，描述太陽電池工作的一般方程組可簡化為較容易處理的形式。用這種方法可求出太陽電池暗特性和照光特性的理想形式。

照光時的特性曲線是將理想的暗電流－電壓曲線向下移，下移距離即為光生電流大小。太陽電池收集光生電流的有效區域是接面的空乏區及空乏區兩側一個少數載子擴散長度範圍內的區域。

用來表示太陽電池輸出特性的參數是短路電流 I_{sc}，開路電壓 V_{oc} 以及填滿因子 FF。太陽電池表面的狀態必然在一定程度上影響開路電壓，並且在後面有關章節中將證明它也影響短路電流。

習題

4.1 一均勻摻雜的 p-n 接面二極體，p 型側雜質濃度 $10^{24}/m^3$，n 型側雜質濃度為 $10^{12}/m^3$。在 300 K 以及下列偏壓條件下，計算最大電場強度、空乏區寬度以及單位面積的接面電容：(a) 零偏壓；(b)0.4 V 順向偏壓；(C)10 V 逆向偏壓。

4.2 4.4 節的推導假設：在準中性區少數載子濃度比多數載子濃度低得多。求出保證這個假設仍然有效之最大外加電壓的運算式。

4.3 (a) 考慮如圖 4.13 所示的有限尺寸的電池。針對背面復合速度很高和很低兩種極端情況，推導未照光時 p 型側電子濃度與外加電壓的關係式，在 p 型區的寬度比少數載子擴散長度小得多的情況下，畫出這些分佈圖並進行比較。

(b) 參考所畫出的圖，如果二極體的其他參數相同，指出那一種分佈對二極體飽和電流貢獻最小，亦即在照光情況下能獲得最大開路電壓？

4.4 下面是本章分析方法的另一個例子，它不要求很多的數學推導。考慮一個尺寸比對應的少數載子擴散長度小得多的電池，該電池前後表面的復合速度很高，假設為無限大。在這種情況下，與表面復合相比，忽略本體（bulk）復合將是一個很好的近似（即整個本體區復合率 U 可假設為零）。求出當光生電子一電洞對產生率 G 在電池各處都一樣時，該二極體的飽和電流密度和短路電流的運算式。

4.5 當電池溫度為 300 K 時，面積為 100 cm^2 的矽太陽電池在 100 mW/cm^2 照光下，開路電壓為 600 mV，短路電流為 3.3 A。假設電池工作在理想狀況下，在最大功率點的能量轉換效率是多少？

參考文獻

[4.1] A. S. Grove, *Physics and Technology of Semiconductor Devices* (New York: Wiley, 1967), p. 158.

[4.2] Ibid., pp. 169-172.

[4.3] J. P. McKelvey, *Solid State and Semiconductor Physics* (New York: Harper & Row, 1966), p. 422.

第 5 章 效率的極限、損失和測量

5.1 前言

入射到太陽電池表面的陽光，在已製造成電池的半導體材料內產生電子—電洞對。由於電池具有不對稱的電子學結構，使得所產生的電子—電洞對分離並產生流過連接於電池兩端負載的電流。本章討論該過程中能量轉換效率的極限以及各種非理想的因素對效率的影響，並敘述太陽光電元件效率的測量方法。

5.2 效率的極限

5.2.1 概要

在第四章中，我們已使用三個參數來表示 *p-n* 接面太陽電池的特性，這些參數是開路電壓（open-circuit voltage, V_{oc}）、短路電流（short-circuit current, I_{sc}）和填滿因子（fill factor, FF）（圖 4.11）。第四章還闡述了填滿因子的最大值是 V_{oc} 的函數。因此，以下僅討論 I_{sc} 和 V_{oc} 的理想極限。

5.2.2 短路電流

計算任何種類材料太陽電池所能得到的短路電流上限，相對來說是容易的。在理想條件下，入射到電池表面，能量大於材料能隙的每一個光子會產生一個流過外部電路的電子[1]。因此，為了計算 I_{sc} 的最大值，必須知道陽光的光子通量（photon flux）。這個數值可以根據陽光的能量分佈（第一章）計算得到。將已知波長的能量值除以該波長單一光子的能量（hf 或 hc/λ）即為光子通量。圖 5.1(a) 所示為第一章敘述過的 AM0 輻射和標準 AM1.5 地面輻射的計算結果。

1 具有幾倍於禁帶寬度的極高能量光子可能產生電子—電洞對，這個電子可具有足夠的能量，再藉由撞擊離子化（impact ionization）效應，在導帶邊緣上面產生第二電子—電洞對（3.4.3節）。但由於陽光中這樣的光子並不是很多，所以這種機制在太陽電池中並不是那麼重要。

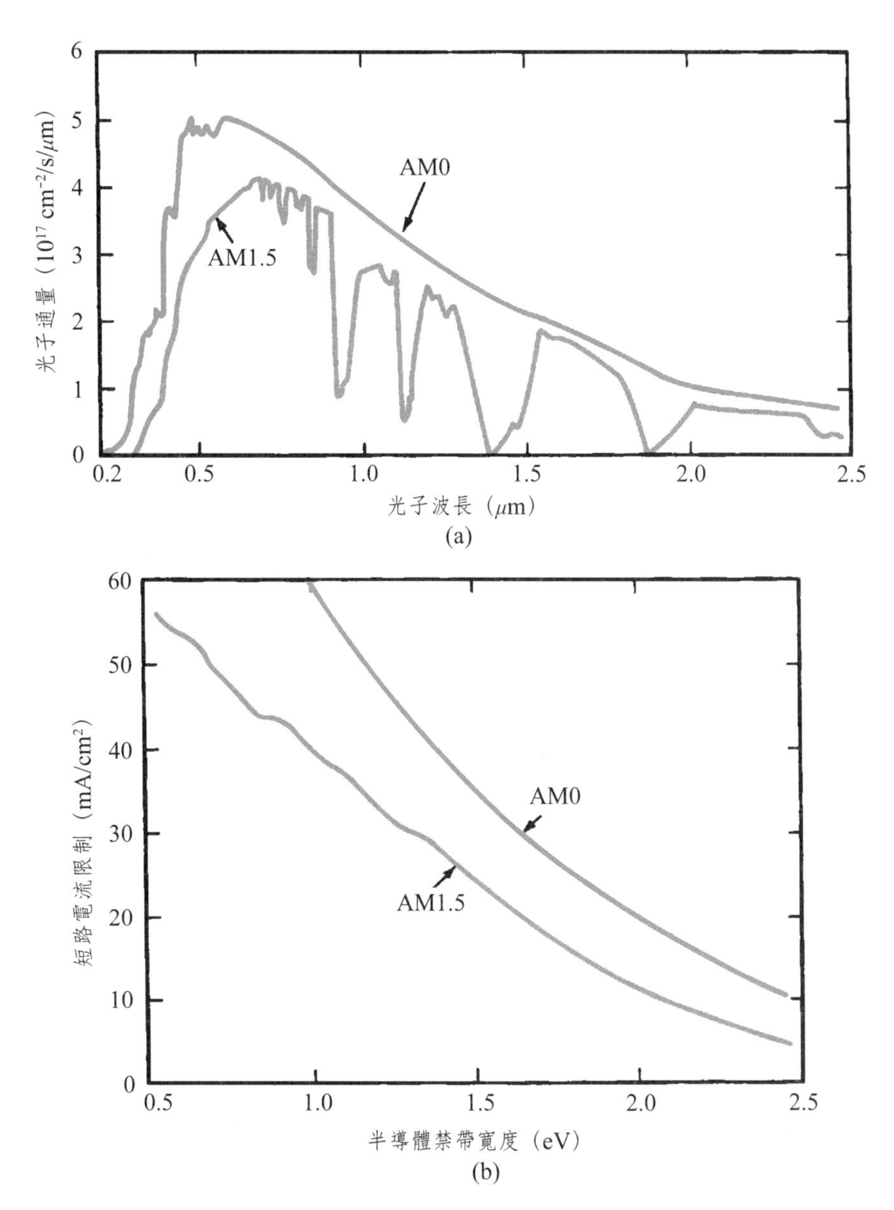

圖 5.1 **(a)** 對應於圖 **1.3** 所提供的 **AM0** 和 **AM1.5** 能量分佈的陽光中的光子通量；**(b)** 對應的短路電流密度上限與太陽電池材料能隙間的關係

I_{sc} 的最大值可以藉由求光子能量分佈的積分獲得，積分從短波長進行到剛能在該半導體中產生電子－電洞對的最長波長〔光子能量（以 eV 為單位）與其波長（以 μm 為單位）的關係是 $E(\mathrm{eV}) = 1.24/\lambda(\mu\mathrm{m})$。矽的能隙約為 1.1 eV，因此，對應的波長 λ 是 1.13 μm〕。短路電流密度的上限示於圖 5.1(b)。

當能隙減小時，短路電流密度將會增加。這並不足為奇，因為能隙減小使得具有足以產生電子一電洞對的能量的光子變多了。

5.2.3 開路電壓和效率

限制太陽電池開路電壓的基本因素尚未像短路電流般被清楚地定義。在第四章已經證明，對理想的 *p-n* 接面電池，V_{oc} 可表示如下：

$$V_{oc} = \frac{kT}{q}\ln\left(\frac{I_L}{I_0}+1\right) \tag{5.1}$$

式中，I_L 是光生電流；I_0 是二極體的飽和電流，按下式計算：

$$I_0 = A\left(\frac{qD_e n_i^2}{L_e N_A} + \frac{qD_h n_i^2}{L_h N_D}\right) \tag{5.2}$$

為了得到最大的 V_{oc}，I_0 必須盡可能小。計算 V_{oc} 上限（因而也就得到最高效率）的一種方式是賦予式（5.2）中半導體的每個參數適當的值，而這些值仍必須保持在生產高品質太陽電池所要求的範圍內 [5.1]。就矽而言，所得到的最大 V_{oc} 約為 700 mV，對應的最高填滿因子為 0.84。將此結果和前一節 I_{sc} 的結果結合起來，就可就得最高能量轉換效率。

式（5.2）中與半導體材料的選擇，關係最大的參數是本質載子濃度的平方 n_i^2。由第二章得知，

$$n_i^2 = N_C N_V \exp\left(-\frac{E_g}{kT}\right) \tag{5.3}$$

藉由式（5.2）最小飽和電流密度與能隙之間的關係，可以合理地估算為：

$$I_0 = 1.5 \times 10^5 \exp\left(-\frac{E_g}{kT}\right) \text{ A/cm}^2 \tag{5.4}$$

這一關係式確保 V_{oc} 的最大值隨能隙的減小而減小。這一趨勢與 I_{sc} 的變化趨勢相反。由此可知，存在一個最佳的半導體能隙可使效率達到最高。

這一點從圖 5.2 可以看出。圖中顯示按照上述方法算出的最高效率與能隙之間的關係。在能隙為 1.4 到 1.6 eV 範圍內，出現峰值效率，而當大氣質量從 0 增加到 1.5 時，峰值效率從 26% 增加到 29%。矽的能隙低於最佳值，但最大效率相對來說仍算高。砷化鎵則具有接近最佳值的能隙（1.4 eV）。

最高效率較低的主要原因是由於所吸收的每一個光子，無論其能量多麼大，最多只能產生一電子一電洞對。電子和電洞迅速釋放回能隙邊緣，同時放

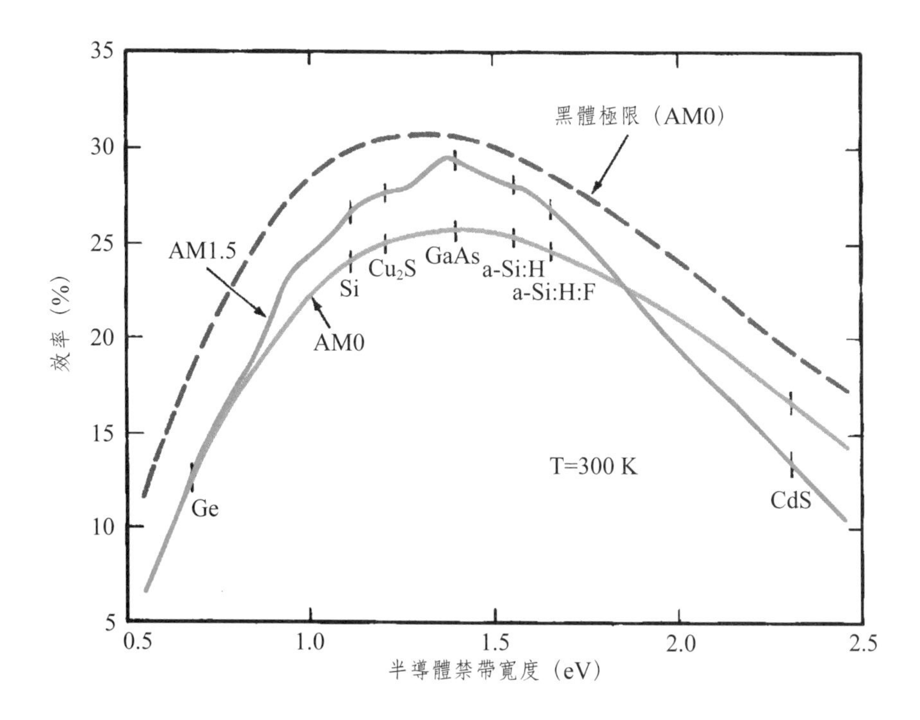

圖 5.2 太陽電池極限效率與電池材料能隙的關係。實線為 **AM0** 和 **AM1.5** 太陽輻射下的半經驗（**semiempirical**）極限，虛線為 **AM0** 太陽輻射下，根據熱力學所得的黑體太陽電池極限

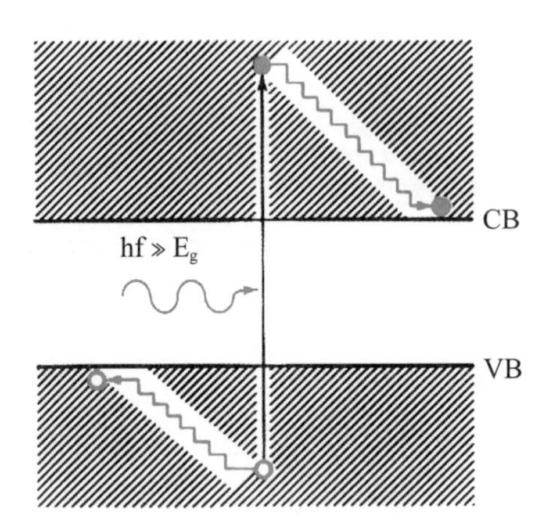

圖 5.3 ☼ 太陽電池的主要損失機制之一。高能量光子產生的電子—電洞對迅速「熱化」或返回到各自的能帶邊緣，放出的能量以熱的形式耗散掉。

射出聲子（圖 5.3）。即使光子能量比能隙大很多，實際上所產生的電子和電洞也僅僅相隔一個能隙。僅這一效應就將可能獲得的最高效率，大約限制在只有 44%[5.2]。另一個主要原因是，即使所產生的載子被對應於能隙的電位差所分離，*p-n* 接面電池所能得到的輸出電壓也僅是此一電位差的一部分。以矽為例，這個部分的最大值是 0.7/1.1 ≈ 60%。

以上討論僅限於單一電池直接暴露在陽光下的情況。以砷化鎵為基礎的這類元件，實驗中所得到的效率已超過 20%。後面要提到的一些技術可以進一步提高太陽光電系統的效率。1978 年刊載於文獻 [5.3] 的一種多層電池系統，其效率高達 28.5%。儘管最高效率值仍不高，但太陽電池仍然是當今太陽光轉換成電力的最有效途徑。

5.2.4 黑體電池的效率極限

上述計算 V_{oc} 最大值的方法，所受到的限制在於該方法是根據經驗而來的。儘管如此，在材料製造技術和（或）太陽電池設計中要取得比圖 5.2 更高效率的可能性很小。為了分析黑體太陽電池，文獻 [5.2] 提出了一種更基本的方法。這種黑體吸收所有入射到其表面的陽光。這種電池的效率極限至少與非黑體類型的一樣高，看來似乎是合理的。

黑體放射出具有一定光譜分佈的輻射，該光譜分佈形狀與黑體本身的溫度有關（第一章）。因此，處於平衡狀態的黑體太陽電池會放射光子。能量大於能隙的光子主要源自於半導體中的輻射復合過程。在熱平衡時，這些輻射復合過程被相等的產生過程所平衡。那麼，在熱平衡狀態下，復合率的下限就是每單位時間所放射出來的能量大於能隙的光子總數。在復合率最小的電池中，可以證明復合率隨偏壓而呈指數上升。這就可以推導出一個與先前討論過的無照光太陽電池理想二極體定律相同的公式，其中的 I_0 等於電子電荷乘以整個電池的平衡復合率。

對矽的情況進行適當的計算，得到 I_0 最小數值，這個最小 I_0 值對應的黑體矽太陽電池的最高開路電壓為 850 mV。不同能隙半導體的計算結果以圖 5.2 中虛線來表示。對直接照光下的單一電池，所計算出的效率上限達 30% 以上。

5.3 ｜溫度的影響

由於太陽電池在現場的工作溫度，其變化範圍可以很大，所以有必要瞭解溫度對電池性能的影響。

太陽電池的短路電流與溫度間的關聯性並不是很大。短路電流隨著溫度上升而略為增加。這是由於半導體能隙通常隨溫度的上升而減小，使得光吸收隨之增加的緣故。電池的其他參數，即開路電壓和填滿因子二者都隨溫度上升而減小。短路電流和開路電壓之間的關係是

$$I_{sc} = I_0 \left(e^{qV_{OC}/kT} - 1\right) \tag{5.5}$$

當忽略小負數項時，此式可寫為

$$I_{sc} = AT^{\gamma} e^{-E_{g0}/kT} e^{qV_{OC}/kT} \tag{5.6}$$

式中，A 與溫度無關；E_{g0} 是用線性外插法（linearly extrapolate）得到的電池所用半導體材料在零度時的能隙；γ 包含決定 I_0 的其餘參數中與溫度有關的因素，其數值通常在 1 ～ 4 範圍內。對上式求導數，考慮到 $V_{g0} = E_{g0}/q$，得到

$$\frac{dI_{sc}}{dT} = A\gamma T^{\gamma-1} e^{q(V_{OC} - V_{g0})/kT} + AT^{\gamma}\left(\frac{q}{kT}\right)\left[\frac{dV_{oc}}{dT} - \left(\frac{V_{oc} - V_{g0}}{T}\right)\right] e^{q(V_{OC} - V_{g0})/kT} \tag{5.7}$$

與其他更主要項相比，dI_{sc}/dT 項可以忽略，結果，得到下列運算式：

$$\frac{dI_{oc}}{dT} = -\frac{V_{g0} - V_{oc} + \gamma(kT/q)}{T} \tag{5.8}$$

這意味著，隨著溫度升高，V_{oc} 近似線性地減小。代入矽太陽電池有關數值（V_{g0} ～ 1.2 V，V_{oc} ～ 0.6 V，γ ～ 3，T = 300 K），得到

$$\frac{dV_{oc}}{dT} = -\frac{1.2 - 0.6 + 0.078}{300} \text{ V/℃} \tag{5.9}$$

$$= -2.3 \text{ mV/℃} \tag{5.10}$$

這與實驗結果非常一致[2]。因而，溫度每升高 1℃，矽太陽電池的 V_{oc} 將下降 0.4%。理想的填滿因子取決於以 kT/q 正歸化的 V_{oc} 的值。所以填滿因子也隨溫度的上升而下降。

V_{oc} 的顯著變化導致輸出功率和效率隨溫度升高而下降。矽太陽電池溫度每升高 1℃，輸出功率將減少 0.4% 到 0.5%。對能隙較寬的材料來說，這種溫度關聯性會降低。例如，砷化鎵太陽電池對溫度變化的敏感度僅約為矽太陽電池的一半。

[2] 這基本上可以認為是由於方程式（5.8）的形式對於比方程式推導中更普通的情況也是有效的。

5.4 效率損失

5.4.1 概要

實際的 *p-n* 接面太陽電池橫截面圖示於圖 5.4。由於其他各種損失機制，實際元件的效率遠低於所討論的理想極限值。後面幾章將要討論如何設計太陽電池，以便在下面幾節中討論的各種損失機制之間取得最佳折衷。

5.4.2 短路電流損失

在太陽電池中有三種可以稱為是「光學」性質的損失。

1. 在 3.2 節中已提到，在裸露的矽表面反射相當大。圖 5.4 的抗反射層（antireflection coating）使這種反射損失減少到約為 10%。
2. 為了在太陽電池的 *p* 側和 *n* 側製造電極，通常在電池受光照的一側製造金屬柵線（metal grid contact），這會遮掉 5% ～ 15% 的入射光。

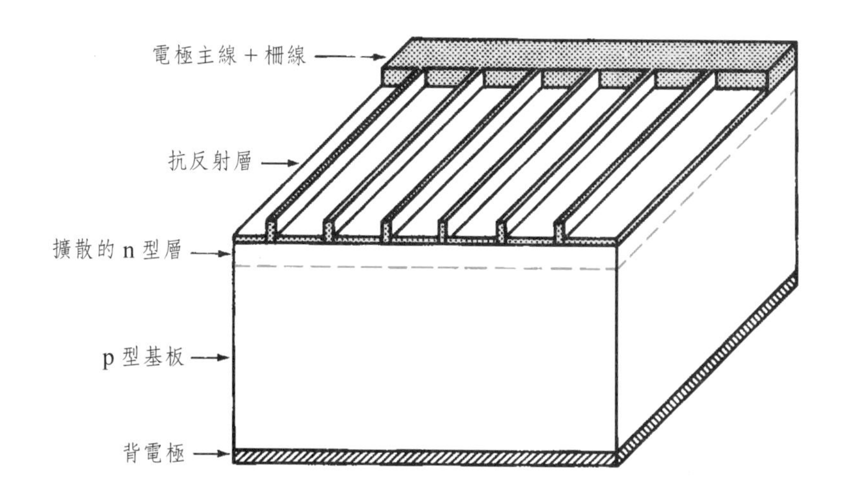

圖 5.4 太陽電池的主要特徵。為了便於說明，電池垂直方向上的尺寸和水平方向尺寸相比有所誇大

3. 最後，如果電池不夠厚，進入電池的一部分具有合適能量的光線將從電池背面直接穿出去。這就決定了半導體材料所需的最小厚度。如圖 5.5 中矽和砷化鎵的計算結果所顯示的，間接能隙材料比直接能隙材料需要更大的厚度。

I_{sc} 損失的另一個原因是半導體本體內（bulk）及表面的復合。在第四章曾指出，只有在 *p-n* 接面附近產生的電子一電洞對才會對 I_{sc} 作出貢獻。在距離接面太遠處產生的載子，在它們從產生點移動到元件的終端之前，很有可能已經復合掉了。

5.4.3 開路電壓損失

決定 V_{oc} 的主要機制是半導體中的復合。這一點在 5.2.4 節藉由計算 V_{oc} 的極限已經看出。半導體中的復合率越低，V_{oc} 越高。本體內復合和表面復合都是重要的。

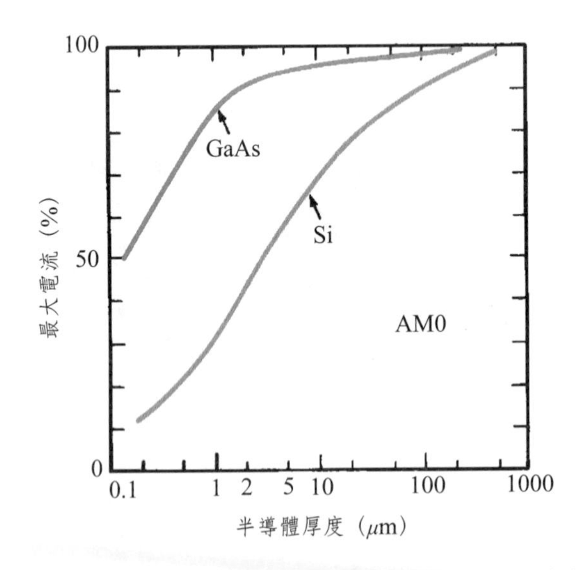

圖 5.5 ☼ 電池厚度對理想太陽電池所產生的最大短路電流之百分比的影響，請注意直接帶隙半導體（砷化鎵）和間接帶隙半導體（矽）之間的區別。

可能限制 V_{oc} 的一個重要因素是經由空乏區中陷阱能階的復合。這種復合機制在空乏區中特別明顯。參考過去描述這個機制的關係式（第三章），可以得到

$$U=\frac{np-n_i^2}{\tau_{h0}(n+n_1)+\tau_{e0}(p+p_1)} \tag{5.11}$$

當 n_1 和 p_1 很小且 n 和 p 也很小時，此復合率有最大值。當空乏區內陷阱的能階位於禁帶中央附近時，這兩種條件便可同時成立。由於空乏區的寬度 W 非常小，因而在第四章分析 *p-n* 接面二極體暗特性時，空乏區的復合被忽略掉（近似 5）。但是，在某些情況下，此區域的復合率將增大，因而變得相當重要。

將空乏區的復合因素加進 *p-n* 接面暗電流－電壓特性，則該特性變成

$$I=I_0\left(e^{qV/kT}-1\right)+I_W\left(e^{qV/2kT}-1\right) \tag{5.12}$$

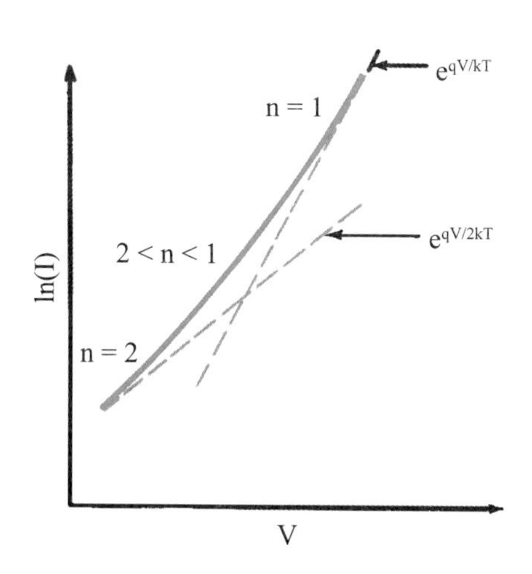

圖 5.6 ☼ 無照光時 *p-n* 接面二極體暗電壓－電流特性的半對數曲線圖（包括空乏區復合的影響）。

式中 I_0 的值同前，而 I_w 為 [5.4]

$$I_W = \frac{qAn_i\pi}{2\sqrt{\tau_{g0}\tau_{h0}}}\frac{kT}{q\xi_{\max}} \tag{5.13}$$

其中 ξ_{max} 是 *p-n* 接面中最大的電場強度，對於兩側均勻摻雜的 *p-n* 接面來說，其值由式（4.4）決定。

這些特性以半對數座標描繪在圖 5.6 中。在低電流情況下，式（5.12）的第二項的影響較大，而在高電流情況下，則第一項的影響較大。

式（5.12）也可寫成下列形式：

$$I = I'_0(e^{qV/nkT} - 1) \tag{5.14}$$

其中，n 通常稱為理想因數（ideality factor），其大小與 I'_0 一樣隨電流變化而改變。由式（5.12）可見，n 值將從低電流時的 2 減小到高電流時的 1[3]。由於照光下的太陽電池特性是將圖 5.6 中的曲線向下移至第四象限，可見這個額外的空乏層復合電流的存在，將會導致 V_{oc} 的降低。

限制 V_{oc} 的其他技術因素將在後面幾章中討論。

5.4.4 填滿因子損失

空乏區的復合也會降低填滿因子。如果前一節所述的二極體理想因數 n 大於 1，則填滿因子等於電壓為 V_{oc}/n 時，用理想情況(圖 4.12)的公式算得的值。此值低於當 n 等於 1 時所算得的值。

一般情況下，定義正歸化電壓 v_{oc} 為 $V_{oc}/(nkT/q)$，則第四章所得到有關填滿因子的經驗公式仍然有效（當 $V_{oc} > 10$ 時，大約精確到四位有效數字）：

---

3 圖中還有一個區域，當少數載子濃度接近多數載子濃度而在高電流時，n也可能接近於2[5.5]。

$$FF_0 = \frac{\upsilon_{oc} - \ln(\upsilon_{oc} + 0.72)}{\upsilon_{oc} + 1} \quad (5.15)$$

通常，太陽電池都有寄生的串聯電阻和並聯電阻，如圖 5.7 中太陽電池等效電路所示。這些電阻乃是由幾個物理機制所產生。串聯電流 R_s 的主要來源是：用來製造電池的半導體材料的基材電阻（bulk resistance）、電極的電阻、互連金屬的電阻以及電極和半導體之間的接觸電阻。並聯電阻 R_{SH} 則是由於 p-n 接面漏電（leakage）引起的，其中包括電池邊緣周圍的漏電及由於接面區存在晶體缺陷和外來雜質的沉澱物所引起的內部漏電。如圖 5.8 所示，這兩種寄生電阻都會導致填滿因子的降低。很高的 R_s 值和很低的 R_{SH} 值還會分別導致 I_{sc} 和 V_{oc} 的降低。

R_s 和 R_{SH} 對填滿因子影響的大小，可以藉由將它們的數值與由下式定義的太陽電池特性電阻（characteristic resistance）[5.6] 進行比較而決定：

$$R_{CH} = \frac{V_{oc}}{I_{sc}} \quad (5.16)$$

與這個數量相比，如果 R_s 很小，或者 R_{SH} 很大，那麼它們對填滿因子就幾乎沒有影響。如果定義正歸化電阻 r_s 為 R_s/R_{CH}，當有串聯電阻時，填滿因子的近似運算式可寫為（精確數值在圖 5.9 中提供）

$$FF = FF_0(1 - r_s) \quad (5.17)$$

其中 FF_0 是無寄生電阻時的理想填滿因子，已在式（5.15）中相當精確地描述。當 $V_{oc} > 10$，且 $r_s < 0.4$ 時，這個運算式精確到接近兩位有效數字。如果定義正歸化並聯電阻 r_{sh} 為 R_{SH}/R_{CH}，同時也採用正歸化電壓 $\upsilon_{oc} = V_{oc}/(nkT/q)$，則有關並聯電阻影響的對應運算式可寫成如下形式（精確數值也在圖 5.9 提供）：

$$FF = FF_0\left\{1 - \frac{(\upsilon_{oc} + 0.7)}{\upsilon_{oc}} \frac{FF_0}{r_{sh}}\right\} \quad (5.18)$$

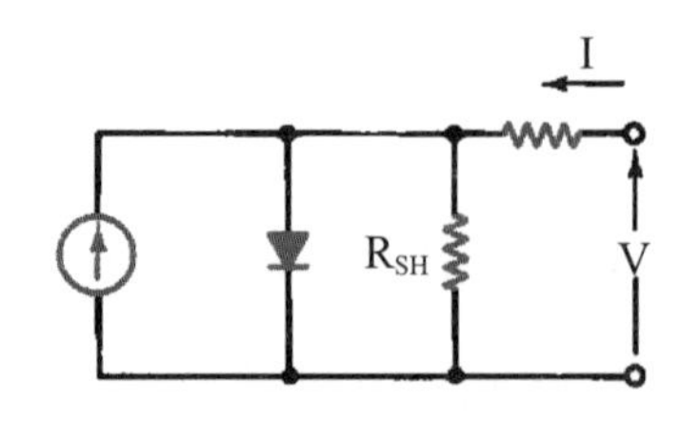

圖 5.7 ☼ 太陽電池的等效電路

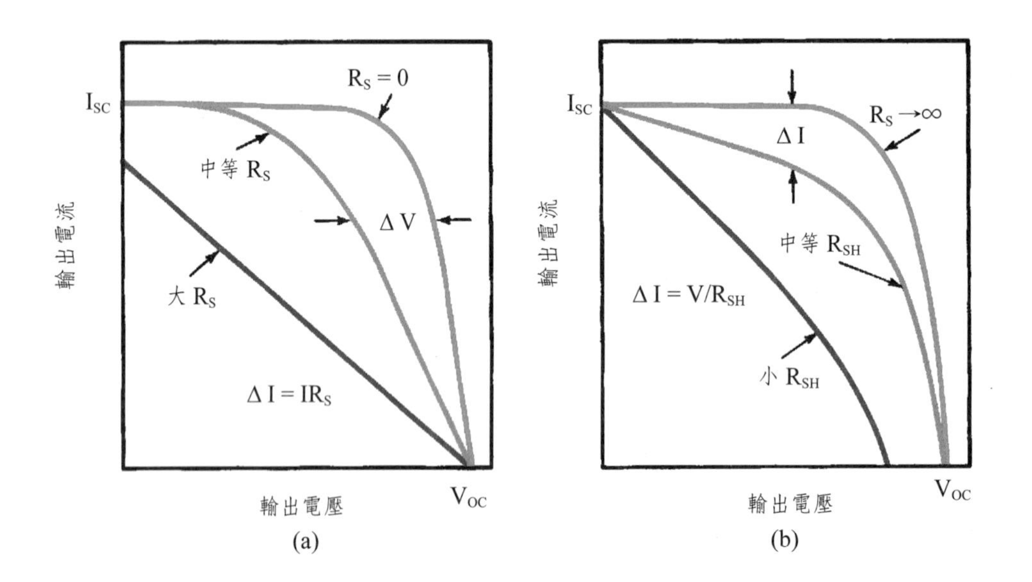

圖 5.8 ☼ 寄生電阻對太陽電池輸出特性的影響 **(a)** 串聯電阻 $\mathbf{R_s}$ 的影響；**(b)** 並聯電阻 $\mathbf{R_{SH}}$ 的影響

當 $V_{oc} > 10$ 且 $r_{sh} > 2.5$ 時，這個運算式精確到接近三位有效數字。當串聯電阻和並聯電阻都重要時，在更有限的參數範圍內，填滿因子的近似運算式是式（5.18），只是式中 FF_0 以式（5.17）計算得到的 FF 代替。

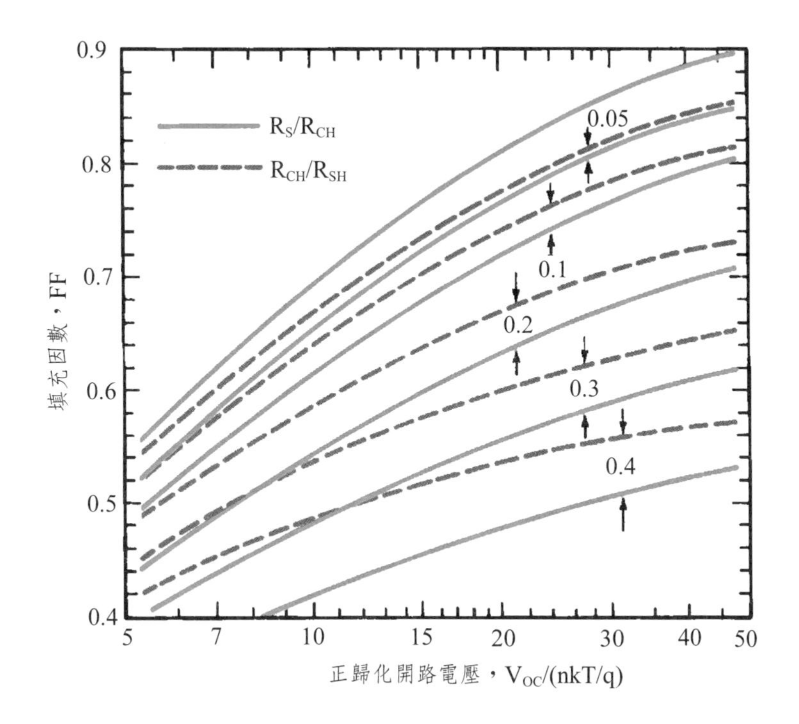

圖 5.9 太陽電池填滿因子因數與正歸化開路電壓的關係曲線。實線示出填滿因子與正歸化參數是 R_S/R_{CH} 的關係，式中 $R_{CH} = V_{oc}/I_{sc}$。虛線示出並聯電阻的影響，其中正歸化參數是 R_{CH}/R_{SH}。由這些曲線可以查得任何一組開路電壓、溫度、理想因數以及串聯電阻和並聯電阻所對應的填滿因子。

5.5 | 效率測量

藉由用輻射感應計（pyranometer）測量入射陽光的功率和測量電池在最大功率點產生的電力來測量太陽電池的效率，似乎是比較簡單的事。使用這種方法存在的困難是，受測電池的性能在很大程度上取決於陽光的精確光譜成分，而陽光的光譜成分隨大氣質量、水蒸汽含量、渾濁度等而變化。由於存在這一困難，加上輻射感應計校正上的誤差（一般約為 ±5%），使得這種辦法很難對不是同一時間、同一地點所測得的電池性能作比較。

另一種方法是採用校正過的參考電池做為測量基準。中央測試主管機關在標準照光條件下校正參考電池，然後以這一參考電池為基準，測量待測電池的性能。為了使這個測試方法能夠得到準確的結果，必須滿足以下兩個條件：

1. 參考電池和受測電池對不同波長的光的響應（光譜響應）在規定限制內必須一致。
2. 用來作比較測量的光源，其光譜成分在規定之限制範圍內必須接近標準光源的光譜成分。

第一個條件通常要求參考電池和受測電池是由同種半導體材料並用相似的生產技術製成。在這兩個條件都得到滿足時，便可以在與校正中心相同的標準照光條件下，進行所有的測量。

類似上述的方法已使用於美國能源部的太陽光電計畫中[5.7]。在這個方法測試中所參與的標準陽光光譜分佈是圖 1.3 中的 AM1.5 分佈。所建議的測試光源是自然陽光（對雲彩、大氣質量和陽光強度變化率有一定限制）、配備適當濾光片的氙（xenon）燈或 ELH 燈。後者是一種廉價的鎢絲放映燈，這種燈具有一個對波長靈敏的反射器，它可以讓紅外光從燈的背面透過，這就增加了輸出光束中可見光的比例，因此，輸出光束的光譜成分相當接近於陽光的光譜成分。光源必須能在測試平面上射出一束強度均勻的平行光束，而且，在測試過程中必須是穩定的，並且符合限制規定。

測量太陽電池輸出特性的典型實驗裝置示於圖 5.10(a)。四點接觸（four-point contacting）線路使得連接待測電池的電壓與電流導線保持分離，這就排除了導線本身的串聯電阻及相關接觸電阻的影響。電池放置在具有溫度控制功能的底座上，測試太陽電池的標準溫度是 25℃和 28℃兩種。利用參考電池，將燈光強度調整到所需的數值，藉由改變負載電阻，就可以測得電池的特性。

受測電池的光譜響應也可以藉由將電池的輸出與已做過光譜響應校正的電池之輸出直接比較而測得。最簡單的方法是使用穩態單色光源，這可以從單

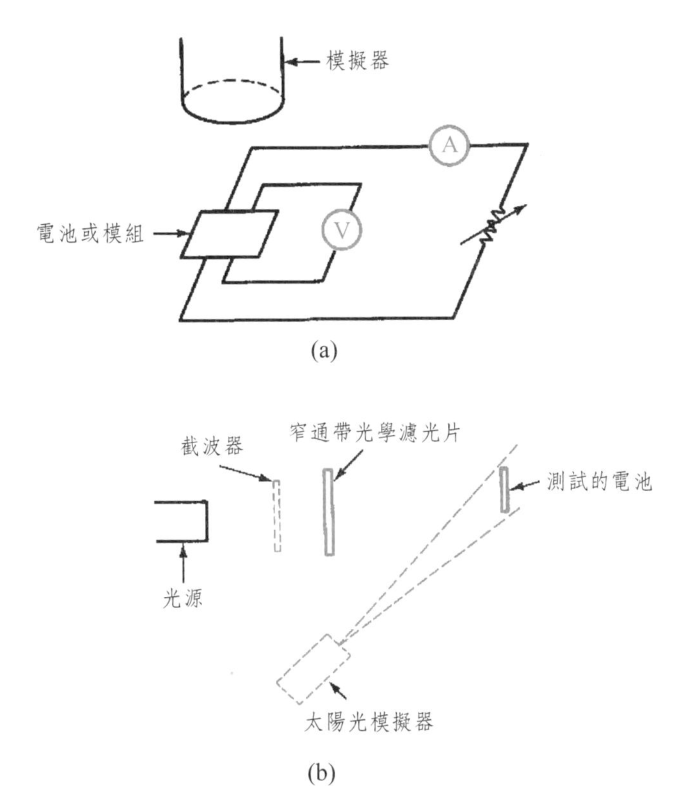

圖 5.10 **(a)** 測試太陽電池和模組的實驗裝置；**(b)** 可用來測量光譜響應的裝置。對於光譜響應呈非線性的電池需要一個偏置光源以及一個經過截波器（**Chopper**）的單色光。

光儀（monochromater）或者如圖 5.10(b) 所示，讓白光通過窄帶光學濾光器（narrow-band optical filter）獲得。由於電池對光強度增加的響應並非總是線性的，較好的方法是使用接近於陽光的白色光源來照射受測電池，並測量疊加小的單色光成分時所增加的響應。

5.6 結語

當電池材料的能隙在 1.4 到 1.6 eV 範圍內時，太陽電池達到效率的上限約為 26% ～ 29%。幾個因素使得實際太陽電池的效率稍低於理想效率。其中部分因素與光和電池間的耦合有關，另一些與半導體本體內和表面上過度的復合有關，再有一些則是由於寄生電阻的影響。

太陽電池的效率隨溫度上升而降低，這主要是由於開路電壓對溫度的靈敏性造成的。

測量太陽電池特性，比較好的實驗方法是採用校正過的參考電池來排除與直接測量方法有關的各種變數。

習題

5.1 (a) 一個太陽電池受到照光強度為 20 mW/cm^2，波長為 700 nm 的單色光均勻照射，如果電池材料的能隙為 1.4 eV，請問對應之入射光的光子通量及電池所輸出的短路電流上限是多少？

(b) 如果能隙是 2.0 eV，那麼，對應的電流是多少？

5.2 當電流受到表 1.1 的 AM 1.5 入射光照射時，某電池可得到的最大短路電流密度為 40 mA/cm^2。如果 300 K 時電池的最大開路電壓為 0.5 V，請問在此溫度下電池效率的上限是多少？

5.3 一個電池受到照光強度為 100 mW/cm^2 的單色光均勻照射。300 K 時，電池的最小飽和電流密度是 10^{-21} A/cm^2。如果單色光的波長為：(a)450 nm；(b)900 nm，試分別計算在此溫度下，電池將光轉換為電能的效率上限，假設在每一種情況下電子能量都大於材料能隙。(c) 解釋所算得效率之間的差別。

5.4 計算並畫出矽太陽電池光譜靈敏度（spectral sensitivity，短路電流／入射單色光的功率）上限與波長的關係。

5.5 矽太陽電池的典型開路電壓為 0.6 V，而砷化鎵太陽電池的開路電壓約為 1.0 V。在絕對和相對偏壓兩種情況下，試比較兩種電池在 300 K 時開路電壓與溫度的理論關係（0 K 時兩者的能隙分別為 1.2 和 1.57 eV）。

5.6 根據圖 5.5，試比較矽和砷化鎵電池要求得到 AM0 照光下最大電流輸出的 75% 所需要的厚度。

5.7 一個太陽電池具有接近理想的特性，其理想因數等於 1。另一個電池的特性主要受空乏區復合的影響，其理想因數為 2。如果這兩個電池的開路電壓在 300 K 時均為 0.6 V，試比較它們的理想因數。

5.8 一個太陽電池，300 K 時的開路電壓為 500 mV，短路電流為 2 A，理想因數為 1.3。求下列各種情況下的填滿因子：(a) 串聯電阻為 0.08 Ω，並聯電阻很大；(b) 串聯電阻可以忽略，並聯電阻為 1 Ω；(c) 串聯電阻為 0.08 Ω，並聯電阻為 2 Ω；(d) 串聯電阻為 0.02 Ω；並聯電阻為 1 Ω。

參考文獻

[5.1] H. J. Hovel, Solar Cells, vol. 11, Semiconductors and Semimetals Series (New York: Academic Press, 1975).

[5.2] W. Shockley and H. J. Queisser, "Detailed Balance Limit of Efficiency of p-n Junction Solar Cells", *Journal of Applied Physics 32* (1961), 510-519.

[5.3] R. L. Moon et al., "Multigap Solar Cell Requirements and the Performance of AlGaAs and Si Cells in Concentrated Sunlight," *Conference Record, 13th IEEE Photovoltaic Specialists Conference*, Washington, D. C. (1978), pp. 859-867.

[5.4] C. T. Sah et al., "Carrier Generation and Recombination in p-n Junctions…," *Proceedings of the IRE 45* (1957), 1228-1243.

[5.5] J. G. Fossum et al., "Physics Underlying the Performance of Back-Surface-Field Solar Cells", *IEEE Transactions on Electron Devices ED-27* (1980), 785-791.

[5.6] M. A. Green, "General Solar Cell Factors…," *Solid-State Electronics 20* (1977), 265-266.

[5.7] *Terrestrial Photovoltaic Measurement Procedures*, Report ERDA/ NASA/1022-77/16, June 1977.

第 6 章

標準矽太陽電池技術

6.1 前言

自 1953 年第一批具有合理效率的矽太陽電池問世之後，這些電池主要應用於太空飛行器具的電力供應。第一次這樣的應用是在 1958 年前鋒一號（Vanguard I）衛星上。從那時候起，為了供給數量不斷增加的通信衛星及其他太空飛行器具所需的電池，陸陸續續有越來越多的小量生產。對於電池性能及可靠性的嚴格要求，促進了電池標準技術流程的研發，這種技術實際上在整個六十年代和七十年代初期一直保持不變。

自 1973 年以來，由於對新能源越來越重視，致使一些公司生產專門應用於地面的太陽電池。表 6.1 列出部分太陽電池製造廠家。一開始，地面用電池的生產技術是沿用太空用電池的標準技術。雖然由於地面應用的要求不同，使生產電池的技術後來有了某些重大的改變。但是，本章要敘述的電池標準技術，將為討論這些技術變化並為將來可能的改進打下基礎。

製造電池的標準技術可以分為以下幾個步驟：

1. 矽砂還原成冶金級（metallurgical-grade）矽。
2. 冶金級矽提煉為半導體級矽；
3. 半導體級矽轉變為單晶矽晶圓。
4. 單晶矽晶圓製成太陽電池。
5. 太陽電池封裝成防風雨的太陽電池模組。

6.2 矽砂還原為冶金級矽

矽是地殼中蘊藏量第二豐富的元素，提煉矽的原始材料是二氧化矽（silicon dioxide），它是砂子的主要成分。然而，在目前工業提煉技術中，採用的是二氧化矽的結晶態，即石英岩（quartzite）。為了取得矽，石英岩在圖 6.1 所示的大型電弧爐中用碳（木屑、焦碳和煤的混合物）依下列反應式還原 [6.1]：

表 6.1 太陽電池製造廠家（約在 1980 年）

美國	
應用太陽能公司（Applied Solar Energy Corporation） 15251 East Don Julian Road City of Industry, CA 91746	太陽動力公司（Solar Power Corporation） 20 Cabot Road Woburn, MA 01801
阿科太陽公司（Arco Solar, Inc.） 20554 Plummer Street Chatsworth, CA 91311	索拉萊克斯公司（Solarex Corporation） 1335 Piccard Drive Rockville, MD 20850
摩托羅拉公司（Motorola, Inc.） 太陽能分部 Phoenix, AZ 95008	索萊國際公司（Solec International, Inc.） 12533 Chadron Avenue Hawthorne, CA 90250
光子動力公司（Photon Power, Inc.） 10767 Gateway West El Paso, TX 79935	太陽能公司（Solenergy Corporation） 23 North Avenue Wakefield, MA 01880
佛特瓦特國際公司（Photowatt International, Inc.） 21012 Lassen Street Chatsworth, CA 91311	光譜實驗室（Spectrolab, Inc.） 12484 Gladstone Avenue Sylmar, CA 91342
SES 公司（SES Incorporated） Tralee Industrial Park Newark, DE 19711	Spire 公司（Spire Corporation） Patriots Park Bedford, MA 01730
歐洲	
AEG 德律風根公司 分立元件分部 P.O. Box 1109 7100 Helibronn, W. Germany	RTC（菲利浦集團） Route de la Delivrande 14000 Caen-Cedex, France
日本	
日本太陽能公司（Japan Solar Energy Co.） 11-17 Kogahonmachi Fushimiku, Kyoto	夏普公司工程處（Sharp Corp. Engineering Division） 2613.1 Ichinomoto Tenri-Shi, Nara
松下電氣公司（Matsushita Electric） Kadoma, Osaka	
澳洲	**印度**
台德蘭德能量 Pty 公司（Tideland Energy Pty. Ltd.） P.O. Box 519 Brookvale, N.S.W. 2100	中央電子公司（Central Electronics Ltd.） Site 4, Industrial Area Sahibabad, U.P. 201005

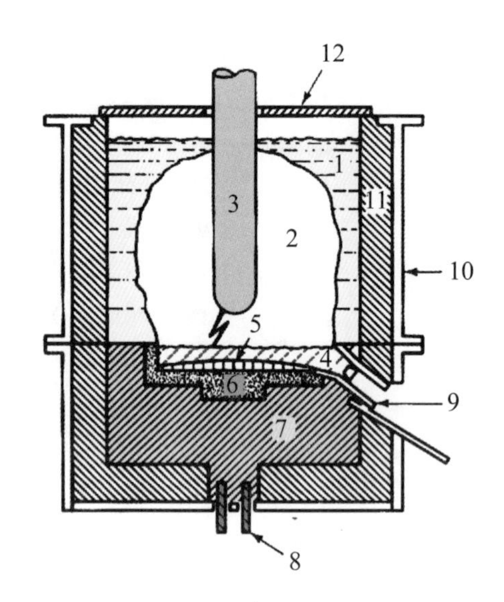

圖 6.1 生產冶金級矽的電弧爐之截面圖。**1.** 碳和石英岩；**2.** 內腔；**3.** 電極；**4.** 矽；**5.** 碳化矽；**6.** 爐床；**7.** 電極膏（**electrode paste**）；**8.** 銅電極；**9.** 出料噴口；**10.** 鑄鐵壁；**11.** 陶瓷；**12.** 石墨蓋 [6.1]

$$SiO_2 + 2C \longrightarrow Si + 2CO \qquad (6.1)$$

矽定期地從爐中倒出，並用氧氣或氧一氯混合氣體吹之以進一步提煉。然後，倒入淺槽，在槽中凝固，隨後被搗碎成塊狀。

全世界每年生產約一百萬噸左右冶金級矽（metallurgical silicon, MG-Si），主要是用於煉鋼和煉鋁工業。這種矽的純度通常為98%到99%，由表6.2的分析結果可看出，其中主要的雜質為鐵和鋁。還原過程的能量使用效率相當高，全部製程所需要的能量類似於提煉鋁或鈦等金屬所需的能量。材料也相當便宜，冶金級矽產品的很小一部分再進一步精煉為半導體級（semiconductor grade, SeG）矽供電子工業用。半導體級矽每年用不了幾千噸。

表 6.2 冶金級矽中典型的雜質濃度

雜　質	濃度範圍（百萬分之一，原子）
Al	1500-4000
B	40-80
Cr	50-200
Fe	2000-3000
Mn	70-100
Ni	30-90
P	20-50
Ti	160-250
V	80-200

6.3 冶金級矽提煉為半導體級矽

用於太陽電池以及其他半導體元件的矽，其純度等級比冶金級要求更高。提煉這種矽的標準方法稱為西門子製程（Siemens process）[6.2]。在此製程中，冶金級矽被轉變為揮發性的化合物，接著採用分餾的方法予以冷凝並提煉。然後，從這種精煉產品中取出超純矽。

詳細的製程順序是，用 HCl 把細碎的冶金級矽顆粒變成流體，並以銅觸媒（Cu catalyst）加速反應進行：

$$Si + 3HCl \longrightarrow SiHCl_3 + H_2 \tag{6.2}$$

釋放出來的氣體通過冷凝器，冷凝所得到的液體經過多級分餾得到半導體級三氯矽甲烷（$SiHCl_3$，trichlorosilane），這是矽膠（silicone）工業的原材料。

為了獲得半導體級矽，可加熱混合氣體，使半導體級 $SiHCl_3$ 被 H_2 還原。在此過程中，矽以細晶粒的多晶矽形式沉積到利用電氣加熱的矽棒上，其反應式為

$$SiHCl_3 + H_2 \longrightarrow Si + 3HCl \quad (6.3)$$

後一個步驟不僅需要大量的能量，而且良率（yield）低（～37%）。這就是為什麼會出現在 6.7 節將討論的，生產半導體級矽比生產冶金級矽所需要的能量增加很多的主要原因。在這個轉化過程中，成本增加更大。因此，更有效地提煉冶金級矽一直是改進技術的主要目標。

6.4 半導體級多晶矽變成單晶矽晶圓

對於半導體電子工業來說，矽不僅要非常純，而且必須是晶體結構中基本上沒有缺陷的單晶形式。工業上生產這種材料所用的主要方法如圖 6.2 中的 CZ 製程（Czochralski process）。在坩堝中，將半導體級多晶矽熔融，同時，加入元件所需的微量摻雜劑（dopant），對太陽電池來說，通常用硼（p 型摻雜劑）。在精確控制溫度下，用晶種（seed crystal）能夠從熔融矽中拉出大圓柱形的單晶矽。通常這種方法能夠生產直徑超過 12.5 cm，長度 1 m 到 2 m 的晶體。

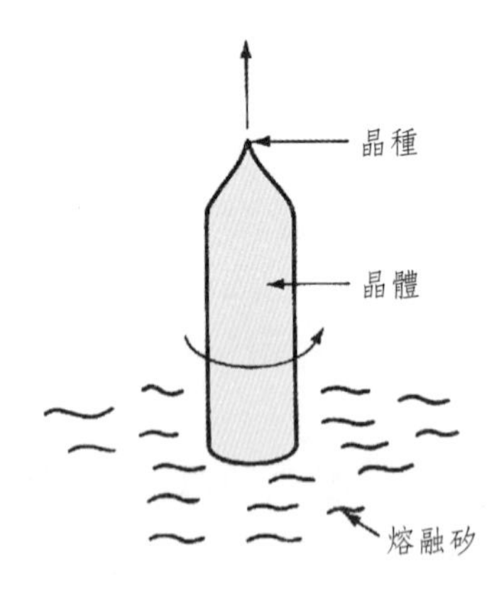

圖 6.2 ☼ 生產大圓柱形單晶矽錠（ingot）的 CZ 技術示意圖

如 5.4.2 節中所述，矽太陽電池僅需 100 μm 左右的厚度就足以吸收陽光中大部分適用的波長。因此，大單晶矽錠應切成盡可能薄的矽晶圓（wafer），如圖 6.3 所示。用目前的切割技術 [6.3] 將前面介紹的大晶體切成比 300 μm 還薄的矽晶圓並仍保持適當的良率是很困難的。在加工過程中，超過一半的矽因為切口（kerf）或切割損失被平白浪費掉了。因此，從半導體級矽變成單晶矽晶圓過程中的低良率是標準技術的另一薄弱環節。

6.5 ｜從單晶晶圓到太陽電池

晶圓經過蝕刻（為了消除切割過程產生的損傷）並清洗之後，藉由高溫雜質擴散製程，經由妥善控制將雜質摻入晶圓。

前節中已經提及，在標準太陽電池技術中，通常將硼加到 CZ 製程的熔料中，進而生產出 p 型晶圓。為了製造太陽電池，必須摻入 n 型雜質，以形成 p-n 接面。磷是常用的 n 型雜質。最普通的技術如圖 6.4 所示，載氣（carrier gas）通過液態氧氯化磷（phosphorus oxychloride, $POCl_3$），混合入少量氧後通過排放有矽晶圓的加熱爐管，如此一來，晶圓表面就會生成含磷的氧化層。在爐溫下（800 到 900℃），磷從氧化層擴散到矽中。約 20 分鐘之後，靠近晶圓表面的區域，磷雜質超過硼雜質，製造出如圖 6.5(a) 所示的一層薄的、重摻雜的 n 型區。在接下來的製程中，再去除氧化層和電池側面及背面的接面，得到圖 6.5(b) 的結構。

圖 6.3 從圓柱型矽晶錠切成薄的矽晶圓。參考文獻 **6.3** 對這種切片過程所採用的方法作了敘述和比較。在加工過程中，大約一半矽晶錠因為切口或切割損失被浪費掉了。

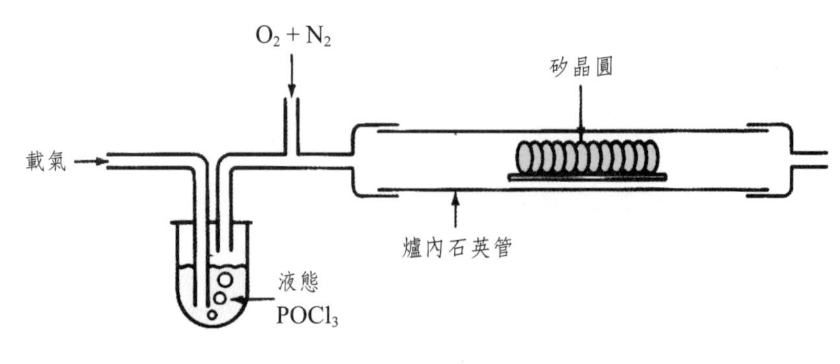

圖 6.4 磷擴散技術

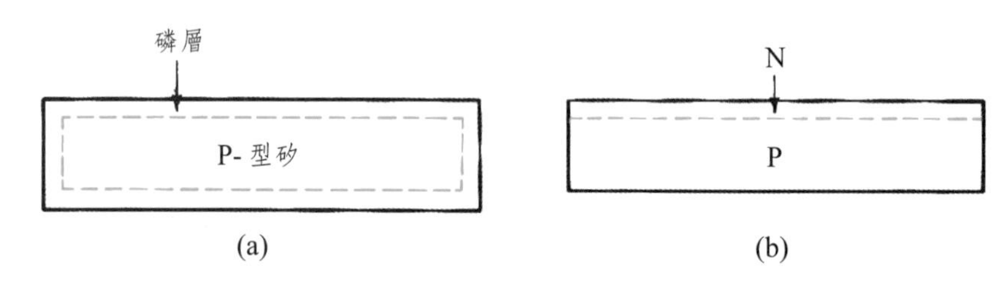

圖 6.5 磷雜質分佈 **(a)** 剛擴散之後；**(b)** 矽片背面和側面被腐蝕之後

然後，製作出附著於 *n* 型區和 *p* 型區表面的金屬電極（metal contact）。在標準技術中，採用真空蒸鍍（vacuum evaporation）製程來製作此電極。將待沉積的金屬在真空腔體（vacuum chamber）中加熱到足夠高的溫度，使其熔融並蒸發，然後以直線的方式到達並凝結在真空腔體中較冷的部分（其中包括太陽電池）。背電極通常覆蓋整個背表面，而上電極則需要製成柵線形狀。有兩種技術能有效地做出這種柵線圖案的電極：一種是採用金屬遮罩（shadow mask）（圖 6.6）；另一種方法是在電池上表面先全部沉積金屬，接著，用一種稱為微影技術（photolithography）的方法將不需要的部分腐蝕掉。

電極通常由三層金屬組成。為了使電極與矽有好的黏著力，底層採用薄的鈦金屬（titanium, Ti），上層是銀（silver, Ag），以提供低的電阻及可焊性。夾在這兩層之間的則是鈀（palladium）層，它可以防止潮濕狀況下鈦和銀之間的不良反應。為得到良好附著力和低接觸電阻，沉積之後，電極在 500 ～ 600℃

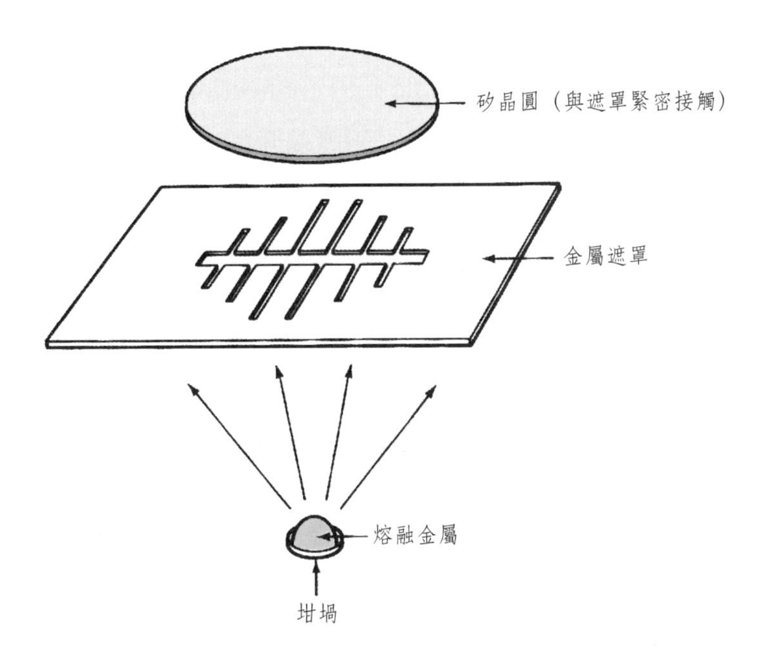

圖 6.6 ☼ 採用真空蒸鍍技術和金屬遮罩製作頂部金屬柵線電極的示意圖

下燒結（sinter）。最後，用同樣的真空蒸鍍製程在電池上表面沉積一層薄的抗反射（antireflection, AR）層。

從晶圓開始到做成地面用太陽電池，良率約為 90%。每批晶圓大概為 40 到 100 片，在同一時間內進行上述製程，這使得這種製程非常地勞力密集。此外，真空蒸鍍設備與其產能相比是昂貴的。而且，基於蒸鍍製程的特性，結果只有一小部分金屬被蒸鍍到所需要的地方。當採用像銀這樣的貴重材料時，這種製程是很浪費的。

6.6 | 從太陽電池到太陽電池模組

6.6.1 模組構造

太陽電池之所以需要封裝不僅是為了提供機械上的防護，而且也是為了提供電性絕緣及一定程度的化學防護。這種裝封提供了機械剛性以支撐易碎的電池及電池彼此間彈性的互連（flexible interconnection），同時也為可能來自冰雹、鳥類以及墜落或投擲到模組上的物體所引起的機械損傷提供了防護。封裝還防止金屬電極及互連材料受到大氣中腐蝕性元素的腐蝕。最後，封裝也為電池組合板產生的電壓提供電性絕緣。某些系統的對地電位可高達 1500 V，封裝的耐久性將決定模組的最終工作壽命，理想上，此壽命應長達 20 年或更長。

系統封裝設計必須具備的其他特性，還包括：紫外線（ultraviolet, UV）穩定性；在高低極限溫度及熱衝擊下電池不致因應力而破裂；能抵禦塵暴所引起的擦傷；自我潔淨能力；維持電池低溫以將功率損失最小化的能力；以及成本低廉。

模組的設計可以有幾種不同方法。其中一個極重要的部分是提供剛性的結構層，這一層如圖 6.7 中所示，該層可位於模組的背面或模組正面。電池可直接黏著在這一層上並密封在柔韌的密封膠中，或者包含在由這一層支撐的夾層中。最後一層如果在元件的背面，將具有抗潮濕的作用；如果在頂部，就要具備自我潔淨特性並能增強耐衝擊特性。模組邊緣採用了某種方式的防潮密封。

對於圖 6.7(a) 和 (b) 結構層在背面的封裝形式（structural back configuration）來說，背面結構層最常用的材料是經過陽極（anodized）處理的鋁板、陶化（porcelainized）鋼板、環氧樹脂板（epoxy board）或窗玻璃。如果這一層用硬紙板類的木材混合物可能最為便宜。對於圖 6.7(c) 和 (d) 結構層在正面的封裝形式來說，選用玻璃作為結構層是顯而易見的。玻璃兼具優良的耐風雨性能、成本低及良好的自淨特性等優點。為使光容易透過，大部分設計都採用具低鐵含量的強化玻璃或回火（tempered）玻璃。矽膠（silicone）已廣泛地用來作黏著劑和密封材料，具有好的紫外線穩定性、低的光吸收特性和為減少模組熱應力所需要的合適彈性。但是，這種材料很貴。在採用夾層的方法中，幾個廠家已採用了聚乙烯醇縮丁醛（polyvinyl butyral, PVB）和乙烯／醋酸乙烯酯（ethylene/vinyl acetate, EVA）來作對應層的材料。

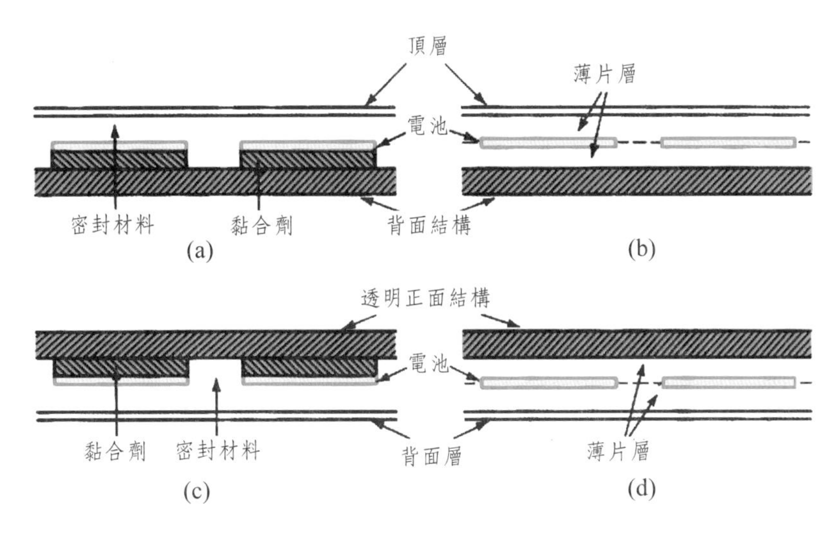

圖 6.7 幾種太陽電池的封裝方法示意圖
(a) 結構層在背面的封裝形式；
(b) 結構層在背面的具有夾層封裝形式；
(c) 結構層在正面的封裝形式；
(d) 結構層在正面的具有夾層封裝形式

對結構層在背面的形式而言，其頂層賦予模組自淨能力，並在某些模組中具防潮作用。這一層普遍仍再次選用低鐵玻璃，也有採用聚丙烯（acrylic）之類的聚合物（polymer）。由於某些廠家已著重在生產防潮電池，因而降低了對封裝的要求。這種結構可採用軟矽樹脂密封和一層較硬的矽樹脂覆蓋層以改善自淨能力。對結構層在正面的封裝形式來說，為了防潮，背面層常選用聚脂樹脂或聚氟乙烯。然而，所有的聚合物都有一點透濕性，為了解決這一問題，可在適當的聚合物層之間嵌入薄的鋁箔或不銹鋼箔。

如果背面層是白色的，則利用零深度聚光效應（zero-depth concentration effect），可能在一定程度上增加模組的輸出 [6.4]。照射到模組中電池之間區域的一部分光將被背面層散射（scattered）並且經由玻璃蓋板（superstrate）導向模組的工作區。這就增加了模組的輸出，尤其當電池的裝配密度較低時效果更為顯著。

模組設計的另一個重要項目是電池之間的互連條（interconnection）。實務上，通常採用多重互連條以提供多重備份（redundancy），這樣可以增加了模組對互連失效（由於腐蝕或疲勞）及電池損壞的承受能力。由於溫度膨脹係數及扭曲負荷不同，導致互連條產生週期性的應力。因此，電池互連通常需要如圖 6.8 所示的應力釋放環 [6.5]。

6.6.2 電池的工作溫度

不同的模組設計，將使封裝在模組中的電池在相同的工作環境中有不同的溫度。由於電池性能因溫度升高而變差（5.3 節），所以，模組在較低溫度工作時，其性能將相對有所提高。

與其在相同的溫度下比較不同模組的性能，倒不如在不同的溫度下比較性能更合適。在每一種情況下，這個溫度就是在典型的工作條件下電池所達到的溫度。如果規定一組標準工作條件（日照強度、風速和風向、環境溫度、電池電氣負載），那麼，對每種形式的模組就會有一個特定的溫度，即電池的標準工作電池溫度（nominal operation cell temperature, NOCT）。為了用非標準工作條件下的現場資料來計算這種溫度，經驗方法已被研究出 [6.6]。

現場資料顯示，只要風速不是過快，太陽電池工作溫度與環境溫度之差，大致上與入射光強度成正比。根據經驗，安裝在露天框架上的模組，在充足的陽光照射下（100 mW/cm^2），大多數市售模組的電池溫度大約高於環境溫度 30℃。因此，電池溫度的近似表示式可寫為

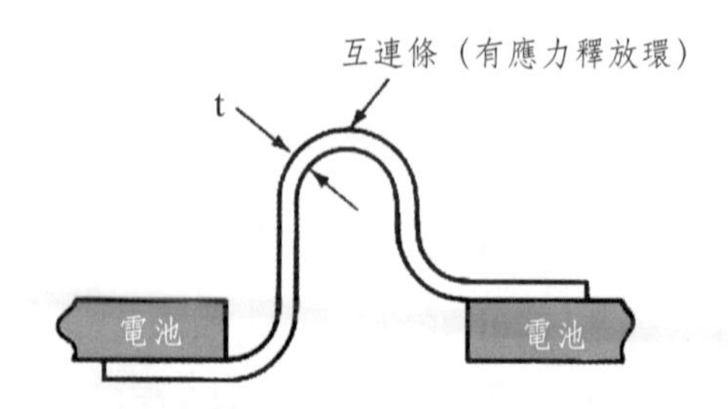

圖 6.8 電池間金屬互連條的應力釋放環，用來防止由於熱循環和風力負荷應力引起的疲勞。為使效果最佳，互連條厚度 **t** 應如文獻 [6.5] 中所討論者。

$$T_{電池}（℃）= T_{環境}（℃）+ 0.3 \times 陽光強度（mW/cm^2） \quad (6.4)$$

當模組安裝於屋頂時，電池的工作溫度將更高。

6.6.3 模組的耐久性

因為地面環境中不存在使電池「用壞」的機制，所以太陽電池封裝的耐久程度最終將決定太陽電池系統的工作壽命。

過去，在現場觀察到的模組損失，可歸納為下面幾類：

1. 電池由於熱波動或更直接地是由於冰雹引起的過度機械應力所造成的損壞。
2. 金屬化區域（電極）受腐蝕。
3. 不同封裝層剝離。
4. 封裝材料褪色。
5. 灰塵堆積在模組「軟（soft）」表面上。
6. 由於應力未能妥善釋放，引起互連條的損壞。

隨著現場經驗不斷累積，模組設計不斷改進，壽命提高到20年是有可能的。新設計模組的加速壽命試驗通常是藉由使該模組受到下列幾種類型的應力來進行：

1. 熱循環（thermal cycling）
2. 高濕度
3. 長時間紫外線照射
4. 週期性的壓力負載

這些應力通常會加速模組的損壞，其他可能要進行的鑑定試驗包括：

1. 衝擊實驗
2. 耐磨損試驗
3. 自我潔淨特性

4. 可撓性（flexibility）（提供在彎曲表面上安裝的試驗）
5. 電氣絕緣性能（特別是在加速壽命試驗之後）

雖然對具有軟表面的模組而言，塵土堆積會引起某些部位的性能嚴重下降 [6.7]，但是，這對以玻璃為表面的模組件並不是主要問題。下雨和颳風產生的自淨能力將使灰塵造成的功率損失低於 10%。因為電池可以在散射光下工作，據文獻指出，即使在故意用足夠的灰塵覆蓋，使得僅僅能夠辨識模組中個別電池的情況下，模組輸出也能達到其峰值功率的相當大百分比 [6.8]。

6.6.4 模組電路設計

太陽電池模組內電池互連電路的狀況，對模組的現場性能和工作壽命具有重大的影響。

當太陽電池互連在一起時，由於這些個別電池工作特性的不匹配（mismatch），使模組的輸出功率小於各個電池的最大輸出功率之總和。這個差別，即不匹配損失，在電池串聯時最為明顯。

對串聯電池模組中性能最差的電池而言，較其功率損失更嚴重的是過熱造成的損害。圖 6.9 顯示串聯電池組中電流輸出最低的電池之輸出特性，同時也顯示出其餘好電池的合併輸出特性。當模組短路時，模組中這兩部分電池的端電壓必須相等，極性相反，模組的短路電流可這樣求得，即以電流軸為準，作曲線的水平對稱線，找出它與另一條曲線的相交點，如圖 6.9 所示。注意，在這種情況下，最差的電池是反向偏壓的，其消耗的功率等於圖中陰影面積。由圖 6.9 很容易看出，在某些情況下，最差的電池會消耗掉其餘串聯電池產生的功率，直至其最大值。其結果會引起最差電池局部過度溫升，而這種溫升可能使電池封裝受到破壞，並導致整個模組損壞。模組中某些電池的局部陰影或破碎的電池也會導致類似的結果。

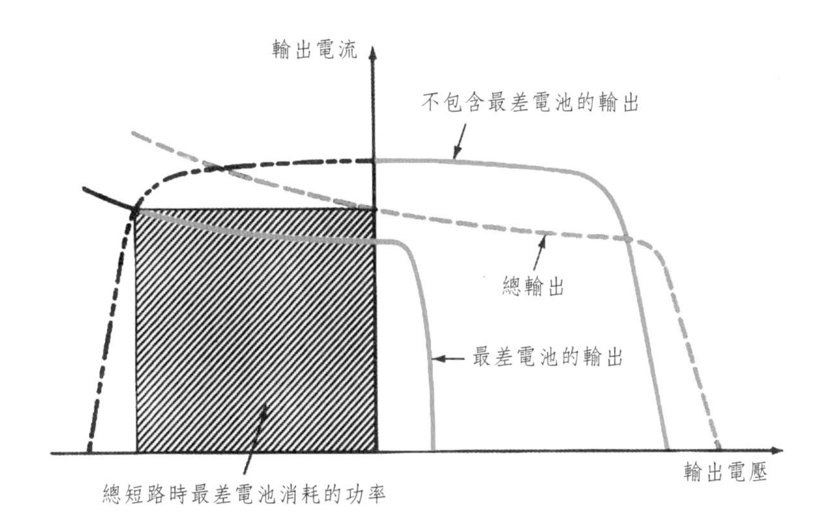

圖 6.9 一只具有不匹配輸出的電池對串聯電池組的影響。在短路情況下，輸出特性差的電池變成逆向偏壓，並且消耗大量的功率。串聯電池組的電流輸出取決於最差的電池。

要證明串聯電池組的開路電壓是每個電池電壓的總和並不困難。由圖 6.9 也很容易看出另一個特性，即短路電流由串聯電池組中輸出電流最低的電池之電流決定。由此可見，在串聯電池組中，短路電流的嚴重不匹配會導致其中較好電池的電流產生能力完全被浪費。雖然類似的不匹配損失在並聯電池組中也有，但嚴重程度遠不及此。

為了減少上述影響的嚴重性，可採取兩種有效方法 [6.9]。一種稱為串一並聯法（series-paralleling），另一種是使用旁通二極體（bypass diode）。圖 6.10 標示了描述這種模組電路設計方法時所採用的術語。

藉由增加每個模組或分路的串聯方塊及並聯電池串的數目，可提高模組對電池不匹配、電池破裂及部分陰影的容忍度，這就是所謂的串一並聯法。另一種方法是利用跨接在模組中的一組或多組串聯方塊兩端的旁通二極體。當串聯方塊處在逆向偏壓時，旁通二極體則成為順向偏壓，這就限制了在這方塊中的功率損耗，並為模組或分路電流提供了低阻抗旁通路徑。

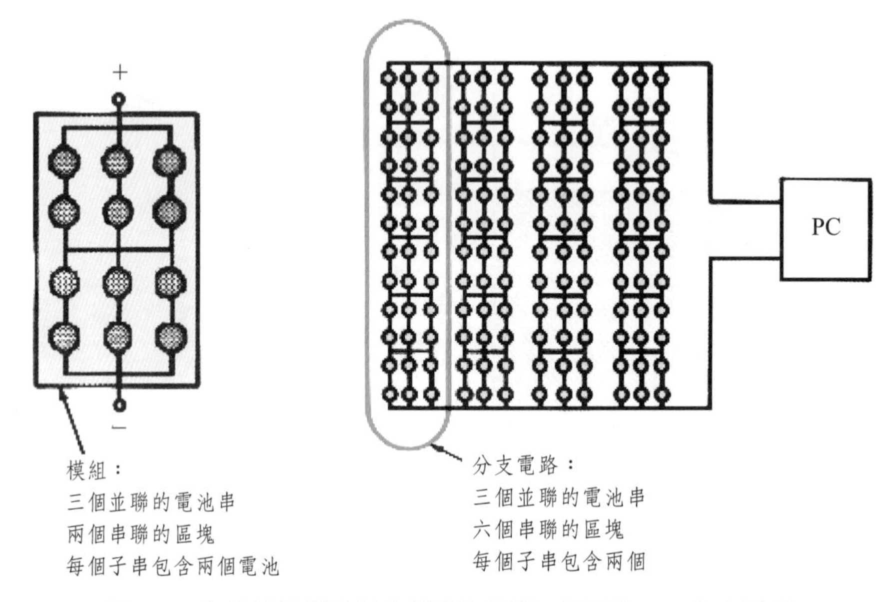

圖 6.10 ☼ 模組電路設計中所用的術語。標示為 **PC** 的方框是功率調節器 [6.9]

6.7 | 能量計算

對用於大規模發電的元件來說，在其工作壽命期限內，發電能力應比建造、使用和維護元件本身所付出的能量多，這自然是很重要的。用本章所描述的標準技術製造的太陽電池在這方面的狀況如何呢？

從石英岩中提煉冶金級矽的過程，能量的使用效率相當高。考慮到開採、運輸和製備這些過程使用的原材料所需的能量，以及加工所需的能量，生產 1 kg 冶金級矽大約需要相當於 24 kWh 電能 [kWh(e)][6.1]。此能量與採用同樣算法求得的提煉 1 kg 鋁的能量 [19 kWh(e)/kg] 或 1 kg 鈦（titanium）的能量 [46 kWh(e)/kg] 大致相同。

將冶金級矽提煉成半導體級矽所採用的西門子製程，其成本高、效率低、耗能多，因此成為將來矽太陽電池技術主要的改進目標。依照同樣的算法，半導體級矽的能量消耗為 621 kWh(e)/kg[6.1]。

為使這種純矽材料轉變成片狀單晶矽（譯註：亦即單晶矽晶圓），首先需要經過 CZ 製程。惟在接下來將該製程所生產的圓柱形矽晶錠切成薄片的過程中，半導體級矽得不到充分利用。矽晶錠加工成矽片的成材率大約是 0.4 m^2/kg。良率如此低的主要原因是切割技術不理想。這種技術浪費一半原材料，並且生產的矽晶圓比太陽電池所需要的厚度要厚。按以上同樣算法，矽晶圓的能量消耗是 1700 kWh(e)/m^2。

電池的加工和封裝估計又要增加 250 kWh(e)/m^2。假定從矽晶圓到製成模組的良率為 90%，則總的能量消耗為 2170 kWh(e)/m^2（電池面積）。

電池回收（pay back）製造時投入的能量，所需的時間與電池的應用場所有關。在平均每天峰值日照為 5 小時、封裝電池效率為 12% 的情況下，每年產生的能量總計將達 219 kWh(e)/m^2。因此，能量的回收時間略短於 10 年。還有一些不太直接的能量消耗，例如製造用於電池生產的機械所需要的能量、出售和安裝系統所需要的能量、電力儲存和調節設備所需要的能量，這些將進一步增加這個回收時間。

然而，重要的是，由於經濟方面的原因，過去的一些製程阻礙了矽太陽電池的廣泛使用，也正是這些製程耗費了製造電池所需能量的最大部分。正如第七章將敘述的，改進的矽太陽電池生產技術，不僅提高了經濟效益，而且顯著地降低了製造電池所需的能量，採用這種技術，能量回收時間可從本章介紹的低效率技術流程所需要的 10 年減少至不到一年。

6.8 結語

本章敘述了標準太陽電池製造技術，這種技術是為製造太空用電池而研發的，起初也用於製造地面用電池。本章還敘述了將電池組裝成能耐風雨的模組之封裝設計。在標準技術中，有幾個方面是有待改進的。改進的電池製造技術將在第七章介紹。

用這一章所敘述的標準技術，生產太空用電池和過去的地面用電池時所消耗的總能量與電池輸出能力相比是相當大的。而採用第七章的改進技術，情況就大幅改觀了。

習題

6.1 畫出從石英岩轉變為矽太陽電池過程當中，主要步驟的方塊圖。

6.2 已知一個由效率為 12% 的矽電池組成的太陽電池模組。分別針對開路狀態和最大功率輸出這兩種不同情況，估算電池在明亮陽光照射下的工作溫度與環境溫度之間的差別。

6.3 一個太陽電池開路電壓為 0.55 V，短路電流為 1.3 A；另一個電池開路電壓為 0.6 V，短路電流為 0.1 A。假設兩個電池均遵循理想的二極體定律。當這兩個電池以：(a) 並聯方式；(b) 串聯方式連接時，試計算總開路電壓和短路電流。

6.4 假設一個太陽電池模組由 40 只相同的電池組成，在明朗陽光下，每一個電池開路電壓為 0.6 V，短路電流為 3 A。在明朗的陽光下，將模組短路，並且其中一個電池部分被遮蔽。假設電池遵循理想的二極體定律並忽略溫度影響，試求出被遮蔽電池中的功率損耗與電池被遮部分大小的關係。

參考文獻

[6.1] L. P. Hunt, "Total Energy Use in the Production of Silicon Solar Cells from the Raw Material to Finished Product," *Conference Record, 12th IEEE Photovoltaics Specialists Conference, Baton Rouge*, 1976, pp. 347-352.

[6.2] C. L. Yaws et al., "Polysilicon Production：Cost Analysis of Conventional Process," *Solid-State Technology*, January 1979, pp. 63-67.

[6.3] H. Yoo et al., "Analysis of ID Saw Slicing of Silicon for Low Cost Solar Cells," *Conference Record, 13th IEEE Photovoltaics Specialists Conference, Washington, D. C.*, 1978, pp. 147-151.

[6.4] N. F. Shepard and L. E. Sanchez, "Development of Shingle-Type Solar Cell Module," *Conference Record, 13th IEEE Photovoltaic Specialists Conference, Washington, D. C.*, 1978, pp. 160-164.

[6.5] W. Carrol, E. Cuddihy, and M. Salama, "Material and Design Consideration of Encapsulants for Photovoltaic Arrays in Terrestrial Applications," *Conference Record, 12th Photovoltaic Speciaists Conference, Baton Rouge*, 1976, pp. 332-339.

[6.6] J. W. Stultz and L. C Wen, *Thermal Performance, Testing and Analysis of Photovoltaic Modules in Natural Sunlight*, JPL Report No. 5101-31, July 1977.

[6.7] E. Anagnostou and A. F. Forestieri, "Endurance Testing of First Generation (Block 1) Commercial Solar Cell Modules," *Conference Record, 13th IEEE Photovoltaic Specialists Conference, Washington, D. C.*, 1978, pp. 843-846.

[6.8] M. Mack, "Solar Power for Telecommunications," *Telecommunications Journal of Australia 29*, No.1(1979), 20-44.

[6.9] C. Gonzlez and R. Weaver, "Circuit Design Considerations for Photovoltaic Modules and Systems," *Conference Record, 14th IEEE Photovoltaics Specialists Conference, San Diego*, 1980, pp. 528-535.

第7章 改進的矽電池技術

7.1　前言

7.2　太陽電池級矽

7.3　矽片

7.4　電池的製造和互連

7.5　候選工廠（candidate factories）的分析

7.6　結語

7.1 前言

第六章已敘述了過去生產矽太陽電池所用的標準技術。從原材料石英岩轉變為封裝的太陽電池過程當中，有幾個步驟看起來成本高且耗費大量能源。

降低成本是全世界一致努力的方向。對於第六章提到的每一個矽電池製作步驟，本章將介紹一些被看好的新技術。這些技術大多都處在研發階段的後期，其中有一些正藉由試產進行評估，而其他的則已投入大量生產。

7.2 太陽電池級矽

從第六章中可看出，目前太陽電池是使用為半導體工業而生產的超純矽。然而，在電晶體和積體電路中，強調的是矽的品質，而材料價格相對來說是不甚重要的。對太陽電池而言，性能和成本之間的權衡卻是值得研究的。

在 3.4.4 節提到，太陽電池中的雜質通常在禁帶中引進允許能階，並具有復合中心的作用。從 5.4.2 節看出，復合中心濃度的增加會降低電池的效率。圖 7.1 顯示出，除了摻雜劑之外，當只有某一種雜質存在時，針對一系列不同金屬雜質的實驗結果 [7.1]。雖然一些金屬雜質（Ta、Mo、Nb、Zr、W、Ti 和 V）只要很低的濃度就會導致電池性能的降低，但是另一些雜質即使濃度超過 $10^{15}/cm^3$ 仍不成問題。此濃度大約比半導體級矽（SeG-Si）的雜質濃度高 100 倍。如此一來，就有可能選用成本較低的技術來生產純度稍低的太陽電池級矽（solar-grade silicon, SoG-Si），而仍舊能夠製造具有足夠好性能的電池。有幾種替代技術看起來其生產的矽品質並不明顯低於 Se-G 矽，而其生產成本僅為傳統技術的幾分之一。

較被看好的技術之一是聯合碳化物公司（Union Carbide Corporation）所研究出的一種技術。它是由冶金級矽製造成矽烷（SiH_4），再由矽烷沉積成矽 [7.2]。據分析指出，這種技術所生產的矽價格為目前大量生產的矽價格的 1/5，能量消耗僅為 1/6。另一種正處於研發階段後期的技術係由貝特爾哥倫布

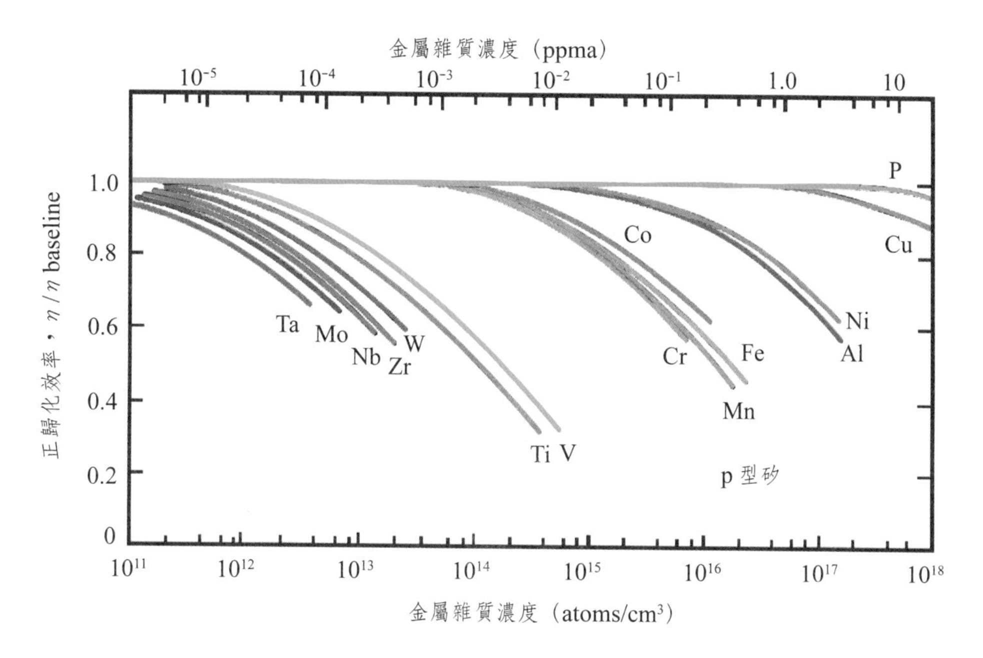

圖 7.1 不同金屬雜質對矽太陽電池特性的影響 [7.1]

（Batelle Columbus）實驗室所研發，這種技術利用鋅還原四氯化矽（silicon tetrachloride）[7.3]。這些改進的技術有可能取代傳統西門子技術，所生產的矽不僅能用於太陽電池工業，而且能用於半導體電子工業。

7.3 | 矽片

7.3.1 矽片的要求

生產出純矽之後，接著必須將結晶品質優良的矽加工成薄片以便製作太陽電池。為了從材料得到充分的光電輸出，矽片（silicon sheet）厚度僅需 100 μm 左右。過去，都是用 CZ 長晶技術長成大的單晶錠，然後將錠切成薄的矽晶圓。這種將大塊矽加工成大面積太陽電池的方法效率很低，不僅在將矽錠切割成片狀時損失超過一半，而且由於切割極限，矽晶圓比需要的要厚。同時晶圓是圓的，這就意味著它們在封裝成太陽電池模組時，無法組裝得很緊密，除非把晶圓修裁成方形或六角形。

7.3.2 鑄錠技術

CZ 長晶技術是鑄錠技術（ingot technology）的一個例子。這種技術的主要限制是生產的矽錠必須再切割成晶圓，這就帶來先前提到的許多缺點。

標準 CZ 技術能改進為半連續操作 [7.4] 以節約成本，但得到的仍是圓柱形錠[1]，用於太陽電池仍然不利。

生產矽晶錠，尤其是方形截面晶錠的簡單方法是採用類似鑄造（casting）的技術。通常，這樣得到的是對太陽電池應用來說不甚理想的多晶矽錠。但是，藉由小心控制熔化矽的凝固條件，就能形成具有大晶粒的矽。利用適當的「鑄模（mold）」技術所製造出的這種大晶粒材料能生產出性能優良的太陽電池 [7.6]。

搭配適當的晶種（seed）和類似熱交換的方法（heat-exchanger method）控制凝固速率 [7.7]，利用「鑄造」方法也有可能生產出基本上為單晶的大尺寸矽錠。用這種材料製作的太陽電池的特性已經相當於高品質 CZ 材料製造的太陽電池。據研究指出，這種方法具有明顯的經濟效益，甚至超越改良的 CZ 技術 [7.8]。

7.3.3 帶矽（Ribbon Silicon）

如果矽能直接製成片狀矽或帶狀矽，則矽晶錠方法帶來的限制便可以避免。為達到此一目的，有幾種方法已經被研究出來了。

第一種已發展至商用階段的電池材料技術是如圖 7.2 所示的「定緣膜片生長」（edge-defined film-fed growth, EFG）法。這種技術除拉出的晶體形狀受石墨「模具」的限制外，與 CZ 技術大體上相同，因此能夠從熔矽 [7.9] 直接獲

---

1 CZ 技術可改進為製備大體上是方形截面的晶錠[7.5]。

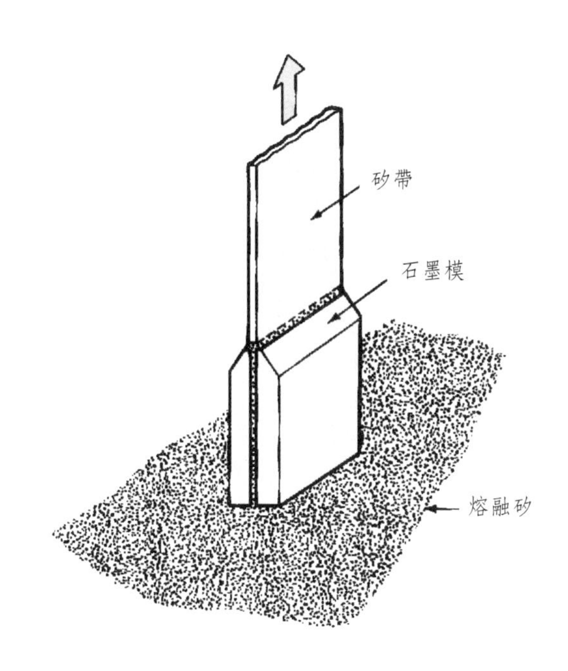

圖 7.2 ☼ **EFG** 法生長矽帶的示意圖。熔矽由於毛細作用而上升到石墨模具內。矽帶形狀由模具頂部的形狀決定。

得薄帶（thin ribbon）晶體。由於可以從熔矽中同時拉出數條薄帶，因而可獲得很高的矽生產率 [7.10]。

這種技術的主要問題是所生產材料的品質，與 CZ 法相比，其結晶品質較差。由於生長技術的特性，從模具、坩堝和生長爐的環境引入的雜質會摻入到生長的矽帶中（在其他晶體生長技術中，大多數雜質都從生長的晶矽被排除到熔矽）。此外，熔矽也會與石墨模具產生反應，生成碳化矽（silicon carbide）並沈澱在矽帶中，此碳化矽會中斷矽帶的生長並會降低後續所製造電池的性能。

圖 7.3 所示的枝狀蹼（dendritic web）法克服了上述的一些缺點。藉由控制溫度梯度，可能促使平行枝晶（dendrity）生長進入熔矽。當這些枝晶從熔矽中拉出時，熔矽薄膜便夾在枝晶間 [7.11]，隨後矽膜凝固成與厚的枝晶連在一起的薄矽帶。在矽帶上製成電池以後，這些枝晶可以去掉並回收使用。由於不用模具，可以得到如 CZ 法所長晶錠般的優良材料特性。這種技術的主要缺點是

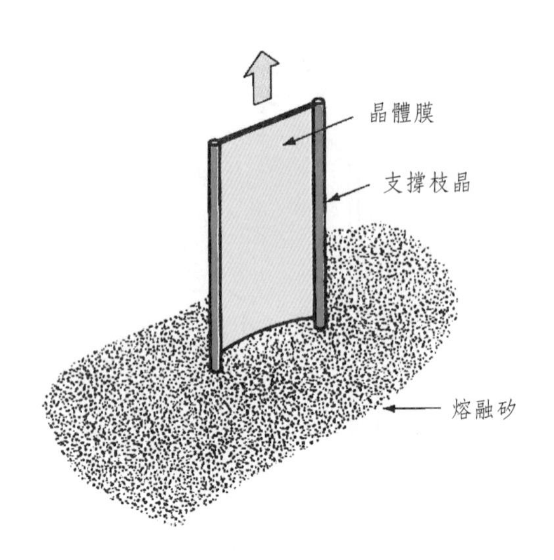

圖 7.3 ☼ 生產矽帶的枝狀蹼方法，此方法不需要模具。矽帶的形狀受熔矽溫度梯度控制。枝晶沿著矽帶邊緣往下首先凝固。隨著熔矽的拉出，起初的熔矽薄層被捕集在枝晶之間。

矽晶材料的生產率比較低。

在圖 7.4 中，比較了使用 EFG 法和枝狀蹼技術生產的小矽帶樣品。注意在表面出現皺褶是 EFG 技術所生產之材料的特徵，而枝狀蹼材料則有如拋光的鏡面。另外幾種矽帶生長技術正處在研製階段。以矽帶的高生產速率而聞名的一種方法是圖 7.5 所示的水平或低角度生長法（horizontal or low-angle growth method）。這種方法的主要問題是矽帶尺寸之控制 [7.12]。直接鑄造成矽片或矽帶的方法也一直在探索中 [7.6，7.13]。

圖 7.4 ☼ **EFC** 和枝狀蹼矽帶晶體的外觀比較。製成電池後，枝狀柱被去除。

（帶矽照片承蒙 Japan Solar Energy Corporation 和 Westinghouse Research Laboratories 提供）

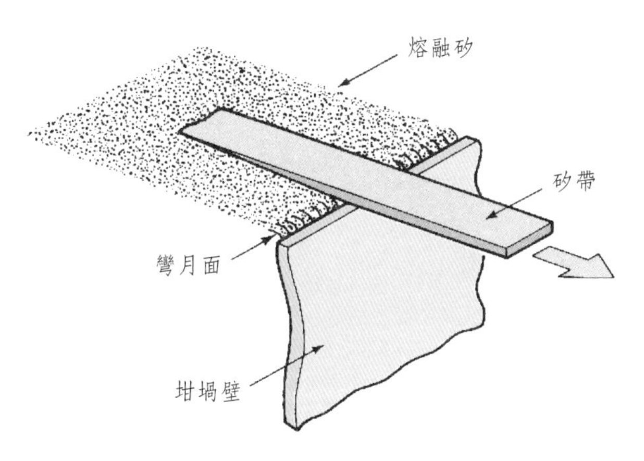

圖 7.5 ☼ 水平或低角度生長矽帶法。矽帶的生產速率非常高，但過去矽帶尺寸的控制一直是一個問題。

7.4 電池的製造和互連

誠如第六章所述，採用標準技術在矽晶圓上製造太陽電池的缺點是：它是一種「批次（batch）」導向的技術，因此，僅適用於生產量低的場合；同時在材料的利用方面也很浪費，尤其是用來形成電極的金屬材料。現在大量生產時所採用的一些方法已克服了這些限制，附加的效益是得到了較高性能的電池。

一個主要進展是絨面（textured surface）矽晶圓的使用。藉由選擇性蝕刻，可以在矽晶圓表面上形成很小的金字塔型 [7.14]。這些金字塔在透過掃描式電子顯微鏡高倍率放大後的外觀示於圖 7.6 中。這些金字塔側面的反射光會向下反射，促使反射光得到進入電池的第二次機會。藉由抗反射層的應用，反射損失可以降低到僅有幾個百分比。誠如第八章將介紹的，這種技術甚至在沒有抗反射層情況下，也可以提供令人滿意的電池性能。

圖 7.6 ☼ 在掃描式電子顯微鏡下絨面電池表面的外觀。高 **10 μm** 的尖峰是方形底面金字塔的頂。這些金字塔的側面是矽晶體結構中的（**111**）面。

前述標準技術中，*p-n* 接面是藉由擴散雜質以批次作業方式製成的。一個成本更低的方法是在矽晶圓表面上噴塗含有所需摻雜劑的物質，並借助傳送帶連續地擴散雜質 [7.15]。另一種方法是採用稱為離子佈植（ion implantation）的技術 [7.16]。摻雜劑的離子被加速到很高速度並打在矽晶圓表面。這些離子嵌入矽晶圓中接近所撞擊表面的地方，隨後進行的退火（annealing）步驟消除了離子佈植時引起的矽晶格損傷，而從電子學意義上來講，退火製程也「活化（activate）」了摻雜劑。藉由電子束或雷射產生的能量脈衝是有效的退火方法。圖 7.7 所示為一個以離子佈植為基礎，適用於太陽電池大量生產，相當好的技術流程。

藉由在電池背面低表面復合速率（low-surface-recombination-velocity）的電極（contact），可使太陽電池性能得以進一步改進。如第五章所述，這不僅提高了電池的開路電壓，同時在一定程度上增加了電流輸出。採用一種稱為背面電場（back surface field, BSF）的技術（有點不太恰當的稱呼）在電池背面獲得低的有效復合速率。如圖 7.8 所示，在電池背電極處建立一個重摻雜區，從理論上可以證明，重摻雜區和較輕摻雜的本體區（bulk region）之間的介面具有低復合速率的作用。這種技術不僅如上面提到的，增加了電壓和電流輸

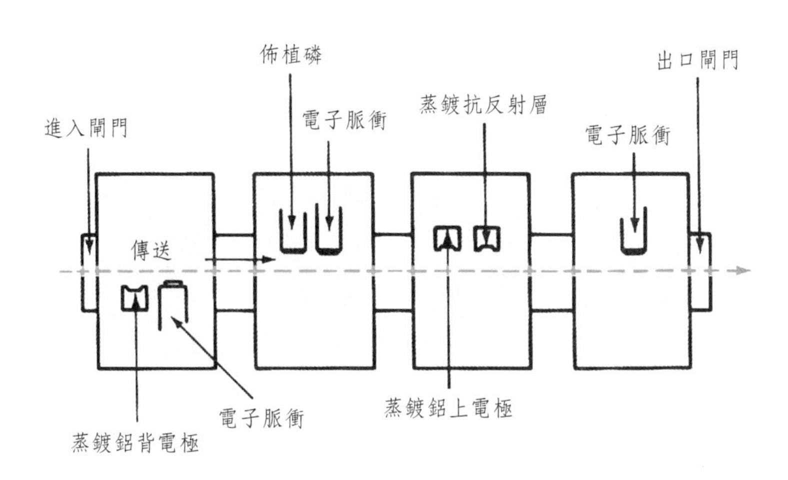

圖 7.7 生產太陽電池的連續真空技術流程圖。該流程採用離子佈植製作接面、蒸鍍製作金屬電極和脈衝電子束進行退火 [7.16]

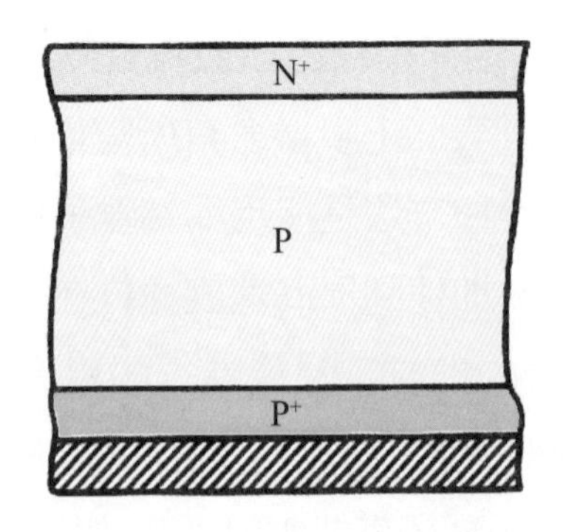

圖 7.8 ☼ $N^{+}PP^{+}$ 太陽電池示意圖。電池背面的重摻雜 P^{+} 型區阻擋少數載子流動，使 PP^{+} 接面成為一個有效低復合速率表面。

出，而且還使背面電極的接觸電阻大為降低。在實務上，製造「背面電場」最有效的技術是在電池背面網版印刷（screen print）一層鋁膏，然後，在接下來的燒結步驟中，鋁進入矽而形成合金 [7.15]。

金屬化（metallization）是第六章所述標準太陽電池技術流程中的薄弱環節之一。大量生產電池時應用的兩種低成本技術是網版印刷和電鍍（electroplating）。這兩種技術減少了金屬的消耗量，並避免對昂貴真空設備的要求。前者將含有金屬的膏狀物經由遮罩（mask）印刷到矽晶圓上，而後燒結以去除膏中的「黏結劑（blinder）」、降低金屬的電阻率。雖然鎳、鋁和銅膏可能是低成本的替代物，但最早被大量應用的是銀膏；在電鍍技術中，將電池表面的絕緣層腐蝕出圖案（pattern），然後經由這個圖案電鍍出所需的金屬層。通常是幾種金屬連續電鍍，因為很少有一種金屬可以同時具有對矽的優良黏著、防腐、低電阻率和低成本的特性。這種技術的最後一步可以是「浸焊錫（solder dipping）」，亦即採用一層防腐和低串聯電阻的焊錫層覆蓋住電鍍的金屬層。圖 7.9 比較了分別採用浸焊錫和網版印刷技術進行頂層金屬化後的兩種電池外貌。

噴塗（spray）似乎是製作抗反射層的最廉價方法，雖然有絨面時可以不需要這一層。連接電池以及將電池封裝成太陽電池模組的自動化機器已經研發完成了 [7.17]。

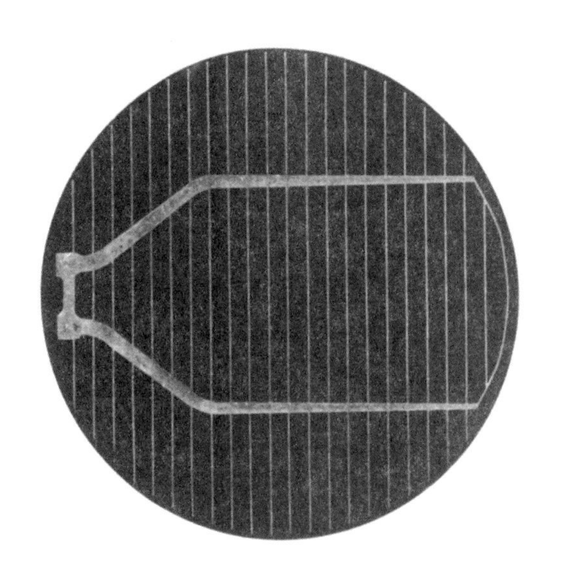

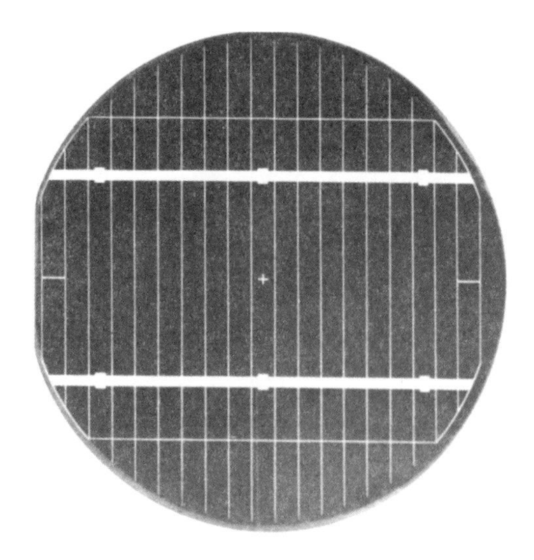

圖 7.9 採用浸焊錫（上面）和網版印刷（下面）技術進行頂層金屬化後，直徑 **10 cm** 的太陽電池。

7.5 候選工廠（candidate factories）的分析

在前幾節中概述了幾種生產太陽電池的可行方法。為了提供這些方法在經濟上共同的比較基礎，一種稱為太陽陣列製造工業成本估算標準（Solar Array Manufacturing Industry Costing Standard, SAMICS）的成本估算方法[7.18]已經問世。利用根據這種方法設計的電腦程式，文獻[7.18]已經對製造太陽電池模組所需的各個製程進行了最有效的成本估算。

一些大型工廠已在本章所述的各種技術不同組合下設計完成，並且已利用 SAMICS 方法對所生產的太陽電池模組製造成本進行了比較。其結果是有幾種技術組合具備生產低成本太陽電池模組的能力。這樣的成本，使太陽電池模組有機會在第十四章將探討的一些大規模應用中，成為具競爭力的發電設備。EFG 和枝狀蹼生長矽帶的技術以及熱交換法和隨後的晶圓切割技術都是可行的矽片技術，改進過的 CZ 法稍微落後點[7.8]。

以下舉一個能夠生產低成本矽太陽電池模組的自動化工廠為例，說明最早採用 SAMICS 方法分析的情況 [7.19]。這個工廠生產的產品如圖 7.10 所示，是由 192 個電池組成的一個 1.2×1.2 m 的模組。電池製作在切割成 10×7.5 cm 大小的 EFG 矽帶上。模組效率是 11.4%。

用來生產該模組的技術流程示於圖 7.11。採用聯合碳化物公司（Union Carbide）的製程提煉冶金級矽，將此冶金級矽以 EFG 法製備成矽片並切割成所需的尺寸。在矽片上製作電池的主要步驟包括做出有背面電場的背表面、絨面蝕刻、離子佈植接面製作和隨後的脈衝式退火，以及網版印刷電極。然後，將電池封裝並測試。

為獲得上述的低成本，產能預計必須達到 250 MWp ／年。製造模組的各個製程所需的勞力和所需要的面積示於圖 7.12 中。只要電池模組工作 65 天，就可回收製造電池模組的各個製程所消耗的能量。

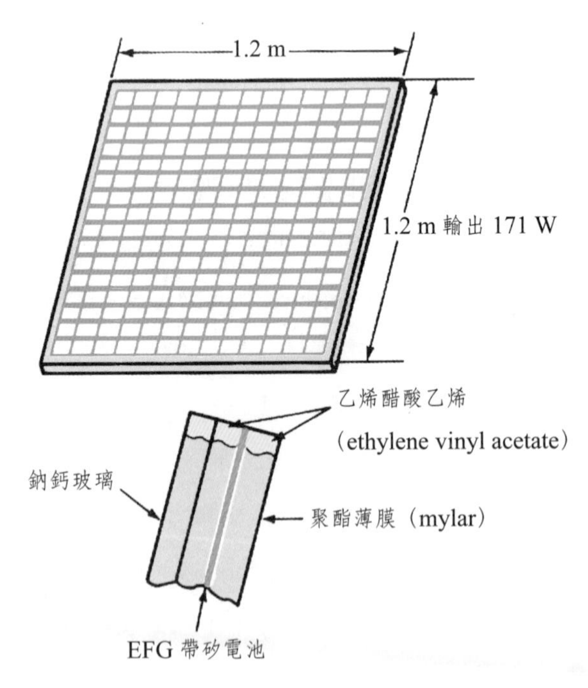

圖 7.10 ☼ 正文所述候選工廠生產的太陽電池模組 [7.19]

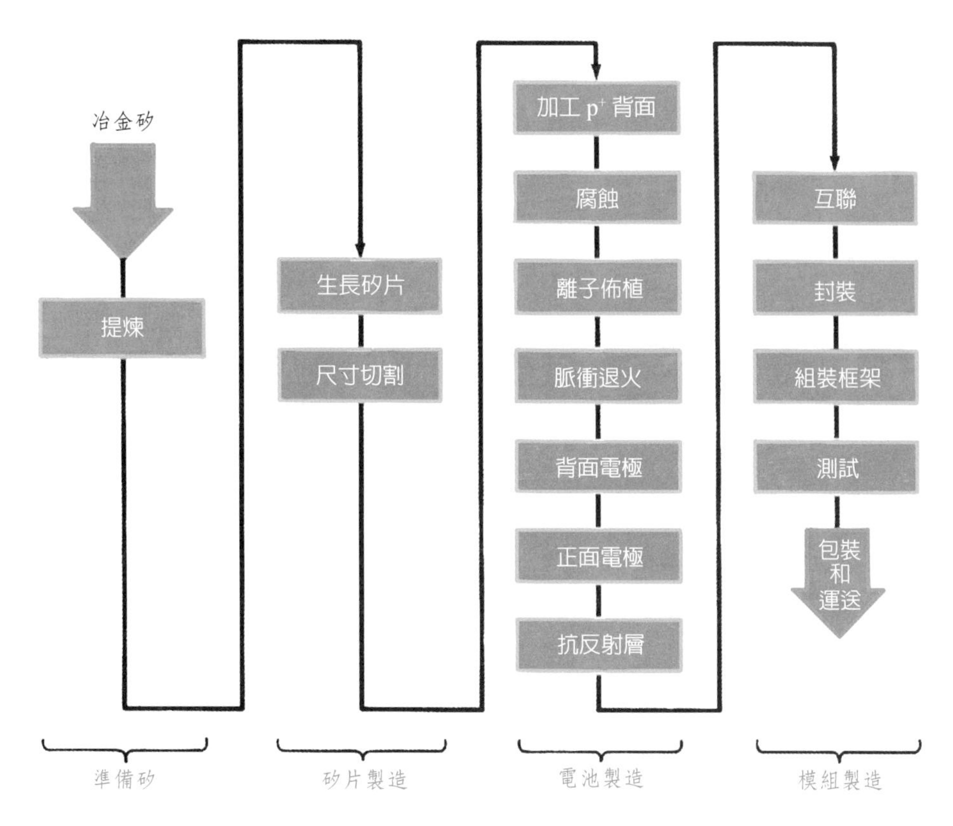

圖 7.11 ☼ 用來生產圖 7.10 模組的技術流程圖 [7.19]

為了使讀者對電池年產量為 250 MW_p 的候選工廠內不同部門的規模和具體佈置有個大致上的概念，圖 7.13(a) 顯示出該工廠製備矽片部門可行的佈置圖。圖 7.13(b) 則是電池製造、封裝和測試階段的佈置圖。

勞動力（輪班總合）	1,152	直接
	529	間接
生產率（W／年）	50,000,000	
工廠面積（ft²）		
矽的提煉	40,800	
矽片生長	19,550	
電池製造	31,200	
模組製造	10,200	
倉庫	9,779	
雜項（通道，工作間，自助餐廳等）	20,901	
主要設備（$）		
矽的提煉	19,400,000*	
矽片生長	14,820,000	
電池和模組製造	8,219,000	

* 聯合碳化物公司

能量回收時間，矽片、電池和模組 0.179 年

圖 7.12 ☼ 電池年產量為 **250 MW_p** 之工廠所需的場地、勞力和資金（**1975** 年，美元）的計算值。用相同的貨幣單位算得的模組銷售價格（工廠交貨價）為 **$0.46/$W_p$**[7.19]。

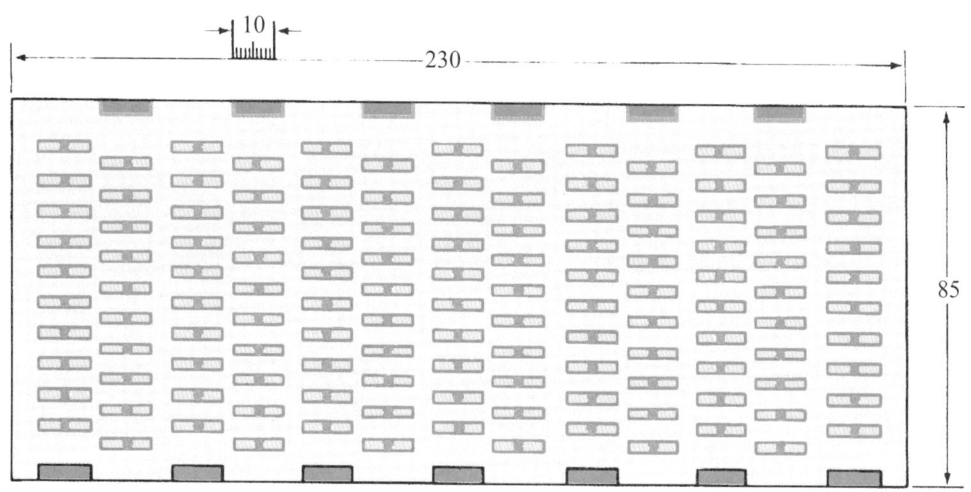

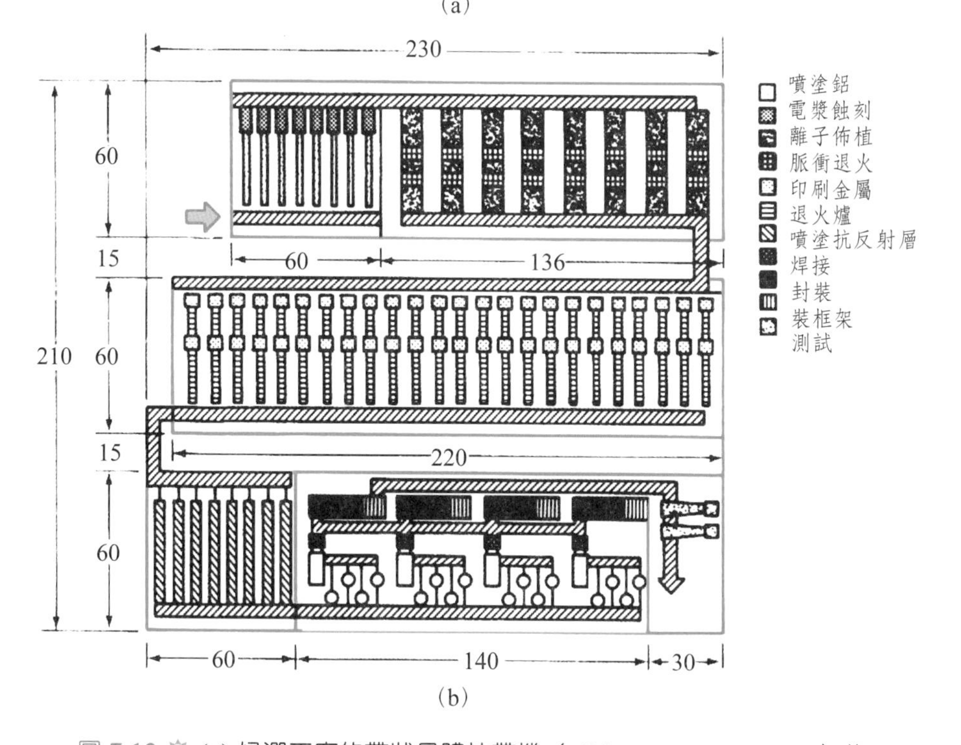

圖 7.13 ☼ **(a)** 候選工廠的帶狀晶體拉帶機（**ribbon crystal puller**）佈置圖，採用 **EFG** 法，每個拉帶機同時生產 **5** 條矽帶（尺寸單位為 **ft**，註：**1 ft = 0.3048 m**）；**(b)** 該工廠電池的加工、封裝和測試部門的具體佈置圖 [7.19]。

7.6 結語

幾種生產低成本矽太陽電池模組的先進技術已經研發完成，這些技術克服了第六章所述標準生產技術的缺點。

直接生長矽帶的方法可免去切片程序，而切割成薄片是任何矽晶錠技術的薄弱環節。由矽片製造太陽電池在技術上的主要要求是：高度自動化，並且這些技術不過度地浪費材料。有幾種技術流程滿足了這些條件。對採用先進加工程序的候選工廠進行經濟分析，結果顯示生產低價格的矽太陽電池模組是可能的，這樣的價格使它們有可能與傳統電力競爭，至少在某些大規模應用的情況下是如此。第九章將探討一種對光電材料用量需求較少的薄膜技術。因此，與本章所述的以晶體矽為基礎所製造的矽電池模組相比，從長遠觀點來看，將證明矽薄膜電池模組會更便宜。

習題

7.1 在矽晶體中矽原子的體積密度大約是 5×10^{28} m^{-3}。問：依據圖 7.1，在電池性能降低不超過 10% 的條件下，標準太陽電池中下列幾種雜質的允許含量分別為十億分之幾？ (a)Mo；(b)Ti；(c)Cu。

7.2 (a) 採用具有先進的矽錠切割技術的生產裝置，近期內預期能達到的最佳水準是切得 250 μm 厚的矽晶圓，切割或切口損失為 150 μm。用這一技術，假定切割時的材料損失不能回收，那麼從每 kg 初始矽材料獲得的矽晶圓的最大面積是多少？

(b) 對於生產厚度為 100 μm 矽帶的技術而言，相對應的數又是多少？

(c) 如果用上述方法生產的材料所製造的電池的能量轉換效率分別為 16% 和 12%，分別求出在晴朗的陽光下（1 kW/m^2），前面兩種技術的最大單位質量發電量（表示為 W_P/kg）。

(d) 如果按目前冶金矽的產量（每年十萬噸）生產純矽，分別求按前面兩種技術製造的太陽電池的一年最大可能發電量是多少？

7.3 計算由圓形電池組合成矩形模組所能夠獲得的最大組裝密度（電池面積／模組面積）。

參考文獻

[7.1] J. R. Davis et al., "Characterization of Effects of Metallic Impurities on Silicon Solar Cell Performance," *Conference Record, 13th IEEE Photovoltaic Specialists Conference, Washington, D. C.*, 1978, pp. 490-496.

[7.2] C. L. Yaws et al., "New Technologies for Solar Energy Silicon: Cost Analysis of UCC Silane Process," *Solar Energy 22* (1979), 547-553.

[7.3] C. L. Yaws ct al., "New Technologies for Solar Energy Silicon: Cost Analysis of BCL Process," *Solar Energy 24* (1980), 359-365.

[7.4] G. F. Fiegl and A. C. Bonora, "Low Cost Monocrystalline Silicon Sheet Fabrication for Solar Cells by Advanced Ingot Technology," *Conference Record, 14th IEEE Photovoltaic Specialists Conference, San Diego*, 1980, pp. 303-308; A. H. Kachare et al., "Performance of Silicon Solar Cells Fabricated from Multiple Czochralski Ingots Grown by Using a Single Crucible," *Conference Record, 14th IEEE Photovoltaic Specialists Conference, San Diego*, 1980, pp. 327-331.

[7.5] J.C. Posa, "Motorola Pulls Square Ingots," *Electronics*, October 11, 1979, p. 43.

[7.6] H. Fischer and Pschunder, "Low Cost Solar Cells Based on Large Area Unconventional Silicon," *Conference Record, 12th IEEE Photovoltaic Specilists Conference, Baton Rouge*, 1976, pp. 86-92; J. Lindmayer and Z. C. Putney, "Semicrystalline versus Single Crystal Silicon," *Conference Record, 14th IEEE Photovoltaic Specialists Conference, San Diego*, 1980, pp. 208-213.

[7.7] C. P. Khattak and F. Schimid, "Low-Cost Conversion of Polycrystalline Silicon into Sheet by HEM and Fast," *Conference Record, 14th IEEE Photovoltaic Specialists Conference, San Diego*, 1980, pp. 484-487.

[7.8] R. W. Aster, "PV Module Cost Analysis," in *LSA Project Progress Report 13 for Period April 1979 to August 1979*, DOE/JPL-1012-29, pp. 3-385 to 3-395.

[7.9] K. V. Ravi, "The Growth of EFG Silicon Ribbons", *Journal of Crystal Growth 39* (1977), 1-16.

[7.10] J. P. Kalejs et al., "Progress in the Growth of Wide Silicon Ribbons by the EFG Technique at High Speed Using Multiple Growth Stations", *Conference Record, 14th IEEE Photovoltaic Specialists Conference, San Diego*, 1980, pp. 13-18.

[7.11] R. G. Seidensticker, "Dendritic Web Silicon for Solar Cell Application", *Journal of Crystal Growth 39* (1977), 17-22.

[7.12] T. Koyanagi, "Sunshine Project R and D Underway in Japan," *Conference Record, 12th IEEE Phtotovoltaic Specialists Conference, Baton Rouge*, 1976, pp. 627-633; D. N. Jewett and H. E. Bates, "Low Angle Crystal Growth of Silicon Ribbon," *Conference Record, 14th IEEE Photovoltaic Specialists Conference, San Diego*, 1980, pp. 1404-1405.

[7.13] D. J. Rowcliffe and R. W. Bartlett, "Vacuum Die Casting of Si Sheet," in *LSA Progress Report 13 for Period April 1979 to August 1979*, DOE/JPL-1012-39, pp. 3-152 to 3-154.

[7.14] S. R. Chitre, "A High Volume Cost Efficient Production Macros turing Process," *Conference Record, 13th IEEE Photovoltaic Specialists Conference, Washington, D. C.*, 1978, pp. 152-154.

[7.15] N. Mardesich et al., "A Low-Cost Photovoltaic Cell Process Based on Thick Film Techniques," *Conference Record, 14th IEEE Photovoltaic Specialists Conference, San Diego*, 1980, pp. 943-947.

[7.16] A. Kirkpatrick et al., "Silicon Solar Cells by Ion Implantation and Pulsed Energy Processing," *Conference Record, 12th IEEE Photovoltaic Specialists Conference, Baton Rouge*, 1976, pp. 299-302; also "Low-Cost Ion Implantation and Annealing Technology for Solar Cells," *Conference Record, 14th IEEE Photovoltaic Specialists Conference, San Diego*, 1980, pp. 820-824.

[7.17] H. Somberg, *Automtated Solar Panel Assembly Line*, report prepared for Jet Propulsion Laboratory, Report No. DOE/JPL/955278-1, April 1979, and subsequent reports.

[7.18] R. G. Chamberlain, "Product Pricing in the Solar Array Manufacturing Industry: An Executive Summary of SAMICS," *Conference Record, 13th IEEE Photovoltaic Specialists Conference, Washington, D. C.*, 1978, pp. 904-907.

[7.19] J. V. Goldsmith and D. B. Bickler, *LSA Project-Technology Development Update*, report to U.S. Department of Energy by Jet Propulsion Laboratory, DOE/JPL-1012-7, August 1978 (JPL Pub #79-26); also D. B. Bickler, "A Preliminary 'Test Case' Manufacturing Sequence for 50^{c}/Watt Solar Photovoltaic Modules in 1986," *Proceedings of Second E. C. Photovoltaic Solar Energy Conference* (Utrecht: D. Reidel Publishing Co., 1979), pp. 835-842.

第 8 章 矽太陽電池的設計

8.1 前言

前幾章探討了製造矽太陽電池的標準技術和改進技術。本章將討論在矽太陽電池設計上的細節考量。例如，在接面兩側的最佳摻雜濃度各應是多少？接面的最佳位置應該在什麼地方？電池上電極的最好形狀為何？怎樣才能使電池的光學損失最小？對於這些問題在本章都可以獲得解答。

雖然這些問題的答案是專門為矽電池提出的，但是這些考量同樣適用於將在第十章討論的，由其他材料製成的電池。

8.2 主要考量

8.2.1 光生載子的收集機率

一個與空間有關的參數，即收集機率（collection probability），可以定義為一個光生少數載子對太陽電池短路電流做出貢獻的機率。此機率是電池內產生載子位置之函數。下面將看出，這個參數是決定太陽電池物理設計的關鍵。

為了求出收集機率，我們將分析在圖 8.1(a) 中表示的理想化情況。假設在整個電池中，光生電子一電洞對只產生在一個平面上。在對稱性允許進行「一維（one dimension）」分析的情況下，產生率與通過電池距離之間的關係是一個脈衝函數，如圖 8.1(b) 所示。

這個分析的目的是為了求出在 x_1 點產生的電子當中對電池短路電流有貢獻的比率。分析過程中將不會出現非線性，而且根據疊加原理，此結論也適用於更接近實際情況的載子產生過程。這個分析與 4.6 節的分析非常相似。

在圖 8.1(b) 的區域 1 中，除了正好在區域邊緣的 x_1 點外，其餘各處的產生率均為零。因此，過量少數載子 Δn 必須滿足類似於方程式（4.25）的微分方程式：

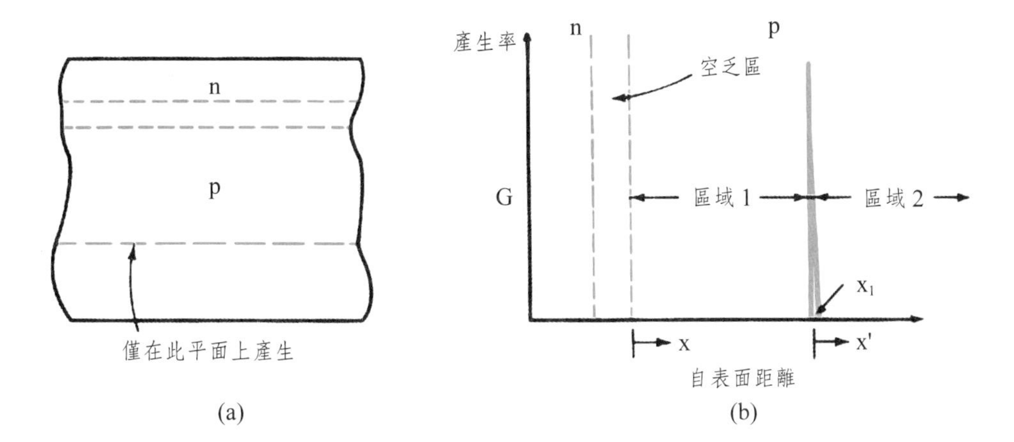

圖 8.1 ☼ 用於計算收集機率的理想化載子產生情況。在 x_1 點產生的載子中對電池短路電流有貢獻部分的比率，在正文中已提供運算式。

$$\frac{d^2\Delta n}{dx^2}=\frac{\Delta n}{L_e^2} \tag{8.1}$$

式中 L_e 是擴散長度。如前所述，通解為

$$\Delta n = Ae^{x/L_e} + Be^{-x/L_e} \tag{8.2}$$

常數 A 和 B 由邊界條件決定。在短路情況下，$x = 0$ 處的過量電子濃度為零，因為它的值由跨於接面的電壓決定。因此 $A = -B$，於是

$$\Delta n = A\left(e^{x/L_e} - e^{-x/L_e}\right) = 2A\sinh\left(\frac{x}{L_e}\right) \tag{8.3}$$

同樣地，在圖 8.1(b) 的區域 2 中，

$$\Delta n = Ce^{x'/L_e} + De^{-x'/L_e}$$

其中 x' 座標的原點為 x_1。在這種情況下，當 x' 變得很大時，過量少數載子濃度必須是有限值。因此，$C = 0$，於是

$$\Delta n = De^{-x'/L_e} \tag{8.4}$$

在 x_1 處，因為電子的濃度是連續的，所以由方程式（8.3）和（8.4）得出的兩個解必須完全相等。因此，得到

$$D = 2A \sinh\left(\frac{x_1}{L_e}\right) \tag{8.5}$$

因為只有在 x_1 處才產生光生載子，所以在元件的整個 n 型區載子產生率都是零。同樣地，當電池短路時，在空乏區邊緣的過量電洞濃度 Δp 也是零。由此可知，在整個 n 型區 Δp 都為零。所得到的電子和電洞的分佈示於圖 8.2(a) 中。因為在均勻摻雜的準中性區中，少數載子的流動以擴散方式為主（4.5 節），所以可以透過對上述分佈求導數，便可以很容易地計算出少數載子的電流量。其結果示於圖 8.2(b)。

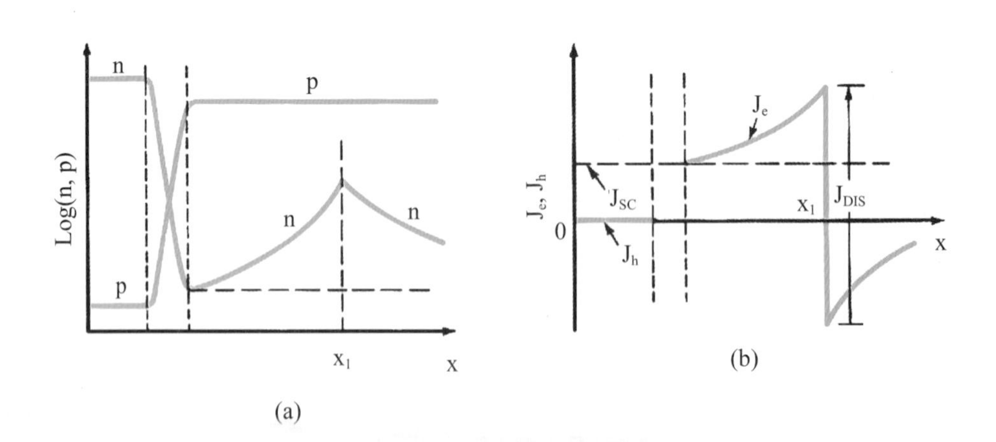

圖 8.2 ☼ **(a)** 在圖 **8.1** 的載子產生情況下，整個太陽電池中的載子分佈；
(b) 對應的少數載子電流的分佈。

在 x_1 點電子電流密度的不連續是由於載子是在這點產生的。不連續的大小等於電子的電荷乘以這點的產生率。假設空乏區兩側載子電流的變化極小（如前面的 4.6.2 節和 5.4.3 節討論的），則元件的總載子電流密度等於在 $x=0$ 處電子電流的密度。收集機率（f_c）等於載子在外部電路中的流率與其產生率的比。因此

$$f_c=\frac{J_{SC}}{J_{DIS}} \tag{8.6}$$

然而，在 p 型區

$$J_e=qD_e\frac{dn}{dx} \tag{8.7}$$

因此，在區域 1

$$J_e=\frac{2qD_eA}{L_e}\cosh\left(\frac{x_1}{L_e}\right) \tag{8.8}$$

則在 $x=0$ 處

$$J_{SC}=\frac{2qD_eA}{L_e} \tag{8.9}$$

J_{DIS} 可以利用不連續點兩邊的兩個電流運算式（J_{e-} 和 J_{e+}）求出：

$$J_{e-}=\frac{2qD_eA}{L_e}\cosh\left(\frac{x_1}{L_e}\right) \tag{8.10}$$

$$J_{e+}=\frac{-qD_eD}{L_e}=\frac{-2qD_eA}{L_e}\sinh\left(\frac{x_1}{L_e}\right) \tag{8.11}$$

其中式（8.11）係由式（8.5）和（8.7）推導出。因此

$$J_{DIS} = J_{e-} - J_{e+}$$

$$= \frac{2\,q\,D_e\,A}{L_e}\, e^{x_1/L_e} \quad (8.12)$$

由此得到

$$f_c = e^{-x_1/L_e} \quad (8.13)$$

收集機率隨著載子產生點離接面空乏區邊緣的距離增加而呈指數地減小。特性衰減長度正好等於少數載子的擴散長度。因為上述的分析是線性的，所以無論整個元件的載子產生率分佈如何，這個結論都是正確的。收集機率與深入太陽電池距離的關係曲線示於圖 8.3 中。如前面（4.7 節）所假設的，電池的空乏區和位於其附近的一個少數載子擴散長度之內的區域，是所產生的載子對電流作出貢獻（即被收集）機率最高的區域。在這些區域以外產生的少數載子，在到達接面和接著到達元件的輸出端以前有極高的復合機率。

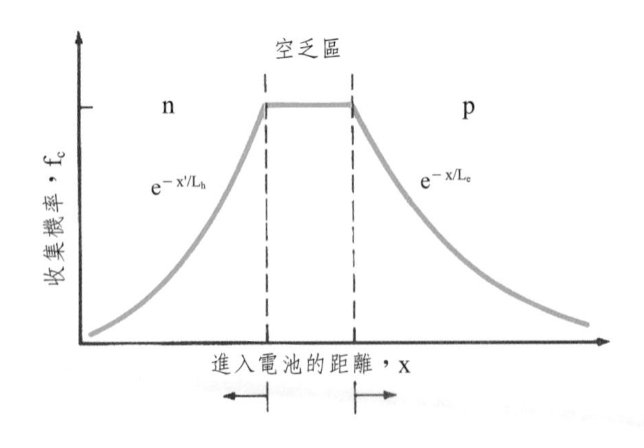

圖 8.3 計算得到的光生少數載子收集機率與太陽電池中載子產生點的關係圖。

上述分析隱含著如下的假定，即 n 型區和 p 型區的厚度要遠大於擴散長度。因此，對於如圖 8.4 所示尺寸有限的實際電池，其收集機率需要進行修正。例如，如果在元件的 p 型側表面有高復合速率，那麼對應於式（8.13）的運算式為

$$f_c = \frac{\sinh[(W_p - x)/L_e]}{\sinh(W_p/L_e)} \tag{8.14}$$

如果有低復合速率，則

$$f_c = \frac{\cosh[(W_p - x)/L_e]}{\cosh(W_p/L_e)} \tag{8.15}$$

以上二式在 $W_p >> L_e$ 的情況下近似於式（8.13）。

8.2.2 接面深度

暴露的表面，例如在太陽電池上電極柵線之間的表面，通常具有高復合速率。歐姆接觸的金屬電極和半導體之間的介面一般也是高復合速率區。在 7.4 節已證明，產生低復合速率介面的一種有效方法就是利用背面場（back surface field）（即在同一種摻雜區中，在高摻雜材料和低摻雜材料之間形成一個接面）。

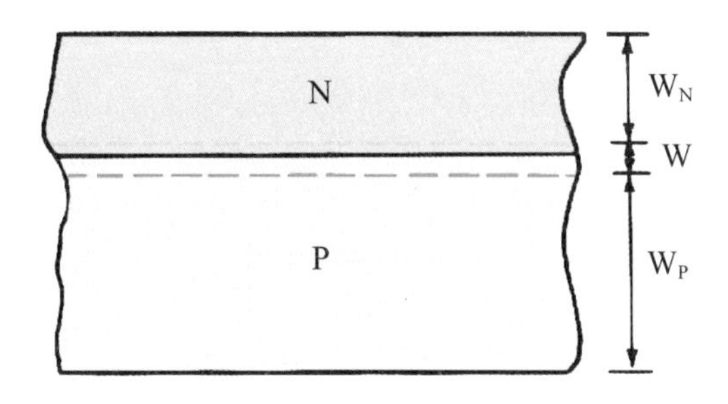

圖 8.4 有限大小的電池之重要尺寸參數

考慮到上述情況和式（8.14）和（8.15），光生載子的收集機率與距 *p-n* 接面太陽電池表面的距離具有如圖 8.5(a) 所示的關係曲線。這曲線顯示兩個重要的特色。其一是背面電場提高了靠近背電極處的光生載子收集機率，因此增加了電池的短路電流。其二是在靠近太陽電池上表面（top surface）處的光生載子的收集機率一般是低的。

當考慮陽光照射下半導體中載子的實際產生率時，可以發現，最高的產生率恰好發生在半導體表面。對於單色光，產生率可由下式求出：

$$G=(1-R)\alpha Ne^{-\alpha x} \tag{8.16}$$

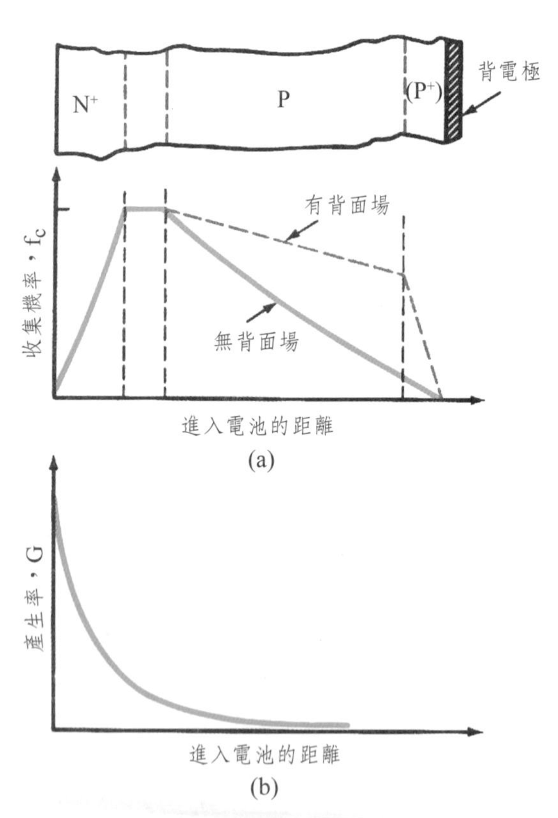

圖 8.5 **(a)** 有背面電場和沒有背面電場兩種情況下有限尺寸電池的收集機率；**(b)** 在陽光照射下電子—電洞對產生率與進入電池距離的關係曲線

其中，x 是距表面的距離；α 是吸收係數；N 是入射的光通量；R 是反射率。在陽光下，產生率為

$$G(x) = \int_0^{\lambda_{\max}} [1-R(\lambda)]\, \alpha(\lambda)\, N'(\lambda)\, e^{-\alpha(\lambda)x}\, d\lambda \tag{8.17}$$

其中 $N'(\lambda)$ 為每單位波長的入射通量。上述加權指數的近似形狀示於圖 8.5(b) 中。產生率在靠近表面處最強，而這裡正好收集機率很低。顯然，如果接面盡可能靠近表面，則這個缺陷可減到最小。

8.2.3 頂層的橫向電阻（lateral resistance）

在電池體內，電流的方向一般是垂直於電池表面的，如圖 8.6(a) 所示。為了由電池表面的柵狀電極線引出電流，電流就必須橫向流過電池材料的頂層。對於均勻摻雜的 n 型層，其電阻率（resistivity）可由下式（2.14 節）獲得：

$$\rho = \frac{1}{q\,\mu_e\,N_D} \tag{8.18}$$

更適合於描述這一層橫向電阻的量稱為「片電阻」（ρ_s），它等於電阻率除以這層的厚度 t，即

$$\rho_s = \frac{1}{q\,\mu_e\,N_D\,t} \tag{8.19}$$

對於非均勻摻雜層、乘積 $\mu_e N_D t$ 由積分式 $\int_0^t \mu_e(x) N_D(x) dx$ 代替。片電阻有歐姆度量，但通常表示為 Ω/ □。

片電阻決定了上電極柵線之間的間隔。參照圖 8.6(b)，由橫向電流引起的電阻性功率損耗是很容易計算的。在 dy 這一小段中的功率損耗由下式求出：

$$dP = I^2\, dR \tag{8.20}$$

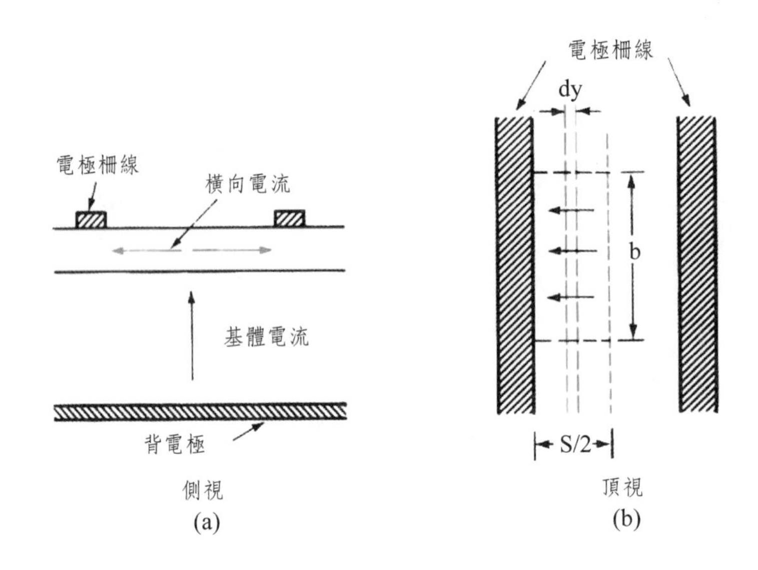

圖 8.6 ☼ **(a)** 在 ***p-n*** 接面太陽電池的不同區域中電流流動的方向；
(b) 計算由頂層橫向電阻引起的功率損耗所採用的圖。

其中，dR 等於 $\rho_s\, dy/b$；而 I 為橫向電流，在均勻照光下，兩條柵線正中間的 I 值為零，並且向兩側線性地增加，在柵線處達到最大值。因此，

$$I = J\, b\, y \tag{8.21}$$

其中，J 為元件中的電流密度。總功率損耗等於小段功率損耗的積分：

$$P_{loss} = \int I^2 dR = \int_0^{S/2} \frac{J^2\, b^2\, y^2\, \rho_s\, dy}{b} = \frac{J^2 b \rho_s\, S^3}{24} \tag{8.22}$$

以上研究的區域中，在最大功率點產生的功率是 $V_{mp}\, J_{mp}\, b\, S/2$。因此，在這點的相對功率損耗為

$$p = \frac{P_{loss}}{P_{mp}} = \frac{\rho_s\, S^2 J_{mp}}{12 V_{mp}} \tag{8.23}$$

對於已知的一組電池參數，可以計算間隔 S 的最小值。例如，對於一個典型的市售矽電池，$\rho_s = 40\ \Omega/\square$，$J_{mp} = 30\ \text{mA/cm}^2$，$V_{mp} = 450\ \text{mV}$。為了使由於橫向電阻影響而引起的功率損耗小於 4%，要求

$$S^2 < \frac{12\, p\, V_{mp}}{\rho_s\, J_{mp}}$$

即

$$S < \left(\frac{12 \times 0.04 \times 0.45}{40 \times 0.03}\right)^{1/2} \text{cm} < 4\ \text{mm} \qquad (8.24)$$

這與市售矽電池的柵線間隔是一致的。片電阻較小的電池，柵線間隔較大；而片電阻較大的電池，柵線間隔較小。根據式（8.19），實際上決定片電阻的主要因素是接面深度。事實上，用於製造柵線圖案技術的解析度（resolution）決定了電池表面下接面深度的下限。為了使該層的片電阻最小，應根據實際狀況，盡可能提高摻雜濃度。

8.3 | 基板摻雜

基板（substrate）在熔融材料製備過程時，會被均勻地摻雜。現在討論摻雜濃度的要求。

接面深度一旦確定，要獲得最大的 I_{sc}，關鍵的參數是基板材料的擴散長度。擴散長度主要由這一區域的少數載子存活期決定 $L_e = \sqrt{D_e \tau_e}$。在 3.4 節已探討了三種不同的復合機制，這些機制決定少數載子的存活期。在所有這三種情況下，一般傾向於存活期隨著摻雜濃度的增加而縮短，這一點在圖 8.7 中可以看出，圖中表示出它們相互間的關係和由三種不同復合過程決定的存活期，關於陷阱引起的復合，存活期隨摻雜而變化的理想運算式從式（3.22）可獲得。其形式如下：

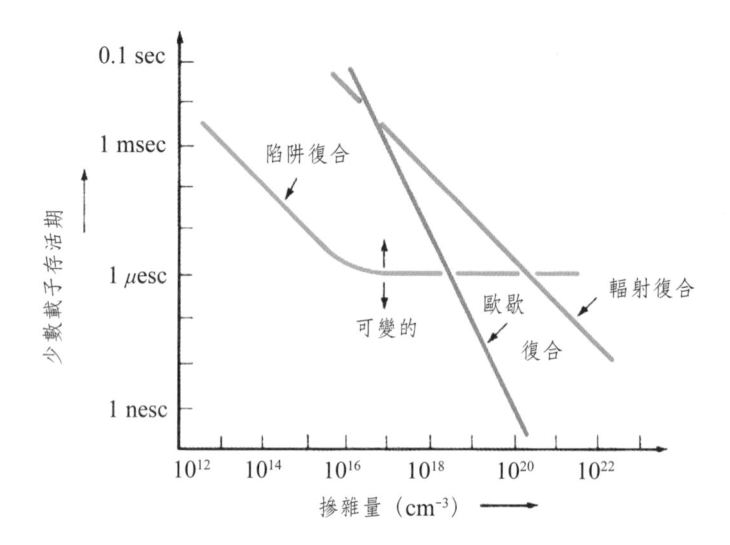

圖 8.7 在矽基板材料中，由三種不同復合過程決定的少數載子存活期與摻雜濃度的關係及對應的存活期。

$$\tau_{nT}=\tau_{n0}\left(1+\frac{m_1}{N_A}\right) \tag{8.25}$$

式中，m_1 近似於參數 p_1 和 $\tau_{po}\,n_1/\tau_{no}$ 中較大者。它的值由能量決定，或許還與主導復合的陷阱捕獲截面有關。對於歐歇復合，在高摻雜濃度時，其近似運算式是（3.4.3 節）

$$\tau_{nA}=\frac{1}{DN_A^2} \tag{8.26}$$

而對於輻射復合（3.4.2 節），則是

$$\tau_{nR}=\frac{1}{2BN_A} \tag{8.27}$$

淨復合率由下式得到

$$\frac{1}{\tau_n} = \frac{1}{\tau_{nT}} + \frac{1}{\tau_{nA}} + \frac{1}{\tau_{nR}} \tag{8.28}$$

根據以上討論，可以得出以下結論，即增加 N_A 往往會減少 I_{sc}。關於開路電壓，二極體飽和電流密度的簡單運算式由方程式（4.37）提供：

$$I_0 = q\,A\left(\frac{D_e\, n_i^2}{L_e\, N_A} + \frac{D_h\, n_i^2}{L_h\, N_D}\right) \tag{8.29}$$

I_0 越小則 V_{oc} 越大，因此為了獲得最大的開路電壓而使 N_A 和 N_D 盡可能大似乎是合理的。對於 p 型基板，為了減小片電阻，應使 n 型擴散區中的摻雜（N_D）盡可能高。因此，正如即將在 8.6 節進一步討論的，方程式（8.29）中的第二部分相當小。這就得出以下的結論，即 V_{oc} 往往隨 N_A 的增加而增加。

因為 I_{sc} 和 V_{oc} 受到 N_A 相反方向的影響，因此為了得到最大的能量轉換效率，必然存在一個最佳的基板摻雜濃度。這與在圖 8.8(a) 中顯示出的實驗結果是一致的。圖中所示的結果，展現出在不同摻雜濃度的基板上製作的高性能實驗電池的關鍵特性。

8.4 ｜背面場

前面已經提到，靠近背面電極的高摻雜區會增加短路電流和開路電壓。如圖 8.5 中所指出的，短路電流的增加是由於提高了下電極附近的收集效率。此外，由於減少了飽和電流，因此提高了開路電壓（4.9 節）。在有這種背面電場（back surface field, BSF）的情況下，由 p 型基板貢獻的飽和電流具有下面形式：

$$I_{0p} = \frac{q\,D_e\, n_i^2}{L_e\, N_A} \tanh\left(\frac{W_p}{L_e}\right) \tag{8.30}$$

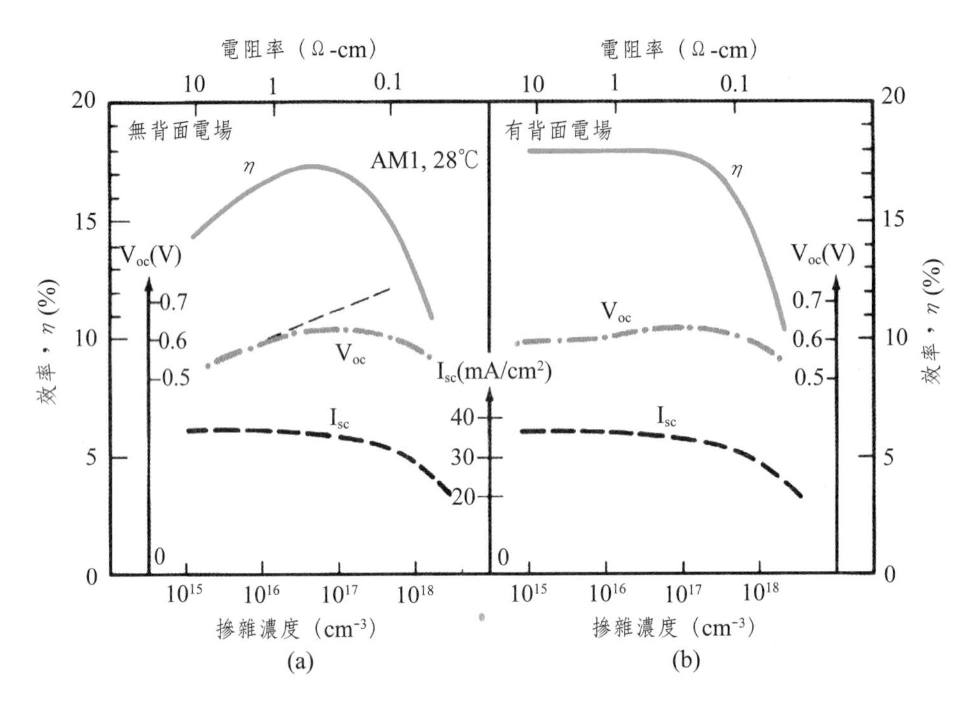

圖 8.8 從高性能的實驗元件得到的太陽電池關鍵參數與 **p** 型摻雜濃度間的關係 **(a)** 無背面電場的；**(b)** 有背面電場的

一旦 p 型層的厚度比擴散長度小得多時（$W_p << L_e$），這個式子簡化為

$$I_{0p} = \frac{q\, n_i^2\, W_p}{\tau_e\, N_A} \tag{8.31}$$

從圖 8.7 中可看出，隨著 N_A 減小 τ_e 增加，這意味著在較高電阻率的情況下，V_{oc} 將與電阻率無關。這一點與無背面電場的情況不同。假若基板的串聯電阻不成問題的話[1]，則最大效率將發生在雜質濃度較低的情況下。這一點，可

[1] 在高電阻率的情況下，電池工作時少數載子的濃度可能與多數載子的濃度相當。這不僅使串聯電阻的計算複雜化，而且導致用於建立這一節中的運算式的分析無效。在式（8.31）所指簡單的情況下，暗電流的運算式[8.1]為

$$I = \frac{q\, n_i\, W_p}{(\tau_e + \tau_h)}\,(e^{qV/2kT} - 1)$$

以從圖 8.8(b) 看出，此圖表示出有背面電場時與圖 8.8(a) 相對應的結果。

8.5 頂層的限制

8.5.1 死層（dead layers）

在 8.3 節曾指出，針對電池上表面的高有效復合速率已有一個最佳的設計。在這個設計中使電池上部擴散層的厚度在能獲得適當的片電阻的情況下盡可能地薄。在 60 年代為太空用途而研發的電池中，在表面下的典型接面深度大約是 0.5 μm。為了保持低的片電阻，必須使盡可能多的磷摻雜劑擴散進這個厚度裡。如此一來，便產生了一些不希望出現的副作用。

根據簡單的理論分析 [8.2] 可以預測：從基本是無限的磷來源，經過高溫擴散作用進入到矽內部的磷分佈為高斯分佈（Gaussian distribution）。圖 8.9(a) 是在固定的擴散溫度下，經過不同的擴散時間後，測得的電氣活性（electrically active）磷典型分佈圖。圖中清楚地表示出電氣活性磷的數量上限。這個上限等於在這個擴散溫度下，磷在矽裡面的固態溶解度（solid solubility）。超過這個界限的磷將會結合入含有大量磷的沈澱物中。但在如此磷過量的區域裡，少數載子的存活期顯著地減少。

在太陽電池中，磷過量的區域總是在接近電池表面的地方，這就可能在靠近表面處產生一個「死層（dead layer）」。在死層因為少數載子的存活期非常短，所以光生載子收集的機會非常少。對應於這種情況的收集機率表示於圖 8.9(b) 中。當人們清楚地認識到這個問題時 [8.3]，為了製造一種叫做「紫（violet）」電池的高效性電池，在電池設計上做了重大的改進。為了清除死層，使用很淺的接面（～ 0.2 μm），同時表面磷的濃度保持在固態溶解度之下。這樣就增加了擴散層的片電阻（譯者註：此句原文誤植為這樣就減少了擴散層的片電阻），因此必須使用密得多的上電極柵線。

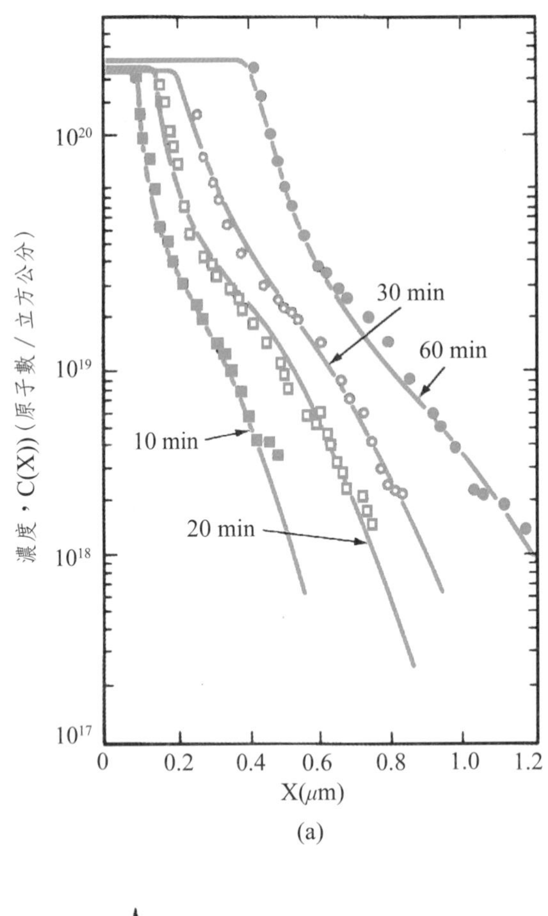

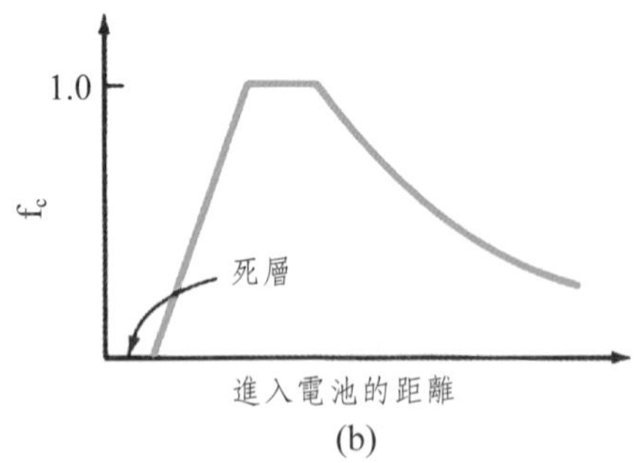

圖 8.9 (a) 在固定的擴散溫度下經過不同的擴散時間引進的電活性磷的分佈圖〔引用 **J. C. Tsai,** ***Proceedings of the IEEE 57*** **(1969), p. 1499, ©1969 IEEE**〕；**(b)** 具有死層的用擴散法製造的電池，其收集機率與進入電池距離的關係曲線。

8.5.2 高摻雜效應

基於幾個原因，一般認為在電池的頂部重摻雜區，少數載子的存活期是低的。由圖 8.7 可見，歐歇復合會導致這個區域中具有低的最大存活期。此外，高溫擴散過程可能在晶格結構中產生沈澱物和缺陷，這將增加具有陷阱能階的復合中心數量。這樣就會使存活期減短到歐歇極限以下。

重摻雜區的另一個重要影響是有效地使半導體的能隙變窄[8.4]。這主要影響到本質濃度 n_i 的有效值。

8.5.3 對飽和電流密度的影響

在 8.3 節和 8.4 節討論了本體區（bulk region）性質對太陽電池飽和電流 I_0 所產生的影響。重摻雜的頂層對飽和電流有很大的影響。

人們可以就頂層最好有怎樣的特性才能使這個影響減至最小，發表一些一般性的看法。例如，在這個區域以及其表面的復合必須保持最小。然而，因為在重摻雜區裡不得不考慮的多重影響，從理論上計算如何以最佳的方式予以實現就不是簡單的事。實驗證明，對於用擴散法製作的矽電池，這一層對飽和電流密度的最小貢獻在 1 ～ 3×10^{-12} A/cm^2 範圍內。以離子佈植技術製作的頂層能得到稍低的值[8.5]。

不管怎樣選擇基板的特性以使它對飽和電流密度的影響最小，頂層的影響都會對前述的矽電池所能得到的最大開路電壓造成一個上限。這個極限在標準測試條件下是 600 mV 到 630 mV。這個限制的影響可從圖 8.8(a) 和 (b) 看出。它使基板材料的太陽光電潛力不能得到充分利用。在第九章中將敘述另外的電池設計，這些設計克服了這種限制。

8.6 ｜上電極的設計

電池設計中的一個重要領域是上電極金屬柵線（top metal contact grid）的設計。當個別電池的尺寸增加時，這方面就變得更加重要了。圖 8.10 顯示出在幾種地面用電池中，已採用的上電極設計方法。

與上電極有關的功率損失機制共有以下幾種。由電池頂部擴散層的橫向電流所引起的損耗前面已經討論過；此外，還有各金屬線的串聯電阻以及這些金屬線與半導體之間的接觸電阻引起的損耗。最後，還有由於電池被這些金屬柵線遮蔽所引起的損失。

本節將考慮正方形或長方形電池的電極設計。並聯的方法可以用於一般形狀的電池。對於普通的的電極設計，如圖 8.11(a) 所示，金屬電極由兩部分構成：主線（busbar）是直接接到電池外部導線的較粗部分；柵線（fingers）則是為了收集電流並傳送到主線的較細部分。如圖 8.10 所示，在某些電池設計中可能有不只一級的柵線。柵線和主線有等寬度的，也有線性地逐漸變細和寬度

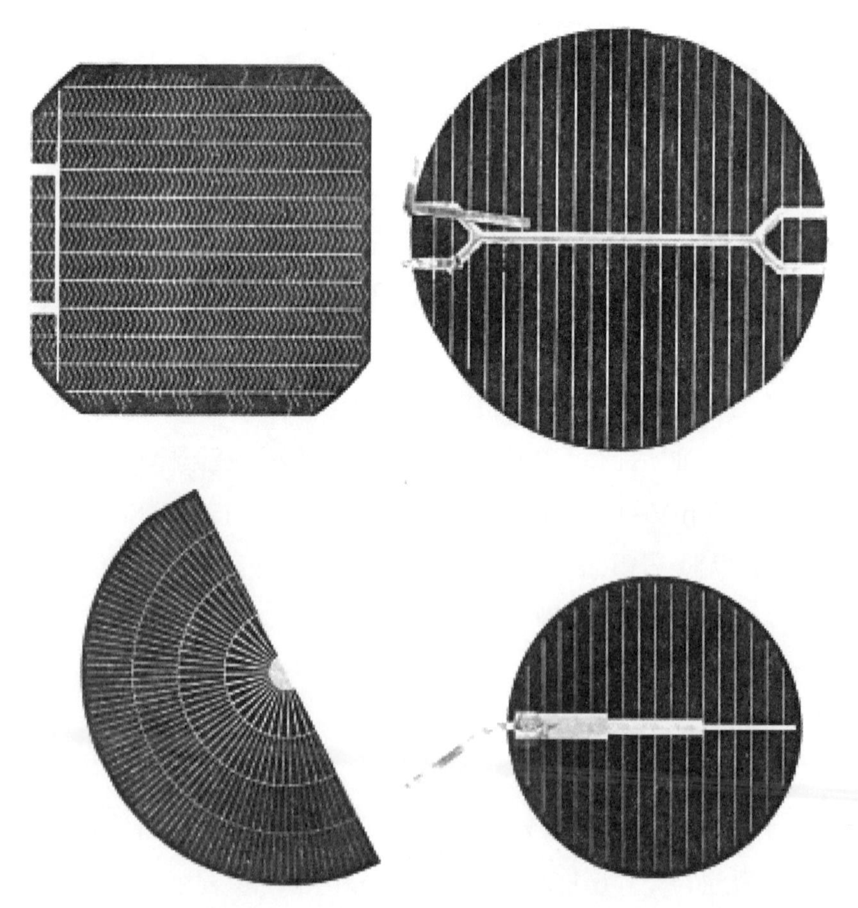

圖 8.10 ☼ 一批矽太陽電池產品。圖中示出幾種不同電池的上電極設計方法

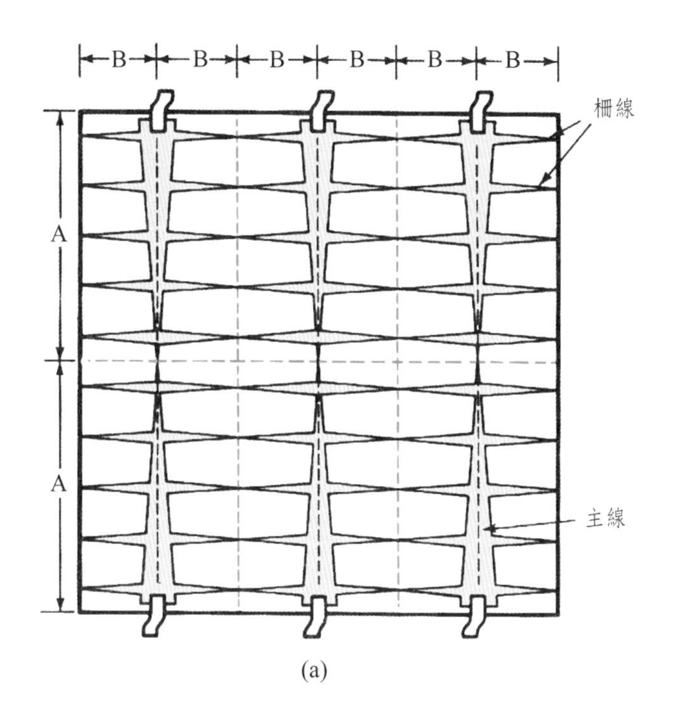

(a)

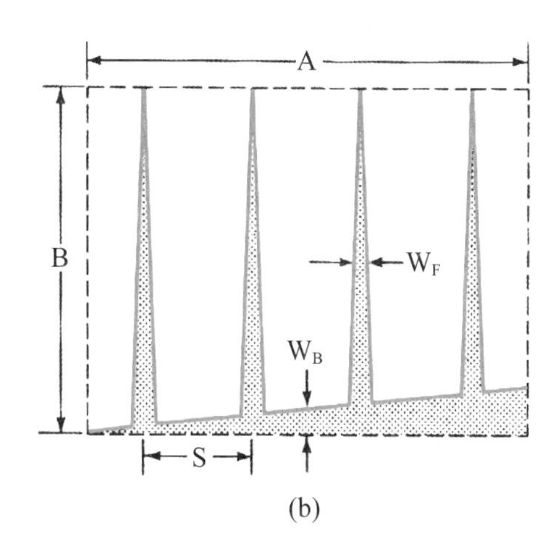

(b)

圖 8.11 ☼ **(a)** 顯示主線和柵線的上電極設計的示意圖，圖中出表現出這個設計的對稱性，根據這種對稱性，電極可以分解成 **12** 個相同的單電池；**(b)** 典型的單電池的重要尺寸。

呈階梯形變化的。

如圖 8.11(a) 所示的對稱佈置上電極可以分解成如圖 8.11(b) 所示的一個個

的單電池（unit cell）。這種單電池的最大功率輸出可由 $ABJ_{mp}V_{mp}$ 得到，式中 AB 為單電池的面積，J_{mp} 和 V_{mp} 分別為最大功率點的電流密度和電壓。柵線和主線的電阻之功率損失可以用 8.2.3 節中計算電池頂層功率損失的積分方法計算。以單電池的最大功率輸出做正歸化，得到柵線和主線的電阻功率損失比率分別為

$$p_{rf} = \frac{1}{m} B^2 \rho_{smf} \frac{J_{mp}}{V_{mp}} \frac{S}{W_F} \tag{8.32}$$

$$p_{rb} = \frac{1}{m} A^2 B \rho_{smb} \frac{J_{mp}}{V_{mp}} \frac{1}{W_B} \tag{8.33}$$

ρ_{smf} 和 ρ_{smb} 是電極的柵線和主線金屬層片電阻。在某些情況下，這兩種電阻是相等的；而在另一些情況下，如浸過銲錫的電池，在較寬的主線上又蓋了一層較厚的銲錫，ρ_{smb} 就比較小。如果電極各部分是線性地逐漸變細的，則 m 值為 4，如果寬度是均勻的則 m 值為 3。W_F 和 W_B 是單電池上柵線和主線的平均寬度，S 是柵線的線距，如圖 8.11(b) 所示。

由於陽光受柵線和主線的遮蔽而引起的功率損失比率是：

$$p_{sf} = \frac{W_F}{S} \tag{8.34}$$

$$p_{sb} = \frac{W_B}{B} \tag{8.35}$$

忽略直接由半導體到主線的電流，接觸電阻損失僅僅是由於柵線所引起。這部分功率損耗一般近似為：

$$p_{cf} = \rho_c \frac{J_{mp}}{V_{mp}} \frac{S}{W_F} \tag{8.36}$$

其中 ρ_c 是接觸電阻率。對於矽電池來說，在一標準日照（1-sun）下工作時，接觸電阻損失一般不是主要問題。剩下的損失是由於電池頂層橫向電流引起的損失。其正歸化方程式（8.23）獲得：

$$p_{tl} = \frac{\rho_s}{12} \frac{J_{mp}}{V_{mp}} S^2 \quad (8.37)$$

其中 ρ_s 是這一層的片電阻。

主線的最佳尺寸可以藉由將式（8.33）和（8.35）相加，然後對 W_B 求導數求出[8.6]。結果是當主線的電阻損失等於其遮蔽損失時，其尺寸為最佳值。此時，

$$W_B = AB\sqrt{\frac{\rho_{smb}}{m} \frac{J_{mp}}{V_{mp}}} \quad (8.38)$$

同時，這功率損失比率的最小值由下式獲得：

$$(p_{rb} + p_{sb})_{\min} = 2A\sqrt{\frac{\rho_{smb}}{m} \frac{J_{mp}}{V_{mp}}} \quad (8.39)$$

這表示當使用逐漸變細的主線（$m = 4$）而不是等寬度的主線（$m = 3$）, 功率損失大約降低 13%。

最低一級[2]金屬柵線的設計更為複雜，因為這個設計也決定了電池頂層橫向電流的損失和電池中接觸電阻的損失。就數學角度而言，當柵線的間距變得非常小以致橫向電流損失可以忽略不計時，出現最佳值。於是，最佳值由下面條件獲得，即

$$S \rightarrow 0 \quad (8.40)$$

---

2 如果有一級以上的金屬柵線，則較高一級的最佳尺寸可以視為相鄰的較低一級的主線來求得。注意，在這種情況下，對每一級的金屬線都有各自不同的單電池。

$$\frac{W_F}{S}=B\sqrt{\frac{\rho_{smf}+\rho_c m/B^2}{m}\frac{J_{mp}}{V_{mp}}} \tag{8.41}$$

$$(p_{rf}+p_{cf}+p_{sf}+p_{tl})_{\min}=2B\sqrt{\frac{\rho_{smf}+\rho_c m/B^2}{m}\frac{J_{mp}}{V_{mp}}} \tag{8.42}$$

實際上，不可能得到這個最佳性能。先前討論的製作上電極的每項技術，均分別受限於在多麼小的 W_F 以及 S 下，仍能於生產環境中保持可接受的良率。

在這種情況下，可藉由簡單的迭代法實現最佳柵線的設計。若把柵線寬 W_F 取作某一由技術水準限制的最小值，則對應於這個最小值的 S，其最佳值能夠用漸近法（successive approximation）求出。對某個試驗值 S'，可計算出對應的各功率損失比，P_{rf}、P_{cf}、P_{sf} 和 P_{tl}。然後可依下式求出一個更接近最佳值的 S''[3]：

$$S''=\frac{S'(3p_{sf}-p_{rf}-p_{cf})}{2(p_{sf}+p_{tl})} \tag{8.43}$$

這個過程將很快收斂到對應於最佳值的一個固定值上。從式（8.41）計算獲得的 S 值是一個偏高的估計值，由此可求出最佳值的起始試驗值。用此值的一半作為起始試驗值就會得到一個穩定的迭代結果。

特定電極設計的總特徵一旦確定，用上述方法就可以決定出主線和柵線的最佳尺寸。這些總特徵的決定，除了考慮最佳化的上電極設計外，還得考慮到諸如電極間的互相連接必須容易實現自動化等要求。根據經驗，單電池愈小，上電極損失越小。多重連接點，不僅改善了模組的可靠性，而且由於減少了單電池的尺寸而減少了上電極損失。如果主線的片電阻小於柵線的片電阻，只要接觸電阻影響不大，最好採用本書序言之前的圖所示的長主線和短柵線的設計

---

[3] 這個式子可以藉由功率損失運算式（$P_{rf}+P_{cf}+P_{sf}+P_{tl}$）對 S 求導數而獲得，對於最佳的 S 值其導數必須等於零。於是最佳 S 值可利用牛頓迭代法[8.7]求非線性方程式的根而獲得。

方案。在這種情況下，主線的電流承載部分是金屬互連條，它延伸到電池的整個長度。甚至在矩形電池情況下，除了上面討論過的由正交直線組成的電極以外，其他的電極方案也值得考慮。例如，圖 8.12 所示的放射狀電極方案也能使矩形電池產生非常低的總損失。

順便應該提到，這一節所敘述的方程式是建立在某些近似的基礎上的[8.8]的。這些近似涉及：正歸化功率損失的大小；電阻的電壓降；電流的方向，特別是在柵線和主線交會處附近。還應該注意到，對不同形狀的電池，線性地變細的主線或柵線也許不是最佳形狀[8.9]。這些次要的影響有時也可能成為很值得檢討的地方。例如，在聚光型電池中，電極設計就是關鍵。

【例題】

設計一個 10×10 cm 矽太陽電池的上電極。在這個電池的最大功率點，電壓是 450 mV，電流密度大約為 30 mA/cm^2。其擴散層的電阻是 40 Ω/ □。

規定每個電池必須有兩個互連點。金屬電極的製備方法為先鍍上金屬然後浸銲錫。柵線寬定為 150 μm。金屬化層的片電阻主要由銲錫層決定，銲錫的體（bulk）電阻率是 15 $\mu\Omega$-cm。銲錫在柵線上的平均厚度是 42 μm，在較寬的主線上則是 80 μm。柵線和半導體之間的比接觸電阻（specific contact resistance）是 370 $\mu\Omega$-cm^2。

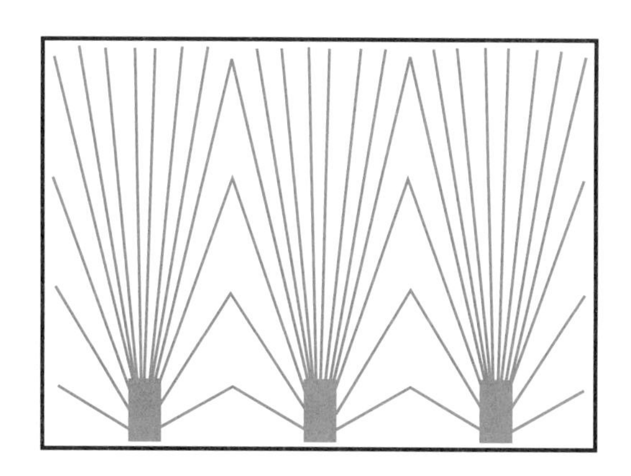

圖 8.12 ☼ 一個矩形電池的放射狀金屬電極方案

解：

以本節所用的符號表示，已知條件為：

$J_{mp} = 0.03\ \mathrm{A/cm^2}$ $V_{mp} = 0.45\ \mathrm{V}$

$\rho_s = 40\ \Omega/\square$ $\rho_c = 370\ \mu\Omega\text{-cm}^2$

$$鋅錫層的片電阻 = \frac{體電阻率}{厚度}$$

因此，$\rho_{smf} = 0.00357\ \Omega/\square$ $\rho_{smb} = 0.00188\ \Omega/\square$

因為 $\rho_{smb} < \rho_{smf}$，最好選擇長主線、短柵線的電極設計方案。適合於每個電池兩個互連點的一種電極設計方案示於圖 8.13 中。這種結構可分解成四個單電池，每個單電池的 $A = 10$ cm，$B = 2.5$ cm。

其主線的最佳尺寸可以由式(8.38)計算出，採用逐漸變細的主線($m = 4$)，每個單電池的主線最佳寬度是：

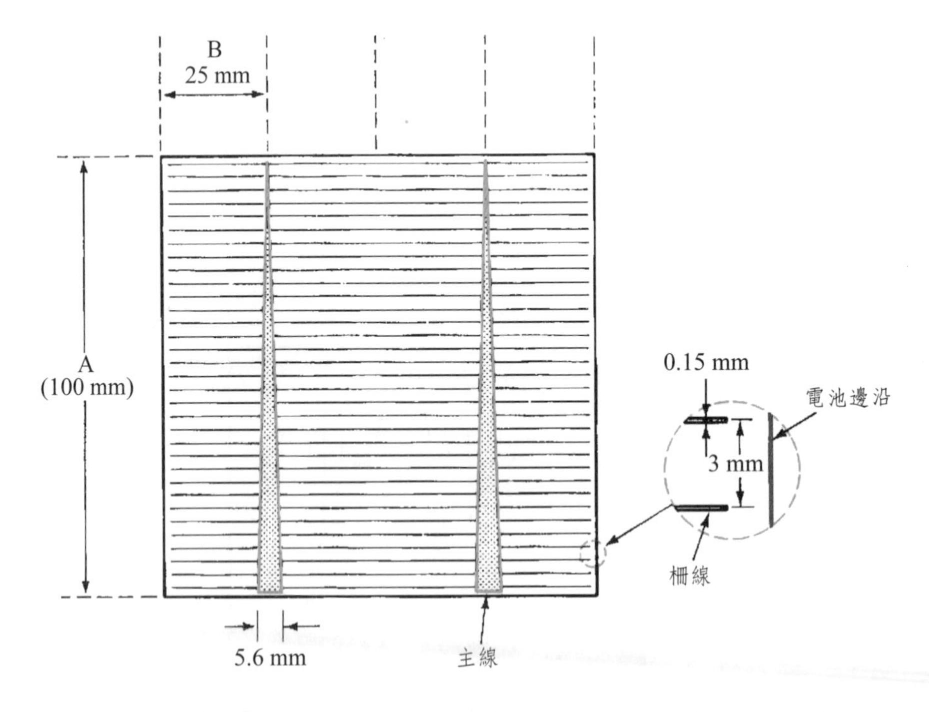

圖 8.13 ☼ 例題中所選擇的電極設計方案。遮蔽損失 **10.6%**，而電池擴散層與電極的電阻損失一共 **8.6%**。

$$W_B = 10 \times 2.5\sqrt{\left(\frac{0.00188 \times 0.03}{4 \times 0.45}\right)}\ \text{cm} = 0.14\ \text{cm}$$

因為實際的主線位於兩個單電池裡，所以主線的平均寬度是這個值的兩倍。因此，主線從 0.56 cm 的最大寬度逐漸收小到所能作到的最細值。由式（8.39）可得出對應的功率損失為：

$$p_{rb} + p_{sb} = 0.112$$

柵線寬度選定為 150 μm（$W_F = 0.015$ cm），假定這是由於技術水準所限，使得柵線不能作得更細。因為這個限制，所以等寬度的柵線（$m = 3$）不會低於最佳值太多。最佳的柵線間距 S 必須用迭代法求出。初試值為式（8.41）所提供的值除以 2，這樣可得到：

$S = 0.3286$ cm　　$P_{rf} = 0.0109$　　$P_{cf} = 0.0005$

$P_{sf} = 0.0456$　　$P_{tl} = 0.0240$

將這些值代入式（8.43）得到修正後的試驗解：

$S = 0.2962$ cm　　$P_{rf} = 0.0098$　　$P_{cf} = 0.0005$

$P_{sf} = 0.0506$　　$P_{tl} = 0.0195$

繼續進行迭代，得到：

$S = 0.2991$ cm　　$P_{rf} = 0.0099$　　$P_{cf} = 0.0005$

$P_{sf} = 0.0502$　　$P_{tl} = 0.0199$

進一步的迭代不會改變 S 的值，這表示已得到一個最佳值。由於柵線和頂層電阻引起的總功率損失比為 0.080，於是在這個電池裡因為這樣的電極設計引起的總功率損失是電池固有輸出的 19.2%。完整的電極設計方案示於圖（8.13）中。

8.7 | 光學設計

8.7.1 抗反射層

在圖 8.14 中示出了四分之一波長抗反射層（antireflection coating）的原理。從第二個介面反射的光返回第一個介面時與從第一個介面反射的光相位差 180°，所以前者在一定程度上抵消了後者。

在垂直入射光束中，從覆蓋了一層厚度為 d_1 的透明層材料的表面反射能量所占比例之運算式是 [8.10]：

$$R=\frac{1+r_1^2+r_2^2+2r_1r_2\cos 2\theta}{1+r_1^2r_2^2+2r_1r_2\cos 2\theta} \tag{8.44}$$

其中 r_1 和 r_2 由下式獲得：

$$r_1=\frac{n_0-n_1}{n_0+n_1} \qquad r_2=\frac{n_1-n_2}{n_1+n_2} \tag{8.45}$$

式中 n_i 代表不同層的折射率。θ 由下式獲得：

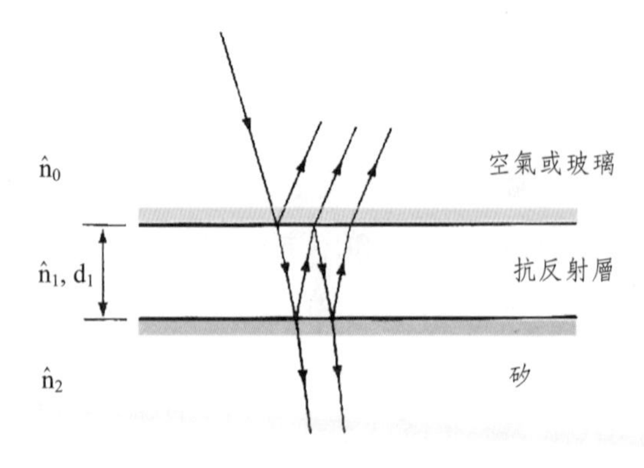

圖 8.14 ☼ 由四分之一波長抗反射層產生的干涉效應

$$\theta = \frac{2\pi_1 d_1}{\lambda} \tag{8.46}$$

當 $n_1 d_1 = \lambda_0/4$ 時，反射值最小：

$$R_{\min} = \left(\frac{n_1^2 - n_0 n_2}{n_1^2 + n_0 n_2}\right)^2 \tag{8.47}$$

如果抗反射層的折射率是其兩側的材料折射率的幾何平均值（$n_1^2 = n_0 n_2$），則反射率為零。對於在空氣中的矽電池（$n_{si} \approx 3.8$），抗反射層的最佳折射率是矽折射率的平方根（即 $n_{opt} \approx 1.9$）。圖 8.15 中表示出有一最佳折射率曲線其在矽表面覆蓋抗反射層的情況下，從矽表面反射的入射光百分比與波長的關係。該抗反射層的設計使得波長在 600 nm 處產生最小的反射。從覆蓋抗反射層的矽表面反射的可用太陽光，其加權平均值能保持在 10%，相反地，從裸露的矽表面則超過 30%。

電池通常封裝在玻璃之下或嵌在折射率（$n_0 \sim 1.5$）類似玻璃的材料之中。這使抗反射層的折射率的最佳值增加到大約 2.3。覆蓋著折射率為 2.3 抗反射層的電池在封裝前和封裝後對光的反射情況也表示在圖 8.15 中。市面上太陽電池使用的一些抗反射層材料的折射率列在表 8.1 中。除了有適當的折射率外，抗反射層材料還必須是透明的。抗反射層常沉積成未結晶或非晶的薄膜形式，以防止在晶界（grain boundary）處的光散射問題。用真空蒸鍍方法形成的抗反射層一般會在紫外線波長區產生吸收。然而，對所沉積的金屬層採用氧化或陽極化之類技術而形成的抗反射層或用化學沉積技術所形成的抗反射層往往有「玻璃（vitreous）」結構（小範圍有序的非晶結構），會減少紫外線吸收 [8.11]。

利用不同抗反射層材料製作的多層膜能夠改善性能。這種多層膜的設計更加複雜，但能夠在較寬的波段上減少反射 [8.11]。至少，有一家製造廠在高效電池上利用了兩層抗反射層，結果使有用的太陽光之反射量降低到 4%。

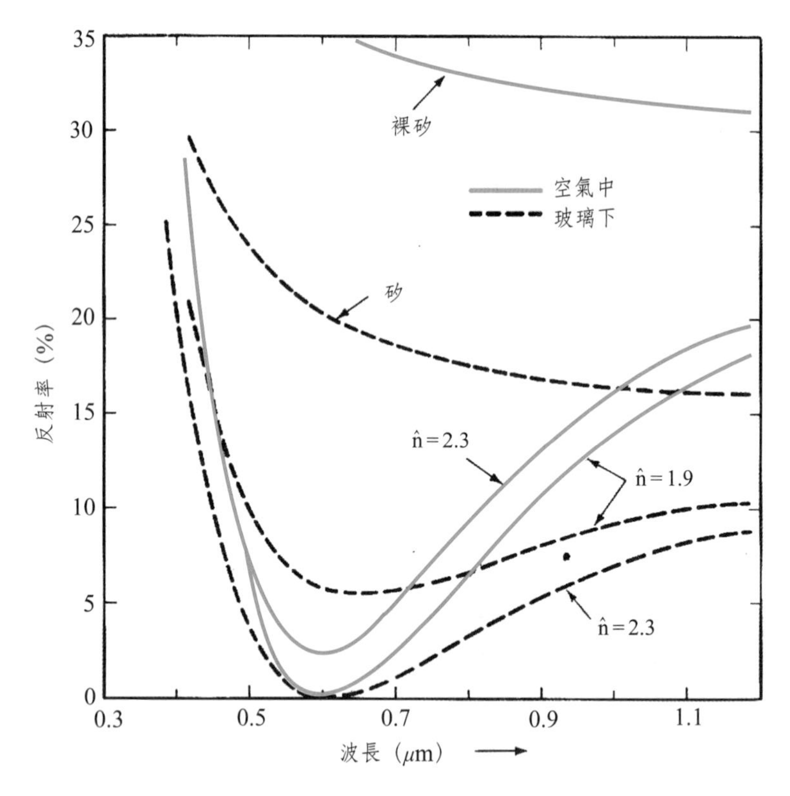

圖 8.15 垂直入射光在未披覆及覆蓋折射率為 **1.9** 和 **2.3** 的抗反射層矽表面上，其反射量百分比與波長的關係。選擇適當的抗反射層厚度，可使得在 **600 nm** 處產生最小的反射。虛線表示將矽封裝在玻璃或有相似折射率值的材料下的結果。

表 8.1 製作單層或多層抗反射層所用材料的折射係數

材　料	折射係數
MgF_2	1.3-1.4
SiO_2	1.4-1.5
Al_2O_3	1.8-1.9
SiO	1.8-1.9
Si_3N_4	~1.9
TiO_2	~2.3
Ta_2O_5	2.1-2.3
ZnS	2.3-2.4

8.7.2 絨面（textured surface）

以前提到過的另一個減少反射的方法是採用絨面。這種絨面是對矽表面採取一種選擇性的腐蝕而成。這種腐蝕方法使矽晶格結構在某一個方向的腐蝕比另一個方向的快得多。這使得晶格中的某些平面暴露出來。在圖 7.6 中外觀類似金字塔的一個個小錐體是由於這些晶面相交而形成的。根據密勒指數（2.2 節），絨面電池的矽表面通常平行於（100）面，金字塔由（111）面相交而成。通常採用稀釋的氫氧化鈉（NaOH）溶液做為選擇性腐蝕劑。

金字塔的角度由晶面的方向性（orientation）決定。這些尖塔使入射光至少有兩次機會進入電池。如果像垂直照射到裸露矽表面的情況一樣，在每個入射點有 33% 被反射，則總的反射是 0.33×0.33，約為 11%。如果使用抗反射層，則太陽光的反射可以完全保持在 3% 以下。即使沒有抗反射層，當嵌鑲在折射率類似於玻璃的材料裡時，反射也只有約 4%。另一個合乎期望的特點是光射入矽中的角度可確保光線在更靠近電池表面處被吸收。這將增加電池的收集機率，特別是對於吸收較弱的長波部分。

絨面也存在一些缺點。一是在處理上需要更加小心 [8.12]；二是這樣的表面會更有效地吸收所有波長的光，包括不希望有的那些光子能量不足以產生電子－電洞對的紅外線輻射。這樣往往使電池溫度升高。還有，金屬上電極必須沿尖塔的側面上上下下地延伸，如果金屬層的高度小於或相當於尖塔的高度（～ 10 μm），為了維持與在平坦表面上相同的電阻損失，必須使用二到三倍的金屬材料。

8.8 | 光譜響應

在 5.5 節提到過電池的光譜響應，是指每單位入射單色光功率的短路輸出電流與波長的關係。測量光譜響應能提供各種太陽電池設計參數的詳細資料。

單色光在半導體內產生的電子－電洞對的空間分佈可由下式獲得：

$$G = (1 - R)\,\alpha\,N e^{-\alpha x} \tag{8.48}$$

其中，N 是入射光子通量，R 是反射部分，α 是吸收係數。對於短波長（紫外光），α 較大，如圖 8.16(a) 所示，光一進入半導體就被迅速地吸收。普通太陽電池不能很有效地收集產生在表面附近的載子。如果量子收集效率 η_Q 定義為每個入射單色光的光子在外部短路電路上所產生的流通電子數，那麼，對於紫

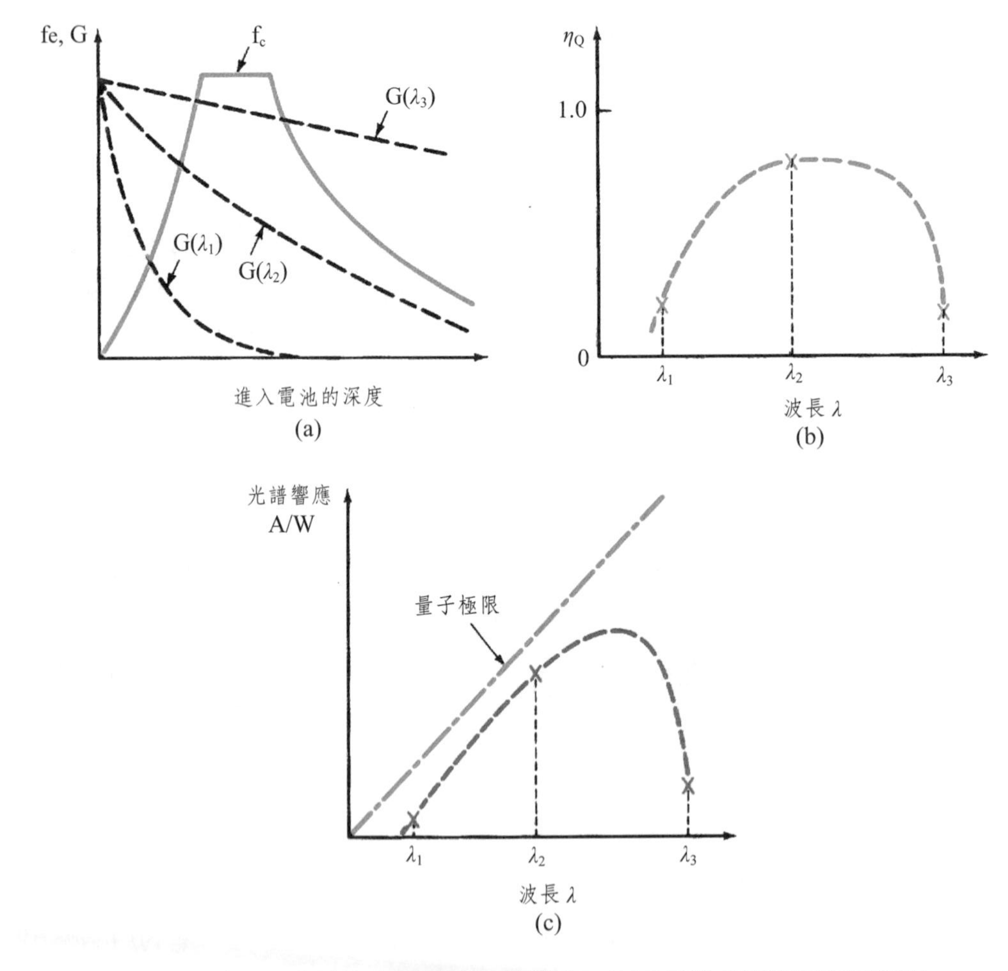

圖 8.16 (a) 典型的太陽電池收集機率；三條虛線分別表示在三個不同波長的光照射下載子產生的分佈圖；(b) 對應的量子收集效率 η_Q 與波長的關係；(c) 對應的光譜靈敏度（A/W）與波長的關係。

外光而言，η_Q 十分低，如圖 8.16(b) 所示。在中波長範圍，α 值較小，而大部分光生載子是在收集機率高的區域裡產生的，因此 η_Q 增加。電池對長波光的吸收是非常微弱的，因而在電池的有效區（active region）內就只有小部分光被吸收，因此 η_Q 減小，並且一旦光子的能量不足以產生電子一電洞對時 η_Q 就降為零。

除了圖 8.16(b) 的量子效率曲線外，表示光譜響應的另一種方法，是畫出如圖 8.16(c) 所示以 A/W 為單位的靈敏度（sensitivity）與波長的關係曲線。圖 8.16(c) 也計算出了量子極限。在短波長範圍，即使是理想地工作，電池也不能利用所有的光子能量，因此靈敏度是低的。

對於「傳統」電池（在此指為太空用而研發的電池），由於採用的接面深度較深，加上抗反射層的吸收，因此對短波長的光響應較差。在長波長範圍，光譜響應由電池材料的擴散長度決定。紫電池是在二十世紀七零年代初期研發的一種淺接面電池。這種電池的設計重點是，藉由採用淺接面和經過改進的、吸收較少的抗反射層而獲得良好的紫外波段的收集效率。絨面電池由於減少了反射而改善了對所有波長的光靈敏度。

背面電場（BSF）提高了對背電極附近產生的載子之收集機率，因而提高了長波段的靈敏度。為了給予較長波段第二次吸收的機會，可以將背電極設計成反射性的，這樣的背面反射層（back surface reflector, BSR）不僅使薄電池的性能獲致相當的提高，而且有助於維持低的工作溫度。

8.9 ｜結語

矽接面太陽電池的設計已隨著以下考量而逐漸演進。為了使電池有最大的電流輸出，*p-n* 接面必須靠近電池表面。這樣一來，這一層的橫向電阻會提高，除非能摻雜到足夠高的雜質濃度，否則這可能會帶來一些問題。然而，過高的摻雜又將導致此層的電子學特性低於最佳值。

對太陽電池來說，最佳的基板電阻率取決於是否有背面電場。如果沒有背面場，摻雜濃度在 10^{16} 到 10^{17} cm^{-3} 範圍時電阻率最佳；如果有背面場，則電池最佳性能受電阻率的影響較少，因而最佳性能發生在摻雜濃度較低的情況下。

電池上電極的設計中，決定功率損失的關鍵參數是電極的佈置、電極金屬層的片電阻和擴散形成之電池頂層的片電阻、以及決定電極幾何形狀的技術所允許的最小線寬。四分之一波長的抗反射層能使太陽電池的輸出電流增加 35% 到 45%。電池的表面絨化雖然存在某些缺點，但有助於電池的性能提升。

習題

8.1 有一個以 p 型矽作為基板材料的太陽電池，其頂部的 n 型層很薄且摻雜均勻。沿 n 型層的表面復合速率是非常大的。假設在 n 型層的少數載子擴散長度與 n 型的厚度相比是很大的。試推導少數載子的收集機率與距 n 型層表面距離的關係式。（注意：因為擴散長度比 n 型區的厚度大很多，所以這個區域的本體內復合很小，相較於表面復合速率可以忽略不計。）

8.2 在習題 8.1 中已知 n 型層摻雜濃度是 10^{18} cm^{-3}，厚度是 0.5 μm。計算 n 型層的片電阻。

8.3 在 150 μm 厚的 p 型矽晶圓上製造傳統結構的矽太陽電池。背面為高復合電極的電池其短路電流為 2.1 A，開路電壓為 560 mV。類似的電池，在具有背面場時，其短路電流則為 2.2 A。已知在加工後，兩種情況下的少數載子擴散長度都是 500 μm。請問有背面電場的電池，其理想開路電壓值應是多少？

8.4 設計一個尺寸為 7.5×10 cm 的矩形矽太陽電池的上電極，並計算所設計電池的總功率損失。該電池的擴散層片電阻是 60 Ω/□。在晴朗天氣的陽光照射下，這個電池在 430 mV 電壓和 28 mA/cm^2 的電流密度下產生最大功率。規定每個電池有三個互連點，並全部位於電池同一側。

金屬化層是採用真空蒸鍍技術經由金屬遮罩蒸鍍而成。最小線寬定為 180 μm。金屬化層是由靠近矽表面的 0.12 μm 鈦層、中間層的薄層鈀（0.02 μm），以及最外層的 4 μm 銀所組成。這種電極與矽的比接觸電阻是 200 $\mu\Omega\text{-cm}^2$。這些金屬的體電阻率分別是 48、11 和 1.6 $\mu\Omega$-cm。

8.5 有一個電池，已知上電極的幾何形狀，並且金屬化層及電池的參數已固定。證明當電極尺寸增加時與上電極有關的功率損失比率也會增加。

參考文獻

[8.1] J.C. Fossum et al., “Physics Underlying the Performance of Back-Surface-Field Solar Cells,” *IEEE Transactions on Electron Devices ED-27* (1980), 785-791.

[8.2] A. S. Grove, *Physics and Technology of Semiconductor Devices* (New York: Wiley, 1967), pp. 44-69.

[8.3] J. Lindmayer and J. F. Allison. *Conference Record, 9th IEEE Photovoltaic Specialists Conference, Silver Spring,Md.*, 1972, p.83; also Comsat Technical Review 3 (1972), 1.

[8.4] J. G. Fossum, F. A. Lindholm. And M. Ａ. Shibib, “The Importance of Surface Recombination and Energy-Bandgap Narrowing in p-n Junction Silicon Solar Cells,” *IEEE Transactions on Electron Devices ED-26* (1976), 1294-1298.

[8.5] J. A. Minnucci et al., “Silicon Solar Cells with High Open-Circuit Voltage,” *Conference Record, 14th IEEE Photovoltaic Specialists Conference, San Diego,* 1980, pp. 93-96; also *IEEE Transactions on Electron Devices, ED-27* (1980), 802-806.

[8.6] H. B. Serreze.“Optimizing Solar Cell Performance by Simultaneous Consideration of Gird Pattern Design and Interconnect Configurations,” *Conference Record, 13th IEEE Photovoltaic Specialists Conference, Washington, D. C.*, 1978, pp. 609~614.

[8.7] C. E. Froberg. *Introduction to Numerical Analysis* (Reading, Mass.: Addison-Wesley, 1965), p. 19.

[8.8] A. Flat and A. G. Milnes, “Optimization of Multi-layer Front-Contact Gird Patterns for Solar Cells,” *Solar Energy 23* (1979), 289-299.

[8.9] G. A. Landis, "Optimization of Tapered Busses for Solar Cell Contacts," *Solar Energy 22* (1979), 401~402; R. S. Scharlack, "The Optimal Design of Solar Cell Gird Lines," *Solar Energy 23* (1979), 199-201.

[8.10] E. S. Heavens. *Optical Properties of Thin Solid Films* (London: Butterworths, 1955).

[8.11] E. Y. Wang et al., "Optimum Design of Antireflection Coatings for Silicon Solar Cells," Conference Record, *10th IEEE Photovoltaic Specialists Conference, Palo Alto*, 1973, p. 168.

[8.12] M. G. Coleman et al., "Processing Ramifications of Textured Surfaces," *Conference Record, 12th IEEE Photovoltaic Specialists Conference, Baton Rouge*, 1976, pp. 313-316.

第9章 其他元件結構

9.1 前言

半導體元件中，太陽光電作用的基礎是元件結構的電子學不對稱性。當然，除了前面幾章中所述利用矽的 *p-n* 接面以外，還有很多方法可產生這種不對稱性。本章將概述另外幾種元件的基本觀念。

9.2 同質接面

傳統的矽太陽電池都屬於同質接面（homojunction），也就是接面兩側的半導體材料相同，僅摻雜劑類型不同。第八章中介紹了具有淺同質接面的傳統電池結構，該接面平行於照光面。本節介紹三種特定元件以說明幾種不同的同質接面概念，而不一一列述所有可能的同質接面。

第一種是如圖 9.1(a) 所示的高一低射極（high-low emitter, HLE）結構，此結構克服了傳統方法的一些限制。該元件的不同點在於 *p-n* 接面要深得多，同時接面頂部的摻雜濃度較適中。在元件的頂部採用了「前表面場（front surface field）」，這克服了傳統電池結構中頂部擴散層對開路電壓的限制。據文

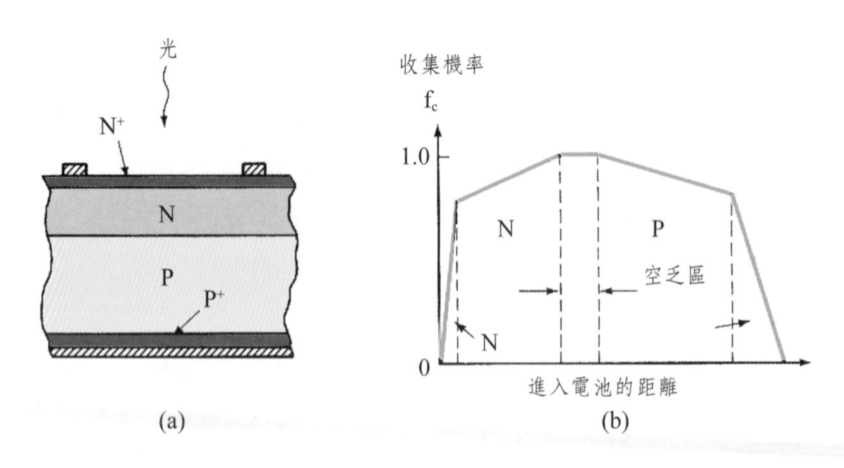

圖 9.1 (a) 高一低射極太陽電池接面結構示意圖；(b) 對應的收集機率與距電池表面距離的關係

獻指出，採用這個方法已顯著提高了開路電壓 [9.1]。元件各處產生的載子，其收集機率示於圖 9.1(b)。載子收集不是最佳，因此，電流輸出比其他結構小。

第二種元件結構是圖 9.2 所示的前表面場電池。採用這種結構 [9.2]，兩個電極可同時從背面引出。這避免了傳統頂部電極的陰影損失，並使電池較容易互相連接。然而，所需要的技術更為複雜。這種電池的厚度必須比少數載子擴散長度薄，以得到最大的電流輸出。這對大面積電池來說，處理上是有困難的。

第三種結構是使接面垂直於電池的照光表面，即垂直接面電池。圖 9.2(b) 的垂直型多接面（vertical multijunction,VMJ）電池是實現這種結構的最切實可行的做法，利用各向異性（anisotropic）腐蝕 [9.3] 在電池上腐蝕出深槽，接著進行擴散，同時得到平行接面和垂直接面。這些垂直接面確保了電池深處產生的載子能夠被收集。垂直接面的間距相當於擴散長度時效果最好。雖然，擴散長度愈短，所需的結構尺寸愈精細。但是，從原理上說這樣的結構更能容忍小的擴散長度。

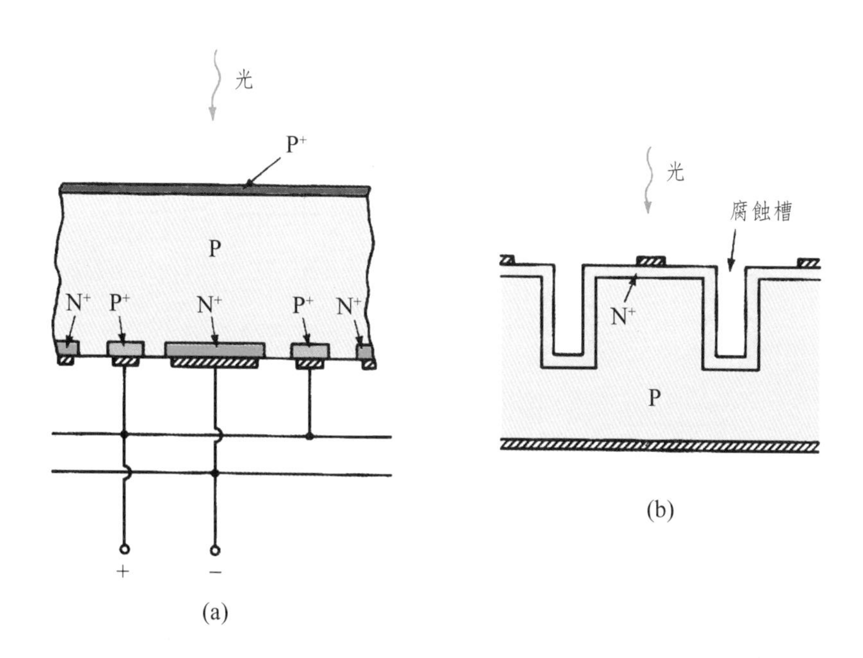

圖 9.2 ☼ 其他同質接面太陽電池結構。**(a)** 前表面場電池；**(b)** 垂直型多接面電池

9.3 半導體異質接面

在半導體異質接面中，接面兩側的材料都是半導體，但卻是不同的半導體。

在 4.2 節中藉由假想的實驗，即將獨立的 p 型區和 n 型區併接在一起而導出了同質接面的能帶圖。再將這個方法用於異質接面情況，獨立的兩個半導體能帶圖示於圖 9.3(a) 中。三個重要的參數是功函數（work function），也就是從半導體費米能階移去一個電子所需要的能量、電子親和力（electron affinity），也就是從導電帶邊的能階移去一個電子所需要的能量，以及半導體

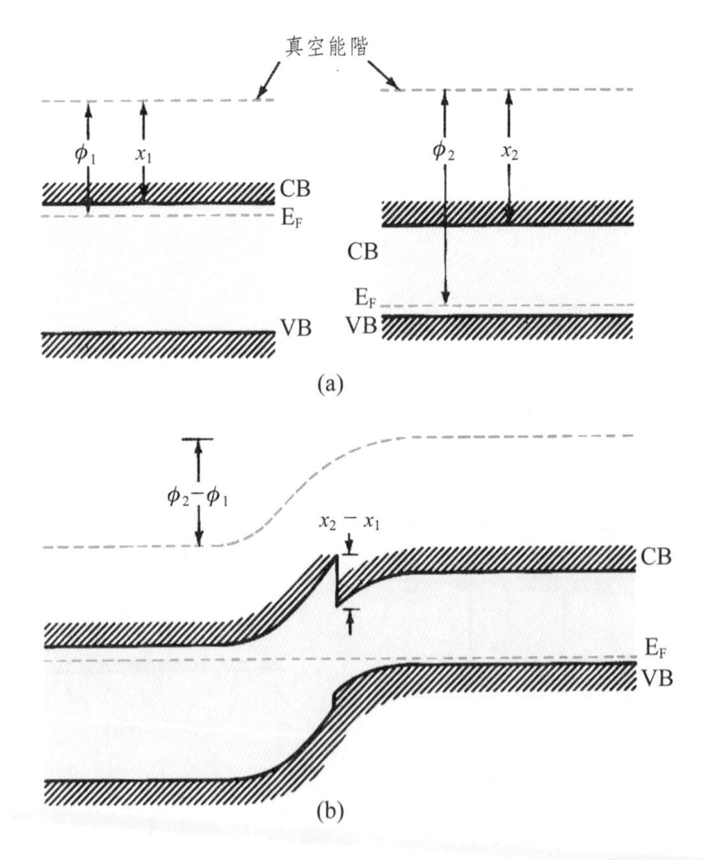

圖 9.3 **(a)** 獨立的兩個不同半導體（一個摻雜 p 型，另一個摻雜 n 型）的能帶圖；**(b)** 假想將這兩部分連接所形成的異質接面的能帶圖

能隙。在兩個獨立的半導體中，不僅摻雜程度不同，而且電子親和力、功函數和能隙也不同。當這兩種材料在熱平衡狀態下連接在一起時，整個系統的費米能階必須是不變的，如圖 9.3(b) 所示。因此，元件的兩部分之間必將建立起靜電位勢，其大小等於兩部分功函數之差。這個電位勢的空間分佈，可以用第四章中同質接面所採用的方法，依據接面兩邊過渡區中所儲存的電荷計算出來。此外，在接面附近的導電帶邊將有一個不連續點，其能量差等於兩部分電子親和力之差，在價電帶邊也有一個對應的不連續點，其能量差取決於兩部分能隙之差，如圖 9.3(b) 所示。與同質接面電場不一樣，在理想介面兩邊位移向量（$\epsilon\xi$）是連續的。

在太陽電池運作中，不希望有像圖 9.3(b) 那樣的導電帶尖峰。利用 4.1 節介紹的太陽電池不對稱性概念，n 型區對電洞具阻擋作用，p 型區則對電子具有阻擋作用。圖 9.3(b) 中 n 型區導電帶中的尖峰具有阻擋電子從 p 型區流向 n 型區的作用。因此，尖峰將使 p 型區對光電流難以做出貢獻。電子親和力和摻雜程度的適當搭配能夠避免這樣的尖峰 [9.4]。

對於只有小的尖峰或根本無尖峰的理想情況，異質接面電池的最大效率受能隙較小材料的理想效率限制。之所以考慮異質接面乃是基於實用，而不是因為固有的效率優點。

到目前為止，還未論及很重要而實際上需考慮的問題。對傳統的同質接面來說，接面兩邊晶體結構相同，而且沿整個接面是連續的。對異質接面來說，這是不可能的，因為兩種半導體的晶體結構有很大差別。從圖 9.4(a) 很容易看出，將形式相同但晶格常數不同的兩種晶格連在一起時，所得到的晶格結構中就會出現缺陷。缺陷密度取決於晶格間不匹配（mismatch）的程度。如圖 9.4(b) 所示，晶格中的缺陷將在禁帶中產生允許能階。這些允許能階位於空乏區中，因此是十分有效的復合中心。同時還能夠為電流從接面的一邊傳輸到另一邊的量子力學穿隧過程（quantum mechanical tunneling process）提供場地。在任何情況下，這些允許能階都會降低太陽電池性能。為製作接近理想特性的異質接面，最重要的是在接面兩邊採用晶格結構幾乎相同的半導體。

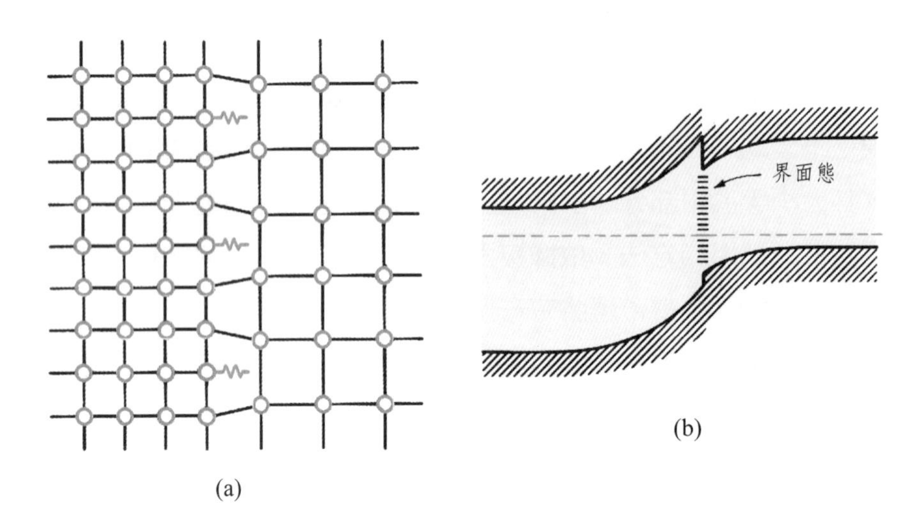

圖 9.4 (a) 不同晶格常數的兩種晶格間，介面處不匹配所引起的缺陷；
(b) 由這種不匹配在禁帶中引起的缺陷態

9.4 金屬—半導體異質接面

當金屬和半導體接觸時，正如在半導體異質接面中一樣，由於功函數不同，在介面區將出現電位降。由於金屬和半導體中電荷載子（charge carrier）數量上的差別，所有的電位降基本上都出現在接面的半導體側，如圖 9.5(a) 中所示。和 *p-n* 接面的情況一樣，這將在介面處產生一個空乏區。從金屬對空乏區靜電性質影響的觀點來看，金屬具有類似於重摻雜半導體材料的作用。

具有這種空乏區的金屬一半導體接觸稱作蕭特基二極體（Schottky diode）。此二極體具有整流和太陽光電雙重性質。半導體區中少數載子的情況，基本是和 *p-n* 接面二極體情況相同。例如，未照光時，空乏區邊緣處的過量少數載子濃度與外加電壓呈指數關係，進入體內則呈指數下降（4.4 節和 4.6 節）。少數載子電流對二極體總電流有類似的貢獻。對 *n* 型半導體，

$$J_{0h} = \frac{q\,D_h\,n_i^2}{L_h\,N_D}\left(e^{qV/kT} - 1\right) \tag{9.1}$$

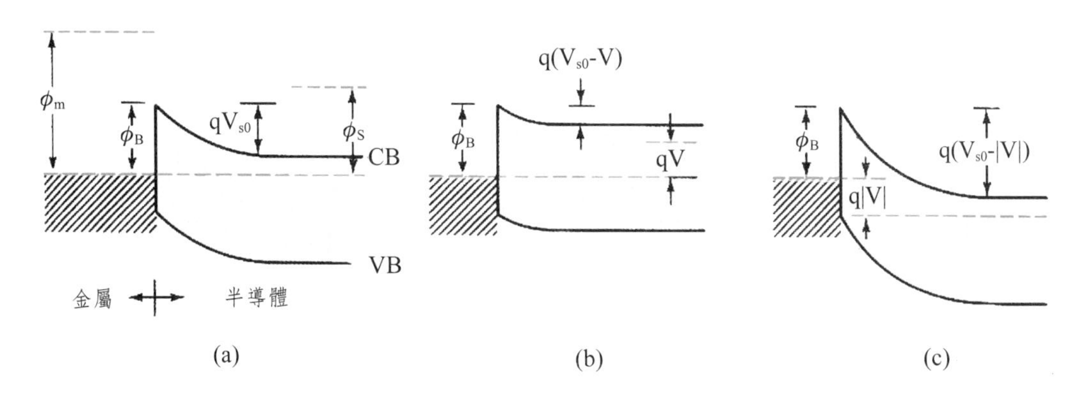

圖 9.5 金屬一半導體異質接面的能帶圖。**(a)** 零偏壓；**(b)** 順向偏壓；**(c)** 逆向偏壓

對金屬和半導體之間多數載子流的唯一阻礙是介面處的空乏區電位勢障。如圖 9.5(b) 和 (c) 所示，這個電位勢障的高度隨外加電壓而改變。由此可得到由下式 [9.5] 決定電流的熱離子放射（thermionic emission）分量：

$$J_{0e} = A^* T^2 e^{-q\phi_B/kT} (e^{qV/kT} - 1) \tag{9.2}$$

其中，A^* 是有效理查遜（Richardson）常數（～ 30 到 120 $A/cm^2/K^2$）。這個分量的大小首先取決於介面處的電位勢障高度 ϕ_B。如圖 9.6(a) 所示，電流中的多數載子分量通常比少數載子分量大得多。從太陽光電能量轉換的觀點來看，這個額外電流分量是不希望有的，因為它將增加二極體暗飽和電流，因而減少開路電壓。圖 9.6(b) 顯示這一點。因此，電位勢障 ϕ_B 愈大，則元件性能愈好。

看起來，似乎只要選擇金屬的功函數，使得在金屬一半導體介面處產生一個很高的電位勢障就能解決這個問題。然而，實驗發現，對許多半導體來說，所產生的電位勢障的大小與金屬的功函數無關。這是因為晶格不匹配和半導體表面可能的污染，使得金屬一半導體交界處存在大量的介面態的緣故 [9.6]。這些介面態具有箝制表面區電位的作用。

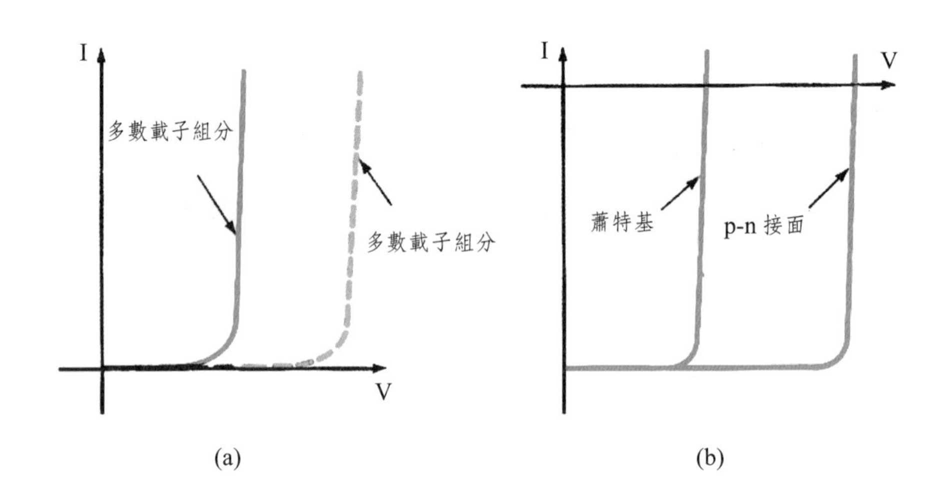

圖 9.6 (a) 未照光時蕭特基二極體的兩個電流分量；(b) 蕭特基元件和 *p-n* 接面元件照光特性的比較

雖然蕭特基二極體因為不需要形成 *p-n* 接面而能很容易製作，但它們的性能將受到「寄生」電流的限制，這種電流比上述 *p-n* 接面的電流分量來得大。

9.5 實用的低電阻接觸

從 9.4 節知道，藉由選擇適當的金屬難以控制金屬－半導體交界面的位障（barrier）大小，因而出現了這樣的問題：即怎樣才能在金屬和半導體之間製造一個非整流或低電阻接觸？如果檢視了與整流接觸有關的空乏區寬度，就可得到答案。隨著半導體中摻雜濃度的增加，空乏區的寬度將減小。

金屬與重摻雜的半導體間的接觸示於圖 9.7 中。空乏區變得非常薄，以致載子能藉由量子力學穿隧過程而穿越禁區 [9.7]。實質上這是由於電子的波動性，使得電子能穿越這種區域。因此，雖然在表面有一個位障，載子仍能穿過金屬和半導體之間的介面，彷彿這個很薄的位障不存在一樣。這樣就可得到一個好的低電阻接觸。

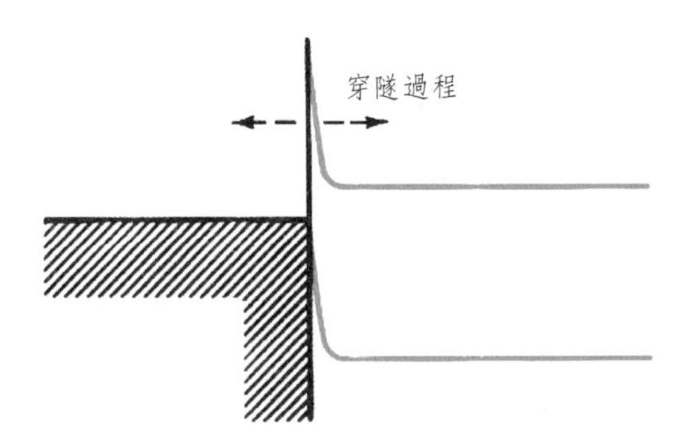

圖 9.7 金屬和重摻雜 *n* 型半導體之間的接觸。在半導體區中的位障很薄，載子藉由量子力學穿隧過程而能直接穿過。

因此，為電池的重摻雜擴散層製備一個好的低電阻接觸是不困難的。對輕摻雜基板區的電性接觸可以用合金的方法製造，經由合金製程（alloying），在介面附近將產生一個重摻雜區。另一種情況，在「剛鋸過」而高度損傷的非理想表面，也具有防止整流的作用。

9.6 MIS 太陽電池

先前已經看到，金屬－半導體接觸對許多半導體來說並不理想，這些半導體交界電位勢障，並不像簡單的理論所認為的受到金屬的功函數那樣強烈地影響。這種非理想狀態如圖 9.8(a) 所示，可以藉由在金屬和半導體之間導入一層薄絕緣層面而消除。在這樣的金屬－絕緣體－半導體（MIS）元件中，極端的金屬功函數能在半導體中產生極端的效應。

例如，如圖 9.8(b) 的 *p* 型元件來說，低的金屬功函數會在半導體表面產生一個很高的電位勢障。如果這個絕緣層很薄，則載子藉由量子力學穿遂效應將能穿過它。藉著這個過程，流過絕緣體的電流隨絕緣層厚度的減薄而指數增加。那麼，由方程式（9.2）得到的電流暗熱離子放射分量的運算式可改為

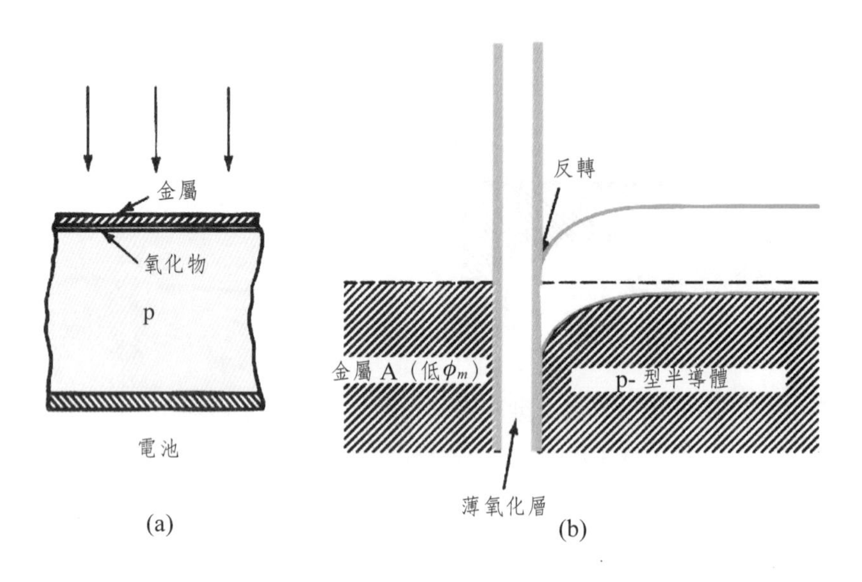

圖 9.8 **(a)** 金屬—絕緣體—半導體結構示意圖；**(b)** 對應的能帶圖

$$J_{0h} = P_h A^* T^2 e^{-q\phi_B/kT} (e^{q(V_{S0} - V_S)/kT} - 1) \quad (9.3)$$

其中，V_S 是半導體表面處的電位勢；V_{S0} 是熱平衡狀態時半導體表面電位勢值；P_h 是粒子的穿隧機率。薄絕緣層還將減少少數載子在金屬和半導體之間的最大流通速率。然而，只要薄絕緣層不太厚（一般小於 20 Å），那麼這些載子的傳輸將由於穿過半導體時傳輸速率較小而受到限制。在這種情況下，少數載子的狀況和在 *p-n* 接面二極體中的相同，對應的暗電流由下式獲得（4.6 節）：

$$J_{0e} = \frac{qD_e n_i^2}{L_e N_A} (e^{qV/kT} - 1) \quad (9.4)$$

比較蕭特基元件和 MIS 元件電流的兩個分量相對大小，可以看出，MIS 元件中電流的熱電子放射分量大為降低。其原因是：能得到較大的 ϕ_B 值；P_h（穿隧機率）比 1 要小很多；式（9.3）中的（$V_{S0} - V_S$）比外加電壓 V 小，由圖 9.6 可見，這種電流的降低將增加電池的開路電壓。

最後結果示於圖 9.9。在 MIS 太陽電池的情況下，電流的熱離子放射分量已降到很低，以致於總電流主要由利用式（9.4）得到的 *p-n* 接面型的電流所貢獻。因此，雖然結構上大不相同，但是能製造出在電學上相當於理想 *p-n* 接面二極體的 MIS 元件 [9.8]。

在蕭特基和 MIS 兩種太陽電池中，頂部金屬層兼具作為電極和形成電位勢障兩種作用。由圖 9.8(a) 很容易看出，必須找到某種使光線能穿過這層金屬的方法。圖 9.10 中示出了兩種方法。一種是用足夠薄（< 100 Å）的金屬層以便該層對光而言基本上是透明的。此薄金屬層的片電阻高，因此，如圖所示，需要較厚的電極柵線。第二種方法是採用基本上和傳統電池頂部電極相同，但要細得多的柵線結構。在柵線之間吸收的光，所產生的載子在復合之前就很有可能到達附近的柵線。如果能沿表面靜電感應一層少數載子 [9.9]，情況還可以獲得進一步改善。第三種方法是採用如氧化錫、氧化銦、氧化鋅或氧化鎘這類的透明導體作為頂部電極。這些電極用的氧化物實際上是重摻雜半導體。因此，所得到的結構稱為半導體一絕緣體一半導體（SIS）太陽電池 [9.10]。這樣的 SIS 元件接近於 9.3 節的半導體異質接面。

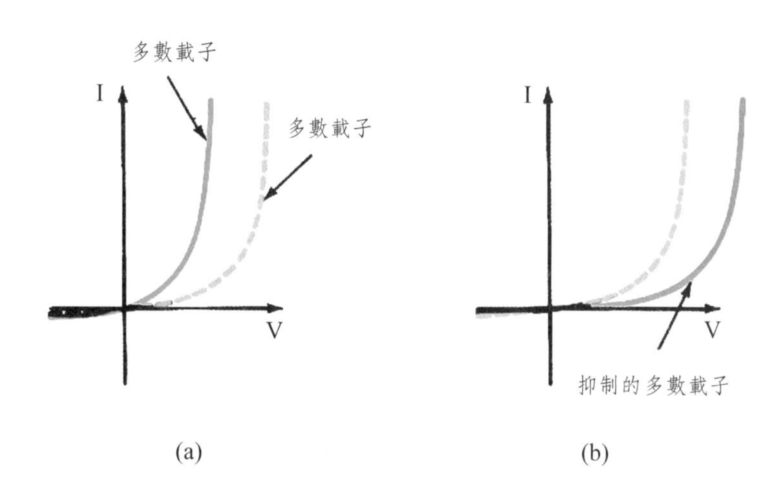

圖 9.9 (a) 蕭特基太陽電池和 (b) 最佳設計的 MIS 太陽電池的暗特性比較

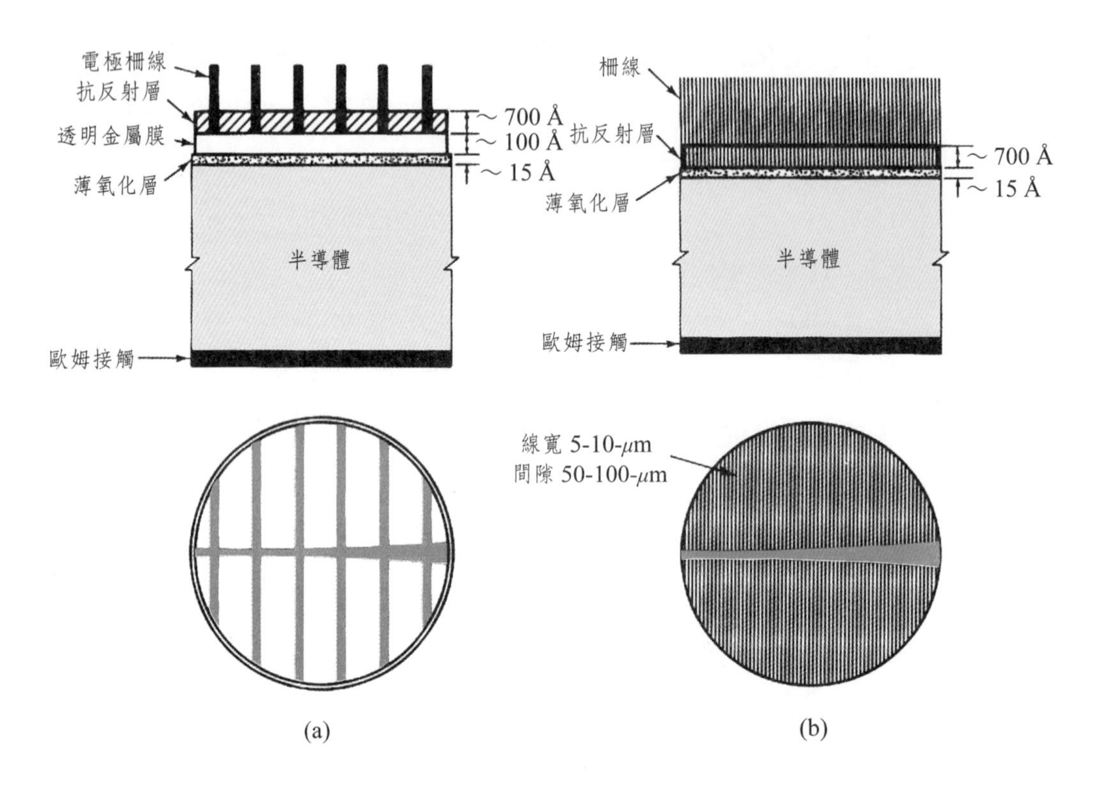

圖 9.10 ☼ **MIS** 太陽電池頂部接觸的兩種設計方法：**(a)** 透明金屬結構；**(b)** 密柵結構

MIS 方法的主要優點是完全省卻了製作接面所需的高溫擴散製程，這樣就能保持矽材料的原始特性，並避免了有關擴散層的缺點，在 8.7 節中已經看到，這些缺點限制了矽太陽電池開路電壓的上限。據文獻指出，採用密柵型 MIS 方法的矽太陽電池有很高的開路電壓 [9.8]。由於電流輸出都相差不大，而填滿因子有較大的潛力，因此 MIS 電池的潛在效率優於擴散技術製作的電池，其優勢主要在於高的輸出電壓值。

9.7 光電化學（photoelectrochemical）電池

9.7.1 半導體－液體異質接面

如果半導體與電解液接觸，像本章討論的其他異質接面那樣，在半導體表面將產生電位勢障。製造這樣的半導體－液體異質接面需要的元件製程最少，儘管如此，其能量轉換效率卻有超過 12% 的記錄 [9.11]。這種方法的主要問題是在這樣的工作方式下，半導體很容易因照光而加速腐蝕 [9.12]。

當搭配用來導電的輔助電極（counter electrode）時，這種「光電電池（photo-electrical cells）」能夠用來發電或經由光電解（photoelectrolytic）將水分解而產生氫。

9.7.2 電化學太陽電池

在這類元件中，液體中含有一種具有氧化態（oxidized state）和還原態（reduced state）的物質。如果這種物質接受一個電子，它就從氧化態變成還原態。相反地，如果失去一個電子或接受一個電洞，它就被氧化。這種物質稱作氧化還原對（redox couples）。

在電化學太陽電池中，電解液中氧化還原對的能階，理論上是位於半導體中少數載子能帶邊的能階附近。圖 9.11(a) 示出了在有金屬輔助電極的 n 型半導體情況下，電化學太陽電池的能帶圖。

照光下，半導體中產生的少數載子－電洞，將朝向與電解液的交界面移動。如圖 9.11(a) 所示，電洞將穿過交界面到達氧化還原對的還原態而使它們氧化：

$$\text{Red} + \text{p}^+ \rightarrow \text{Ox}^+ \tag{9.5}$$

在輔助電極上，電子從金屬移到氧化還原對的氧化態，使它們還原：

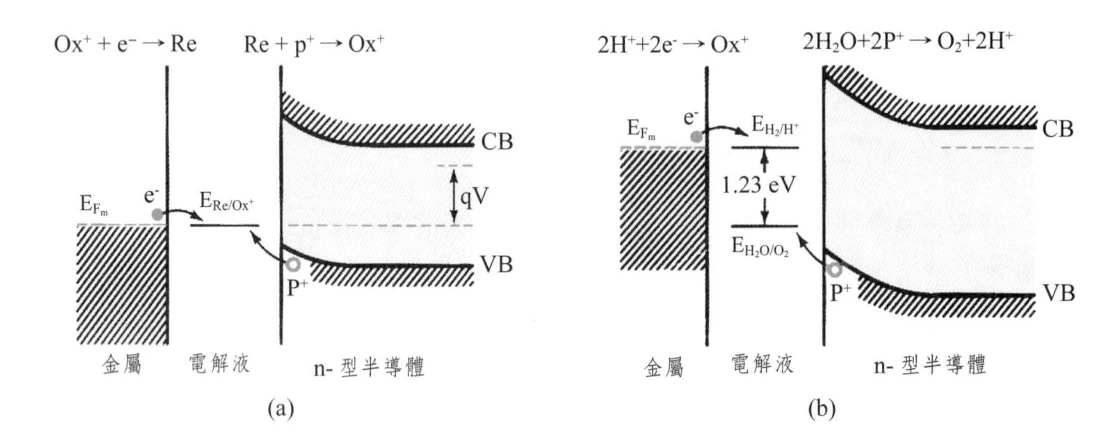

圖 9.11 (a) 照光下電化學太陽電池的能帶圖，電解液中的氧化還原對能階使電荷可以在金屬和半導體價電帶之間移動；(b) 照光下光電解電池的能帶圖，電池工作在金屬與半導體背面外短路的理想情況下。

$$Ox^{+} + e^{-} \rightarrow Red \tag{9.6}$$

如果在電池的兩端連接一個負載，構成一個完整的電路，那麼像傳統的太陽電池一樣，將對負載供電。

這類電池中的電解液僅用來在金屬和半導體之間傳送電荷。正如參考文獻 9.13 所進一步討論的，這種元件結構與 9.6 節的 MIS 結構很類似。

9.7.3 光電解電池

這種電池非常類似於 9.7.2 節中介紹的電池，藉由光電解（photoelectrolysis）也能產生化學燃料。藉由水的光電解，產生的最普通燃料是氫。

對 n 型半導體而言，反應過程如 9.7.2 節所述。氧化反應在半導體—電解液交界面附近的電解液中發生。還原反應在輔助電極附近發生。與 9.7.2 節所介紹的情況不同之處，在於每個電極處參與反應的物質是不同的。對水分解的情況來說，在半導體電極的反應是 [9.14]

$$H_2O + 2\,p^+ \rightarrow \frac{1}{2}\,O_2 + 2\,H^+ \tag{9.7}$$

在輔助電極則是

$$2\,H^+ + 2\,e^- \rightarrow H_2 \tag{9.8}$$

如圖 9.11(b) 所示，與這些反應有關的狀態間之能量差是 1.23 eV。這就決定了反應所需的半導體之能隙下限。在這種運作模式下，能隙遠大於這個下限的半導體幾乎都被發現遭到腐蝕 [9.12]。

二氧化鈦（Titanium dioxide）是第一個被發現可以在這種以光電解模式工作的溶液中穩定工作的半導體。然而，它的能隙大（3 eV），因而只對紫外線照射產生響應。所以，太陽能轉換效率低（～ 1%）。這種材料吸收太陽光太少。實際上它已被用來作為一種「無吸收（non-absorbing）」的抗反射層，應用於某些市售矽太陽電池上！對於這種 TiO_2 元件，為使反應進行，需從外部電源供給小的偏壓（0.3 ～ 0.5 V）。現在正在尋求不需這種偏壓而穩定性好的小能隙材料。

9.8 | 結語

除了前面幾章介紹的淺同質接面以外，還有許多可能的太陽電池元件結構。本章已經敘述了一些可用的元件結構。兩種不同能隙半導體之間的異質接面，在效率上並未優於同質接面。但是，正如在第十章中將看到的，它有技術方面的優點。金屬－半導體異質接面製作很簡單，但是，由於存在附加的寄生電流分量，實質上其效率比同質接面低。然而，採用金屬－絕緣體－半導體（MIS）異質接面結構，就可減小甚至完全消除這個缺陷。

在液體和半導體之間形成的異質接面也有吸引人的太陽光電特性。在太陽光電運作模式下，具有相當效率的實驗室太陽電池已能很簡單地被製備出。以光電解模式工作時，太陽光通過常以儲氫方式直接轉換為化學能。只要能量轉換效率能大幅度提高並超過過去文獻所報告的數值，這種能量收集和儲藏相結合的模式就可能引起人們的興趣。

習題

9.1 (a) 室溫下，由材料 1 製造的同質接面太陽電池其典型暗飽的電流密度是 10^{-8} A/m^2，由材料 2 製造的電池，其對應的數值則是 10^{-11} A/m^2。這兩種材料中的哪一種有較小的能隙？

(b) 在這兩種材料之間形成 p-n 異質接面。假設在金屬接面處無電流限制峰，並且晶格相似，這樣，在此接面中幾乎沒有晶格不匹配，試以這個異質接面估算暗飽和電流密度。問哪一種材料對決定該電池的開路電壓最為重要？

(c) 問哪一種材料將限定異質接面中產生的電子—電洞對數目的上限，也就是短路電流的上限？

9.2 (a) 求出蕭特基二極體太陽電池在 300 K 時由越過金屬—半導體交界面處電位勢障的熱離子放射引起的暗飽和電流密度與藉由半導體內的少數載子擴散引起的暗飽和電流密度的比率。半導體是 n 型矽，300 K 時具有下列參數：$N_D = 10^{22}$ m^{-3}，$D_h = 0.001$ m^2/s，$L_h = 10^{-4}$ m，$n_i = 1.5 \times 10^{16}$ m^{-3}。交界面處的電位勢障高度是 0.8 eV，有效理查遜常數為 10^6 A/m^2/K^2。

(b)在明亮的陽光下（1 kW/m^2），如果電池短路電流為 300 A/m^2，試計算開路電壓的理想值及電池效率。

9.3 製造了一個類似習題 9.2 的蕭特基結構的 MIS 電池，假設藉由降低電流的熱離子放射分量的大小並使其遠低於少數載子的擴散分量，元件達到最佳性能，試計算開路電壓和效率，並與習題 9.2 的結果作比較。

9.4 在明亮的陽光下（1 kW/m^2），一個二氧化鈦光電解電池在二極體表面產生氫。電池需要 0.4 V 的偏壓以進行工作。由偏壓使電池獲得 7 A/m^2（電池面積）的電流。由氫獲得的功率是 1.48 I，其中 I 為電池電流，1.48 是氫燃燒熱的電壓當量。問該電池的陽光轉換效率是多少？

參考文獻

[9.1] F. A. Lindholm et al., "Design Considerations for Silicon HLE Solar Cells". *Conference Record, 13th IEEE Photovoltaic Specialists Conference, Washington*, D. C., 1978, pp. 1300-1305; also C. T. Sah et al., *IEEE Transactions on Electron Devices ED-25* (1978), 66.

[9.2] O. Van Roos and B. Anspaugh, "The Front Surface Field Solar Cell, a New Concept," *Conference Record 13th IEEE Photovoltaic Specialists Conference ,Washington, D. C.*, 1978, pp. 1119-1120.

[9.3] J. Wohlgemuth and A. Scheinine, "New Developments in Vertical Junction Silicon Solar Cells", *Conference Record, 14th IEEE Photovoltaic Specialists Conference, San Diego*, 1980, pp. 151-155.

[9.4] W. D. Johnston, Jr., and W. M. Callahan, *Applied Physics Letters 28* (1976), 150.

[9.5] S. M. Sze, *Physics of Semiconductor Devices* (New Yok: Wiley, 1969), p. 378.

[9.6] Ibid , p. 372.

[9.7] B. Schwartz, ed., *Ohmic Contacts to Semiconductors* (New York: Electrochemical Society, 1969) .

[9.8] M. A. Green, F. D. King, and J. Shewchun, "Minority Carrier MIS Tunnel Diodes and Their Application to Electron- and Photo-voltaic Energy Conversion: Theory and Experiment," *Solid State Electronics 17* (1974), 551-572; R. B. Godfrey and M. A. Green, "655 mV Open Circuit Voltage, 17.6% Efficient Silicon MIS Solar Cells," *Applied Physics Letters 34* (1979), 790-793.

[9.9] P. Van Halen, R. E. Thomas, amd R. Van Overstraeten, "Inversion Layer Silicon

Solar Cells with MIS Contact Grids," *Conference Record, 12th IEEE Photovoltaic Spcciaists Conference*, *Baton Rouge*, 1976, pp. 907-912.

[9.10] R. Singh, M. A. Green, and K. Rajkanan, "Review of Conductor-Insulator-Semiconductor (CIS) Solar Cells," *Solar Cells 3* (1981), 95-148.

[9.11] A. Heller, B. A. Parkinson, and B. Miller, "12% Efficient Semiconductor-Liquid Junction Solar Cell," *Conference Record, 13th IEEE Photovoltaic Specialists Conference, Washington* , D. C., 1978, pp. 1253-1254.

[9.12] H. P. Maruska and A. K. Ghosh, "Photovoltaic Decomposition of Water at Semiconductor Electrodes", *Solar Energy* 20 (1978), 443-458.

[9.13] S. Kar et al., "On the Design and Operation of Electrochemical Solar Cells", *Solar Energy* 23 (1979), 129-139.

[9.14] A. J. Nozik, "Electrode Materials for Photoelectrochemical Devices," *Journal of Crystal Growth 39* (1977), 200-209.

第 10 章
其他半導體

10.1 前言

前幾章主要關心的半導體材料是單晶矽。事實上，還有其他大量的半導體材料可以用來製造效率令人滿意的太陽電池 [10.1]。本章並不試圖一一列述這些材料，而是討論某些能用來取代單晶矽的新穎材料，以及以此材料製作的太陽電池之結構及性能。這有助於釐清使用更一般的材料時必須考慮的重要問題。

10.2 多晶矽（pc-Si）

通常，製備多晶矽比製備單晶矽的技術要求要低一些。為得到合格的太陽電池性能，製備多晶矽所用的矽原材料，其純度仍必須與製備單晶矽所用的相同。那麼，為了生產出較好的太陽電池，多晶矽還需具備哪些特性呢？

多晶矽電池的重要部位是位於晶粒間的晶粒邊界（grain boundary）。類似於 9.3 節中金屬－半導體異質接面的情況，在晶粒邊界的兩邊會形成靜電位勢障 [10.2]。這將阻止多數載子流動，其作用基本上相同於一個大的串聯電阻，多晶矽可以製成圖 10.1(b) 所示的圓柱狀晶粒結構，晶粒可從電池的正面延伸至背面。這種結構優於圖 10.1(a) 所示的細小晶粒結構。由於存在晶體結構缺陷，晶粒邊界在半導體材料的禁帶中引入了允許能階，形成非常有效的復合中心。因此，可以將其視為少數載子的「陷阱」。正如太陽電池中，在距接面一個擴散長度內所產生的少數載子可以被接面收集，在晶粒邊界大約相同的距離內產生的少數載子也可被晶界吸引並復合掉。這些載子對電流輸出並無貢獻。因此，為了防止電流輸出損失太大，多晶材料晶粒的橫向尺寸必須大於少數載子擴散長度 [10.3]。晶粒邊界的另一個有害影響是它們為流通過 *p-n* 接面的電流提供了旁通路徑。這種導電的路徑也許是在由於在接面製造過程中，摻雜雜質沿著晶粒邊界優先擴散（preferential diffusion）而產生的，如圖 10.1(c) 所示。晶粒邊界附近高密度的沉澱物也增加了這種旁通作用。

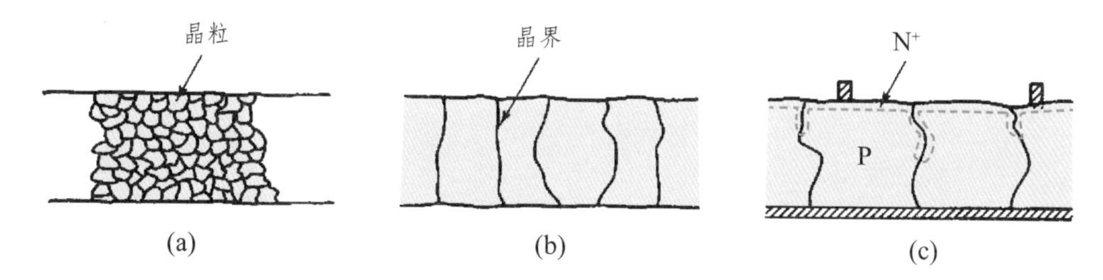

圖 10.1 (a) 細小晶粒多晶材料；(b) 圓柱形晶粒延伸過矽片厚度的多晶材料；(c) 在電池生產過程中，摻雜的雜質經由優先擴散（**preferential diffusion**）作用進入晶粒邊界。

矽是一種對光微弱吸收的間接能隙半導體（3.3.2 節），為了獲得好的太陽電池特性，需要有大的擴散長度，約為 0.1 mm。要想使由於在晶界處復合引起的光電流損失小些，晶粒的橫向尺寸必須比擴散長度大得多，約為幾個 mm。由於電池厚度通常只有零點幾 mm，這樣大的晶粒尺寸使如圖 10.1(b) 所示的圓柱形晶粒比較容易得到。此外，電池單位面積晶界的總長度隨晶粒尺寸的增加而減小，這也降低了由晶界引起的旁路影響的重要性。

這種大晶粒比通常所說的多晶材料的晶粒大得多，因而用術語「半晶（semicrystalline）」稱之更為合適。圖 10.2 是從這種材料的立方錠切得的一片半晶矽晶圓的照片。利用這種材料在 1976 年已經製造出效率大於 10% 的太陽電池 [10.4]。後來有文獻指出，用大晶粒材料製造的電池之效率已超過 14%[10.5]。這種半晶矽製作的太陽電池模組現在市場上已有出售。

10.3 | 非晶矽

製備非晶矽所要求的條件，原則上比製備多晶矽更低。非晶矽材料與晶體材料不同之處，在於其原子結構排列不是長程有序。例如，非晶矽的矽原子通常與其他四個矽原子連接，連接鍵的角度和長度通常與晶體矽相類似，但小的偏離迅速導致長程有序的排列完全喪失。

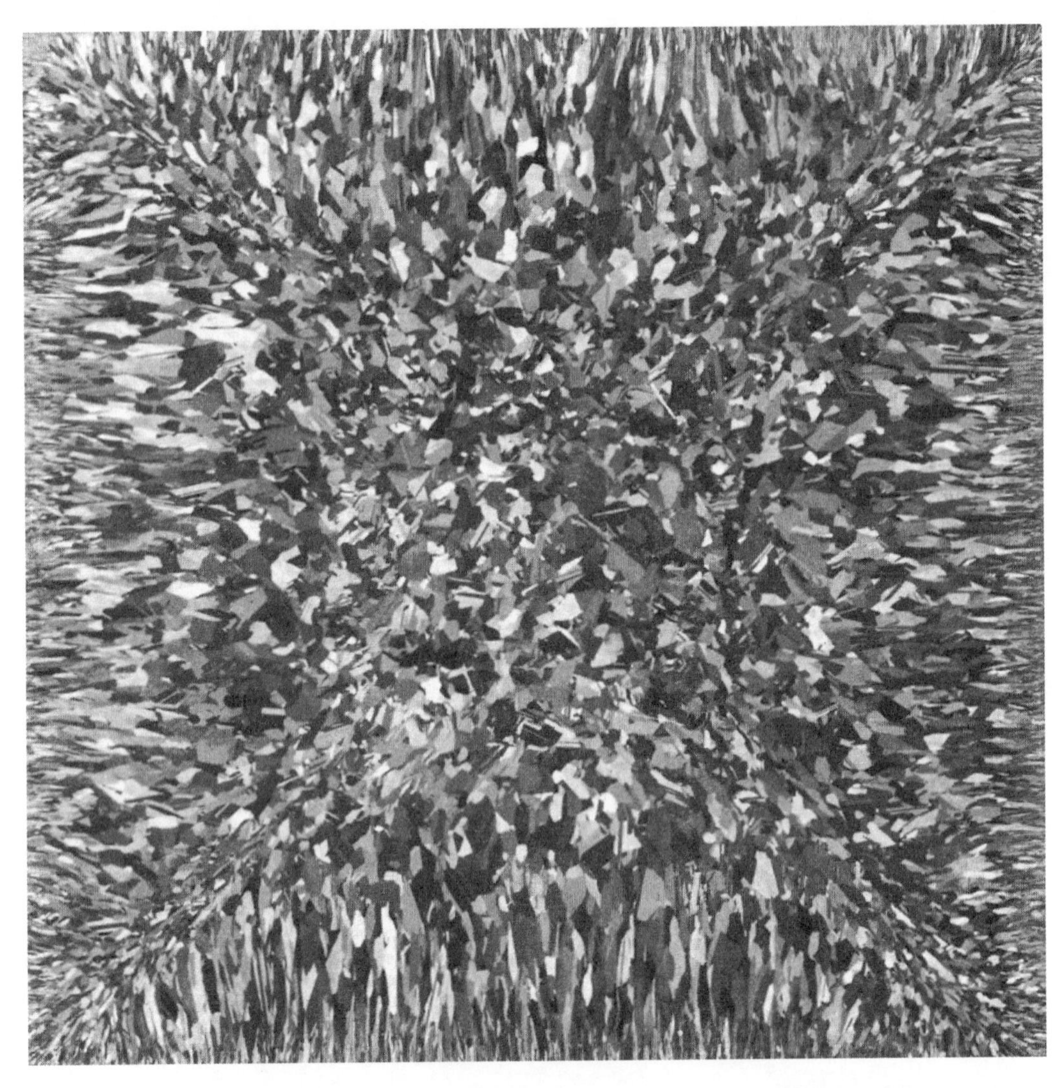

圖 10.2 由鑄造技術製造的矽晶錠切取的 **10×10 cm²** 多晶矽晶圓。用這種矽晶圓通常可生產出效率為 **10%** 的太陽電池

非晶矽本身並不具有任何重要的太陽光電性質。缺少週期性束縛力，則矽原子很難與其他四個原子鏈結。這使材料結構中由於未滿足(unsatisfied)或「懸(dangling)」鍵而出現微孔（microvoid)。再加上由於原子的非週期性排列，增加了禁帶中的允許態密度，結果就不能有效地摻雜半導體或得到適宜的載子存活期。

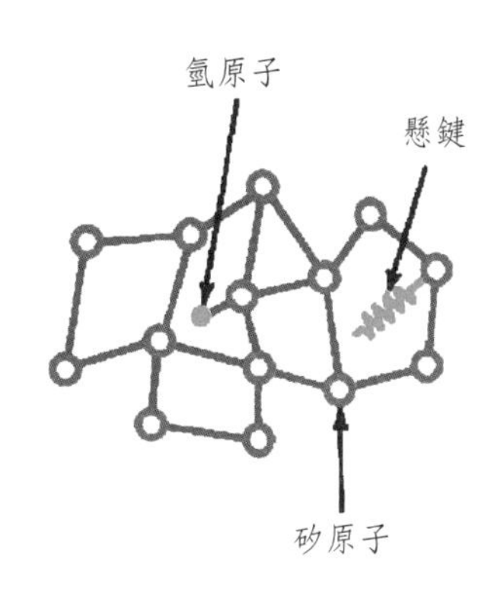

圖 10.3 ☼ 非晶矽結構示意圖。圖中顯示懸鍵如何產生及如何被氫鈍化（**passivated**）

然而，在 1975 年文獻報導了由輝光放電分解矽烷（Silane, SiH_4）產生的非晶矽膜可以加以摻雜而形成 *p-n* 接面 [10.6]。這種膜中含有氫（SiH_4 分解時所產生的），氫在材料總原子數中占相當的比例（5 ～ 10%）。一般認為氫的作用是如圖 10.3 所示地填補了膜內部微孔中懸鍵及其他結構缺陷。這就減少了禁帶內的態密度，並允許材料進行摻雜。

1976 年已報導了用這種方法製備的非晶矽一氫合金（a-Si:H alloy）太陽電池的效率為 5.5%[10.7]。該電池是採用 MIS 結構，雖然面積非常小，卻已引起人們注意到此方法的可能性。後來製作了效率相近，但面積大得多的 *p-n* 接面及 MIS 元件 [10.8]。a-Si:H 合金的能隙遠大於晶體矽的能隙，而且光吸收能力也強得多。這意味著厚度約為 1 μm 等級的薄膜即可符合光吸收的要求。這種膜可以沉積在各種基板上，摻雜程度可在沉積過程中藉由含有所需摻雜劑的小量氣體來控制。結果顯示這種材料的少數載子擴散長度非常小，遠小於 1 μm。因此，空乏區為電池的大多數載子的收集區。電池本體區的串聯電阻會是個問題。但是，當電池受光照射時，電阻將因為光電導效應（photoconductive effect）而減小，這可以在某種程度上使前述問題獲得補償。

因為電池是如此容易沉積，所以在同一基板上形成幾個內部互連的電池並不困難。這個優點可以使單個電池的尺寸保持很小，因而電極無需做成柵線形狀 [10.9]。用非晶矽製作的首批商用產品在 1980 年問世。如圖 10.4(a) 所示，它

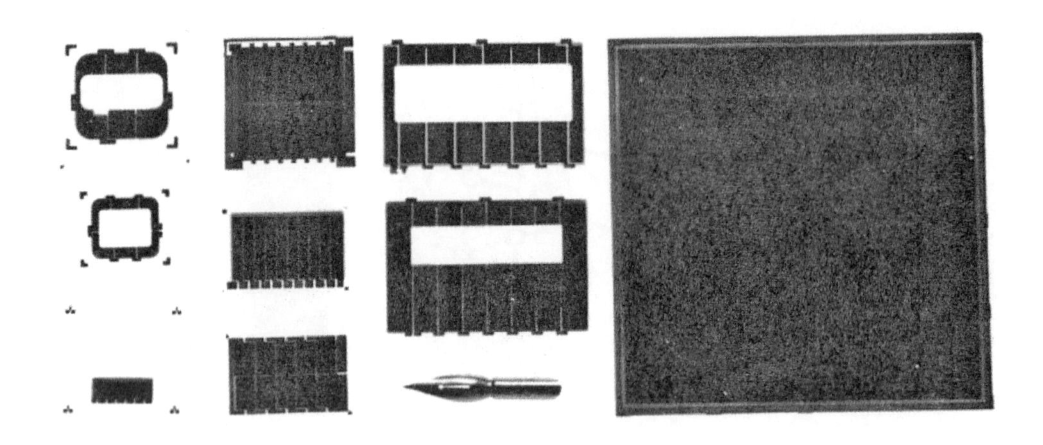

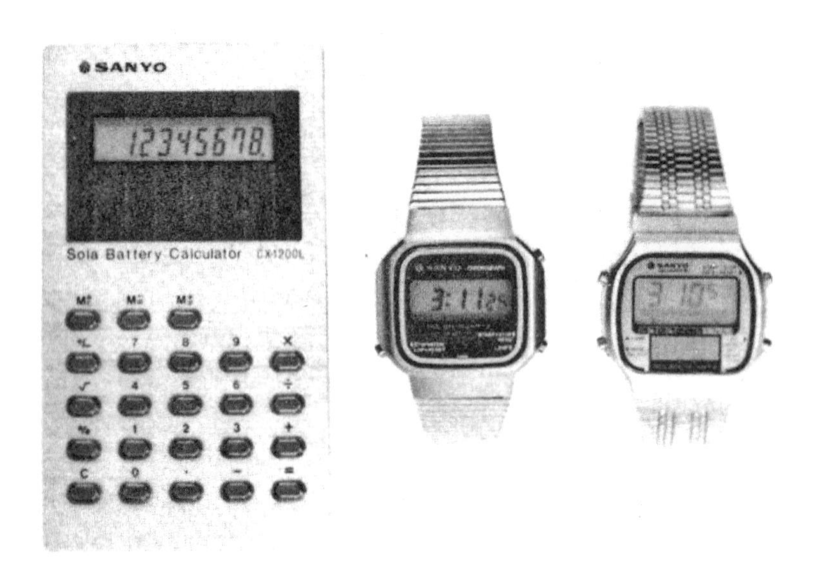

圖 10.4 ☼ **(a)** 為應用於消費性產品而設計的第一個商用非晶矽太陽電池模組；**(b)** 由這種元件供電的計算機和手錶。(以上照片承蒙三洋電機公司提供)

們由在同一基板上的幾個小電池互連而成。這些電池為圖 10.4(b) 所示的消費性產品提供需要的電壓和電流。這種電池在陽光下的效率超過 3%，而在室內螢光下與單晶矽電池的性能大致相當。世界上許多實驗室正在對非晶矽材料進行研究，以滿足室外應用的要求。

在這方面有一種研發方向是採用摻有氫和氟的非晶矽層 [10.10]。這種 a-Si:F:H 合金已藉由在有氫的環境中輝光放電分解 SiF_4 生成。據文獻指出，這種方法能得到好的太陽光電特性，特別是減少了禁帶中的態密度 [10.10]。

10.4 | 砷化鎵太陽電池

10.4.1 GaAs 的特性

砷化鎵（GaAs）是化合物半導體（compound semiconductor）的一個例子。它的結晶結構與矽類似（圖 2.3），只是相鄰的原子不同（不是 Ga 就是 As）。砷化鎵也是直接能隙半導體(3.3.1 節)，這意味著進入材料的陽光很快被吸收，也意味著少數載子存活期及擴散長度比矽的短得多。這些差別導致電池的設計原則也有所不同。

由於市場上對可用於製作發光二極體（light-emitting diode）及半導體注入型雷射（semiconductor injection laser）的砷化鎵材料產生興趣，所以砷化鎵製備技術得以迅速發展。這種技術的一種方式是利用 GaAs 和 AlAs 合金。AlAs 是間接能隙半導體（$E_g \approx 2.2$ eV），其晶格常數與 GaAs 幾近相等（僅 0.14% 不匹配）。GaAs 和 AlAs 形成的合金通常可寫成 $Ga_{1-x}Al_xAs$，其晶格常數和能隙介於 GaAs 和 AlAs 之間。由於晶格常數的良好匹配，GaAs、AlAs 及二者的合金之間形成的異質接面之介面態密度較低，因此具有接近於理想的特性。這就增加了設計太陽電池元件的靈活性。

由於這種材料有接近理想的能隙（圖 5.2）及先進的技術，所以 GaAs 電池是太陽電池中效率最高的。在 AM1 陽光下，地面 GaAs 太陽電池的效率超過 22%，大大高於矽電池的效率值 18%。然而，用 GaAs 做太陽電池材料也有一些缺點。鎵的資源有限 [10.11]，將使得 GaAs 永遠是貴重材料，但是，這一點因 GaAs 太陽電池很適合於聚光系統而得到彌補（第 11 章）。如此一來，對於一個特定的功率輸出來說，所需要的材料量可以減少。GaAs 是直接能隙材料也就意味著進入材料的光會很快被吸收。因此，這一層只需幾個 μm 厚即可，這就進一步減少了對材料的需求。第二個缺點是砷的毒性。使用由毒性材料製造的大型太陽電池系統時，應仔細調查其對環境的影響 [10.12]。

10.4.2 GaAs 同質接面

因為光進入像 GaAs 這樣的直接能隙半導體中會迅速地被吸收，所以傳統的同質接面結構中，高表面復合速率的問題比矽更嚴重。因此，1978 年以前記載的 GaAs 同質接面電池的效率只達到中等水準。

在矽電池中，為了減少表面復合的影響，所採用的方法是把同質接面的頂層減薄到相當於光子吸收的平均深度（6.2.2 節）。同樣的方法也適用於 GaAs，當然此層必須比矽薄一個數量級。據文獻指出，圖 10.5(a) 所示 $N^{+}PP^{+}$ 結構的太陽電池效率已達 20% 以上，其頂部 N^{+} 層的厚度僅 450 Å [10.13]。

GaAs 電池的製造技術與先前描述的傳統矽電池製造技術不同。不是用將雜質擴散進入 GaAs 的方法形成摻雜層，更常見的做法是用化學方法形成具有所需雜質濃度的摻雜層。附加到元件上的這些層延續了基板的晶體結構，故稱「磊晶層（epitaxial layers）」。這些磊晶層是藉由在含有欲沉積材料的氣相或液相化學物質的環境中加熱基板形成的。

圖 10.5(a) 所示結構的形成過程是由重摻 P^{+} 基板開始，磊晶生長幾個 μm 較輕摻雜 p 型層，然後再製作一薄的重摻雜 N^{+} 層。將此層的一部分進行陽極氧化以形成抗反射層，這有助於使該層的表面復合速率減至最小 [10.13]。

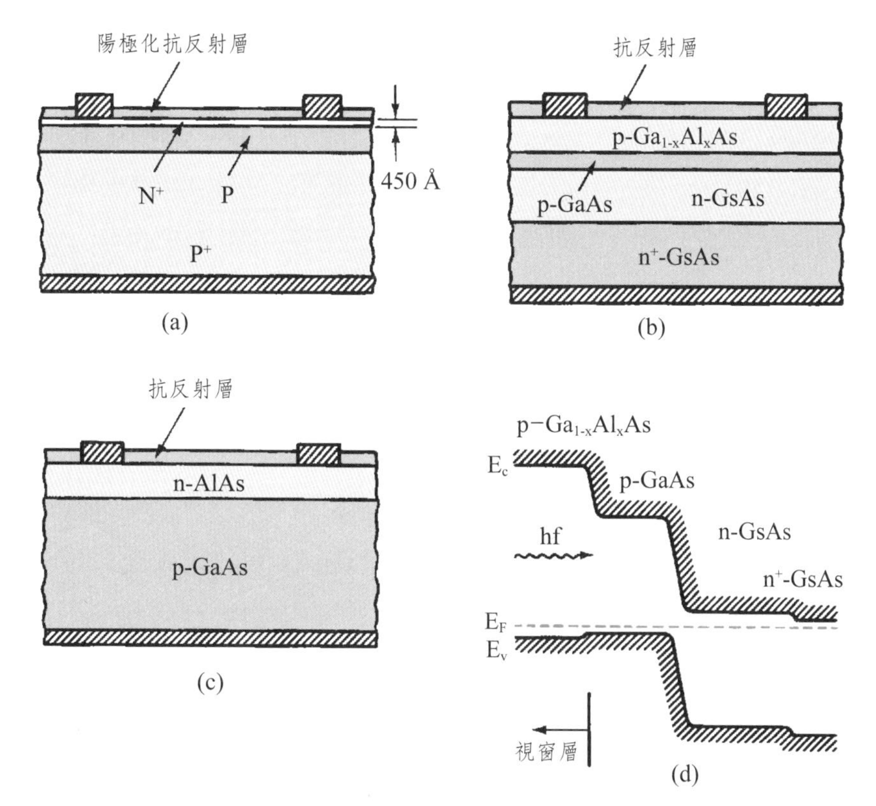

圖 10.5 **GaAs** 太陽電池不同設計方法的示意圖。**(a)GaAs** 同質接面；**(b)$Ga_{1-x}Al_xAs$/GaAs** 異質介面電池；**(c)AlAs/GaAs** 異質接面；**(d)(b)** 中所示的異質介面電池對應的能帶圖

10.4.3 $Ga_{1-x}Al_xAs$/GaAs 異質介面電池

直接能隙 GaAs 材料表面復合速率大，用來克服這個缺點的一個方法是採用如圖 10.5(b) 所示的異質介面（heteroface）結構。因為 GaAs 與其 AlAs 合金的結構十分接近，這就可能在同質接面電池的表面形成一個 $Ga_{1-x}Al_xAs$/GaAs 磊晶層。假若參數 x 大約等於 0.8，這一層將有較大能隙，陽光通過該層時幾乎不被吸收。它的作用基本上相當於「視窗層（window layer）」，如圖 10.5(d) 所示，陽光可透過它而到達下面的電池。因為與基板的晶格匹配較好，所以在異質介面引起的介面態很少，視窗層也具有鈍化下面 GaAs 表面的作用。

這種結構已得到迄今文獻所刊載的單一電池的最高效率，在陽光下，地面電池的效率值超過 22%[10.14]。其製程步驟是，採用 n 型 GaAs 做初始基板，用液相（liquid phase）磊晶法在其上面生長一層 p 型 $Ga_{1-x}Al_xAs$ 層，同時，由於 p 型雜質的擴散，基板的上部變成 p 型。在 $Ga_{1-x}Al_xAs$ 層上獲得可靠的低電阻接觸是困難的，而低電阻接觸對用於聚光系統的電池來說有其特殊的重要性。這個問題可藉由兩個辦法來解決，一個辦法是在接觸部位蝕刻掉這一層，然後在下面的 p 型 GaAs 上做接觸電極 [10.15]，另一個辦法是在這一層頂部接觸部位上再製作一層重摻雜的 p 型 GaAs 層 [10.16]。

10.4.4 AlAs/GaAs 異質接面

如圖 10.5(c) 所示，在 n 型 AlAs 和 p 型 GaAs 間做成「真」異質接面，這種電池的效率也超過 18%[10.17]。AlAs 有大的間接能隙，因此該層相當於一個視窗，允許大部分入射光被吸收進入太陽電池的內部。AlAs 和 GaAs 的電子親合力的不匹配導致異質接面的導電帶能量有一個尖峰（9.3 節）。將 AlAs 層製作成重摻雜，這種尖峰的不利影響便可減至最小 [10.17]。

10.5 Cu_2S/CdS 太陽電池

10.5.1 電池結構

CdS（硫化鎘）電池的研發歷史可追溯至西元 1954 年 [10.18]，大約在同一年，矽太陽電池被利用擴散法首次成功製造出來。從那時起，人們多次試圖用這種材料來生產商用太陽電池。

這種電池的顯著特點是製造容易。由於細晶粒多晶（fine-grained polycrystalline）CdS 做為基板材料（其品質）已經足夠好，所以有很多方法可製備這種基板。其中，真空蒸鍍和噴塗（spraying）是最被看好的方法。

CdS 電池通常用所謂 Clevite 製程來製作。CdS 被真空蒸鍍到金屬片或金屬覆蓋的塑膠或玻璃上。沉積的 CdS 大約只有 20 μm 厚，該層的晶粒直徑大約為 5 μm。然後，將其浸泡在氯化亞銅（cuprous chloride）溶液中（80 ～ 100℃）約 10 ～ 30 秒。在厚度大約 1000 ～ 3000 Å 的表面層中，Cu 取代 Cd，產生一個 Cu_2S/CdS（硫化亞銅 / 硫化鎘）異質接面。然後沉積出柵線電極。圖 10.6(a) 是所得到的電池結構。如圖所示，Cu_2S 層在晶界處可向下延伸幾個 μm。圖 10.6(b) 為對應的能帶關係。Cu_2S 是 p 型材料，能隙為 1.2 eV；CdS 是 n 型，能隙為 2.3 eV。

用這種方法製造的電池效率超過 9%[10.19]，小量生產時，效率可達 5%。

10.5.2 工作特性

考慮到 Cu_2S/CdS 電池製造簡單，其性能可以說是出乎意料的好。然而，造就此優良性能的機制遠不如 Si 和 GaAs 電池那樣清晰明確。其運作原理只能藉由引入一些概念並結合後續的電池類型進行描述說明。

Cu_2S/CdS 電池的響應包含幾個非線性區。最明顯的證據是，如圖 10.7(a) 所示，其照光下的電流—電壓特性曲線可能與其暗特性曲線交叉。此外，從圖 10.7(a) 也可看出，這種電池的開路電壓和填滿因子不僅取決於光生電流密度，

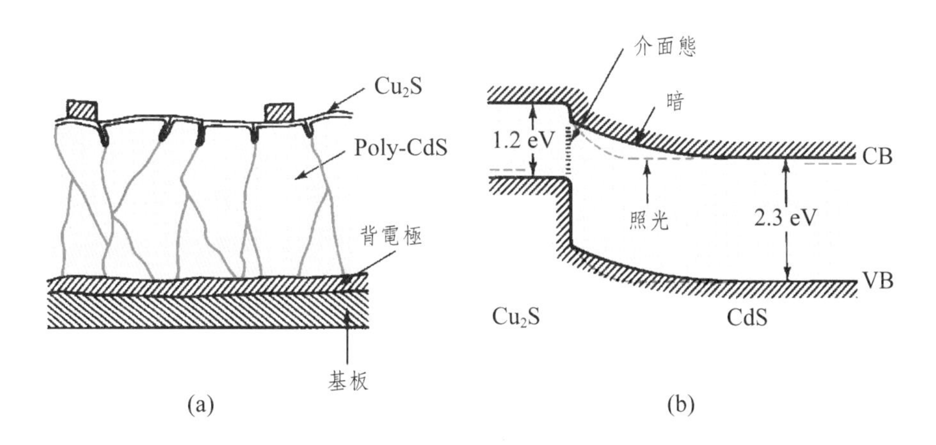

圖 10.6 ☼ (a)Cu_2S/CdS 薄膜太陽電池示意圖；(b) 未照光和有照光時對應的能帶圖

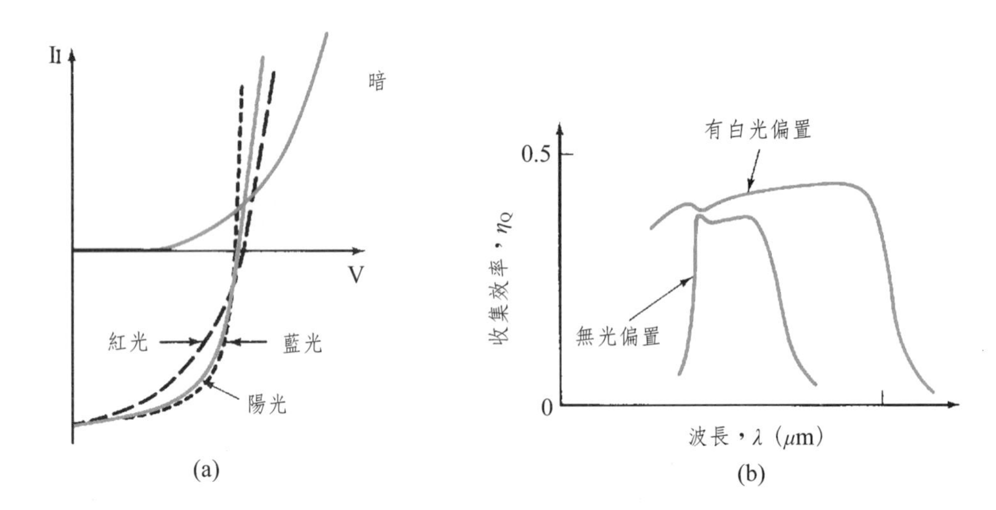

圖 10.7 與 Cu_2S/CdS 太陽電池工作有關的非線性特性 (a) 未照光和有光照特性曲線的交叉以及有光照特性曲線與光源的光譜成分的關係；(b) 採用偏置光所引起的光譜響應增強 [10.20]。

而且也取決於光源的光譜成分。在照光下，電池的電容也增加很多倍（10～100 倍）。電池的光譜響應如圖 10.7(b) 所示，與偏置光的強度也存在強烈的關係（也與光譜成分有關）。雖然上述效應通常都可觀察到，但由於製造條件的不同，它們的數值變化非常大。

電容變化的結果顯示，在照光下空乏區的寬度收縮，如圖 10.6(b) 所示。這種現象的一種可能解釋是在空乏區中產生了陷阱能階 [10.20]。產生的原因是因為在 Cu_2S 層形成過程中或在後面的熱處理時，銅雜質擴散進入空乏區。照光時光生電洞可為此能階所捕獲。這就增加了 n 型區的正電荷，因而空乏區變窄，如式（4.4）所描述。從式（4.4）也可看出，這也就增加了該區的電場強度。

這也使這種電池的光譜響應得以解釋。由於晶格不匹配，在 Cu_2S/CdS 介面附近的禁帶中，可能有大量的允許態。圖 10.6(b) 顯示出這些允許態。它們扮演著有效復合中心的角色。然而，可以證明：在強的電場下，這種復合中心的作用降低。在這種情況下，載子迅速地掃過這些復合中心，因而復合機率減小。大部分光生載子來自能隙為 1.2 eV 的薄 Cu_2S 頂層，小部分來自能隙較寬的（2.3 eV）CdS 層[10.21]。沒有偏置光（bias light）時，介面的電場強度相對小些，因此所收集的載子復合的可能性較大，電池的光譜響應差，如圖 10.7(b) 所示。有偏置光時，電場強度變大，復合便減小，光譜響應也得到改善。

不同波長的光特性不一樣，這可能與不同波長的光引起的電洞佔有介面附近陷阱的能力不一樣有關。然而，上述對特性的解釋僅是許多可能解釋中的一種。即使基本上是正確的，也還需要其他機制來描述所觀察到的這些實驗特性。

10.5.3 Cu_2S/CdS 電池的優缺點

Cu_2S/CdS 太陽電池最主要的優點是可在各種不同種類的基板上製作，非常適合於大規模自動化生產，電池生產成本低廉。

這種電池的主要缺點是效率低，缺少矽電池那種固有的穩定性。由於效率低，對於一定的輸出而言，所需太陽電池面積便得增加，因而系統其他部分的成本變得更重要了。系統的平衡成本（balancc-of-system costs），如場地準備、支撐結構及佈線所需的費用，在整個系統成本中所占的比例可能很大，以致於即使低效能電池免費，也不如使用成本較高的高效能電池來得合算。根據經驗，對於經濟上可行的大規模太陽能發電來說，10% 的模組效率或許是可以容許的最低值。

同樣地，上述考慮亦適用於電池的封裝成本。由於 Cu_2S/CdS 電池穩定性能比其他電池差，因此，封裝要更嚴謹才可達到與其他電池類似的使用壽命。

研究證明 CdS 電池在以下幾種情況下就會退化[10.23]：(1) 在高濕度條件下；(2) 在空氣中受熱（> 60℃）；(3) 高溫下受光照；(4) 負載電壓超過 0.33 V。

電池吸收濕氣後將使陷阱缺陷增加，減少短路電流。這是一個可逆過程，經適當的熱處理，電流還可恢復。假如電池在空氣中加熱至 60℃以上，短路電流可能發生不可逆變化，其原因可能是由於 Cu_2S 與氧和濕氣反應轉變成 CuO 和 Cu_2O 的混合物。即使沒有空氣，在這樣的溫度下，照光也可能降低效率，這是由於 Cu_2S 層中產生了光活化相變（light-activated phase change），某些

Cu_2S 轉變成 Cu_xS，其中 $x < 2$。化學當量（stoichiometry）上的這種變化使效率大大降低。電池在電壓超過 0.33 V 工作時，可能引起 Cu_2S 變為 CuO 和 Cu 的光活化變化，銅可以形成細絲導致接面被旁通掉。

人們認為，這種退化可以藉由製造方法的稍許變化和藉由電池的封裝來加以防止。從太陽電池廣泛應用的觀點來看，CdS 技術還面臨著 Cd 的儲藏量不是特別充足和 Cd 的毒性問題。

10.6 結語

有許多材料能夠用來代替作為現在太陽電池工業基礎的單晶矽。本章只是敘述了發展較早的一部分。

GaAs 是一種技術較成熟、能隙對太陽光電能量轉換來說接近理想的半導體材料。直到今天，以 GaAs 材料製作的太陽電池的效率仍然最高。同質接面、異質介面及異質接面電池由於克服了直接能隙材料表面復合的嚴重限制，已被證明具有高的效率。GaAs 材料的主要缺點是成本高。

Cu_2S/CdS 電池可以非常容易地在細晶粒多晶 CdS 上製造。雖然在低技術成本方面有潛力，但由於在大量生產的情況下，要求達到 10% 效率所存在的困難，以及為防止退化對封裝提出的嚴格要求將妨礙其廣泛應用。

多晶矽的缺點是要求晶粒大。這就淘汰了許多低成本的製作方法。採用大晶粒半晶矽材料甚至有一些優點超過單晶矽，正因為如此，已用這種技術製成商用電池。最被看好的矽薄膜技術是採用非晶矽合金為材料。自從其優良特點被確認以來，用這種技術製作太陽電池已在實驗室和商用兩個方面迅速進展。

習題

10.1 在金屬基板上沉積多晶矽薄層。該層的晶粒結果是如圖 10.1(b) 所示的圓柱形。晶粒橫向尺寸等於該層厚度。在此層表面附近形成 *p-n* 接面，由優先擴散效應引起的落入晶粒邊界處的雜質濃度小到可以忽略。假設：晶界對少數載子而言是一個無限大的陷阱（sink）；電池背面的金屬－半導體介面的復合速率也很大；每個晶粒近似為立方體。試計算一個正好在晶粒體積中心產生的少數載子對電池短路電流作出貢獻的最大機率。（提示：短路電流下，*p-n* 接面對少數載子是很有吸引力的區域，具有另一個陷阱的作用。當少數載子的擴散長度比晶粒尺寸大得多時，有最大的收集機率，這相當於晶粒體積內部無復合的情況。）

10.2 對圖 10.5(b) 所示的異質介面電池，畫出電子－電洞對的產生率與進入電池表面後的距離之關係曲線。

10.3 採用某一技術生產效率為 10% 的太陽電池模組，其成本是在晴朗天氣下（1 kW/m^2）每峰瓦輸出要 1 美元。在一種特定的應用中，與陣列面積有關的系統平衡成本總計是 80 美元／ m^2。假設其他成本在每一種情況中都相同，那麼，用第二種技術生產的效率為 5% 的模組必須以何種價格出售才能使得系統的總成本不變？

參考文獻

[10.1] A. L. Fahrenbruck, II-VI "Compounds in Solar Energy Conversion," *Journal of Crystal Growth 39* (1977), 73-91; A. M. Barnett and A. Rothwarf, "Thin-Flim Solar Cells: A Unified Analysis of Their Potential," *IEEE Transactions on Electron Devices ED-27* (1980), 615-630; S. Wagner and P. M. Bridenbaugh, "Multicomponent Tetrahedral Compounds for Solar Cells," *Journal of Crystal Growth 39* (1977), 151-159; M. Schoijet, "Possibilities of New Materials for Solar Photovoltaic Cells," *Solar Energy Materials 1* (1979), 43-57.

[10.2] J. G. Fossum and F. A. Lindholm, "Theory of Grain-Boundary Intragrain Recombination Currents in Polysilicon *p-n* Junction Solar Cells." *IEEE Transactions on Electron Devices ED-27* (1980), 692-700.

[10.3] H. C. Card and E. S. Yang, "Electronic Processes at Grain Boundaries in Polycrystalline Semiconductors under Optical Illumination," *IEEE Transactions on Electron Devices ED-24* (1977), 397-402.

[10.4] H. Fischer and W. Pschunder, "Low Cost Solar Cells Based on Large Area Unconventional Silicon," *Conference Record, 12th IEEE Photovoltaic Specialists Conference, Baton Rouge, 1976, pp. 86-92.*

[10.5] J. Lindmayer and Z. C. Putney, "Semicrystalline versus Single Crystal Silicon," *Conference Record, 14th Photovoltaic Specilists Conference, San Diego*, 1980, pp. 208-213.

[10.6] W. E. Spear and P. G. LeComber, *Solid State Communications 17* (1975), 1193.

[10.7] D. E. Carlson et al., "Solar Cells Using Schottky Barriers on Amorphous Silicon," *Conference Record, 12th IEEE Photovoltaic Specialists Conference, Baton Rouge*, 1976, pp. 893-985.

[10.8] D. E. Carlson, "An Overview of Amorphous Silicon Solar-Cell Development," *Conference Record, 14th IEEE Photovoltaic Specialists Conference, San Diego*, 1980, pp. 291-297.

[10.9] J. J. Hanak, "Monolithic Solar Cell Panel of Amorphous Silicon," *Solar Energy 23* (1979), 145-147; Y. Kuwano et. al., "A Horizontal Cascade Type Amorphous Si Photovoltaic Module," *Conference Record, 14th IEEE Photovoltaic Specialists Conference, San Diego*, 1980, pp. 1408~1409.

[10.10] A. Madan, S. R. Ovshinsky, and W. Czubatyj, "Some Electrical and Optical Properties of a-Si:F:H Alloys," *Journal of Electronic Materials 9* (1980), 385-409.

[10.11] H. J. Hovel, *Solar Cells*, Vol. 11, Semiconductor and Semimetal Series (New York: Academic Press, 1975), pp. 217-222.

[10.12] T. L. Neff, "Comparative Social Costs and Photovoltaic Prospects," *Conference Record, 13th IEEE Photovoltaic Specialists Conference, Washington, D. C.*, 1978, pp. 1001-1003.

[10.13] J. C. C. Fan and C. O. Bozler, "High-Efficiency GaAs Shallow-Homojunction

Solar Cells," *Conference Record, 12th IEEE Photovoltaic Specialists Conference, Washington*, D.C., 1978, pp. 953-955.

[10.14] J. M. Woodall and H. J. Hovel, *Applied Physics Letters 30* (1977), 492.

[10.15] R. Sahai et al., "High Efficiency AlGaAs/GaAs Concentrator Solar Cell Development," *Conference Record, 13th IEEE Photovoltaic Specialists Conference, Washington, D. C.*, 1978, pp. 946-952.

[10.16] H. A. Vander Plas et al., "Performance of AlGaAs/GaAs Terrestrial Concentrator Solar Cells," *Conference Record, 13th IEEE Photovoltaic Specilists Conference, Washington, D. C.*, 1978, 934-940.

[10.17] W. D. Johnston, Jr. and W. M.Callahan, "Vapor-Phase-Epitaxial Growth, Processing and Performance of AlAs-GaAs Heterojunction Solar Cells," *Conference Record, 12th IEEE Photovoltaic Specialists Conference, Baton Rouge*, 1976, pp. 934-938.

[10.18] F. A. Shirland, "The History, Design, Fabrication and Performance of CdS Thin Film Solar Cells," *Advanced Energy Conversion 6* (1966), 201-222.

[10.19] J. A. Bragagnolo et al., "The Design and Fabrication of Thin-Flim CdS/Cu_2S Cells of 9.15 Percent Conversion Efficiency," *IEEE Transactions on Electron Devices ED-27* (1980), 645-651.

[10.20] A. Rothwarf, J. Phillips, and N. Convers Wyeth, "Junction Field and Recombination Phenomena in CdS/Cu_2S Solar Cell," *Conference Record, 13th IEEE Photovoltaic Specialists Conference, Washington, D. C.*, 1978, pp. 399-405.

[10.21] J. A. Bragagnolo, "Photon Loss Analysis of Thin Flim CdS/Cu_2S Photovoltaic Devices," *Conference Record, 13th IEEE Photovoltaic Specialists Conference, Washington, D. C.*, 1978, pp. 412~416.

[10.22] Reference 10.11, pp. 195-198.

第 11 章 聚光型系統

11.1 前言

有一種方法即使採用目前的電池技術，也有可能降低太陽光電發電成本，那就是將陽光匯聚，以減小在定額輸出功率下所需要的電池面積。採用聚光方法，能夠使系統成本中的一部分電池成本轉移到聚光元件和追日系統（如果需要的話）成本。

一般來說，聚光率（concentration ratio）越高，聚光系統所接收到的光線角度範圍越小。一旦聚光率超過 10，則系統只能利用直射的陽光，因此，系統必須按照太陽在天空運行的軌跡追蹤太陽。聚光率越高，對追日的要求要越精確。由於太陽本身大小的限制，所以，光由太陽照射到地球有一定的角度範圍，這一角度範圍決定了可能得到的最大聚光率（約 45000）。

將太陽光匯聚到電池上還會導致電池工作溫度升高，因而降低電池效率。被動式冷卻（採用翼式散熱片等）適用於聚光率在 50 以下的場合。更高的聚光率則需要主動式冷卻。所以，同時利用太陽光電能量和冷卻系統收集熱能的全能源系統（total energy systems）是非常可行的。

11.2 理想聚光器

幾何聚光率（geometrical concentration ratio）C 定義為系統的口徑面積與電池的有效面積之比。如前所述，這個比值是與聚光系統所接收到的光線角度範圍 θ_m 密切相關的。從熱力學定律可推導出最大聚光率和接收角的關係。對一個將接收角度範圍內，來自各個方向的光線等量匯聚的系統來說，如圖 11.1(a) 所示的二維或線狀聚光器（linear concentrator），其最大聚光率可由下式獲得 [11.1]：

$$C_{m(2D)} = \frac{1}{\sin(\theta_m/2)} \tag{11.1}$$

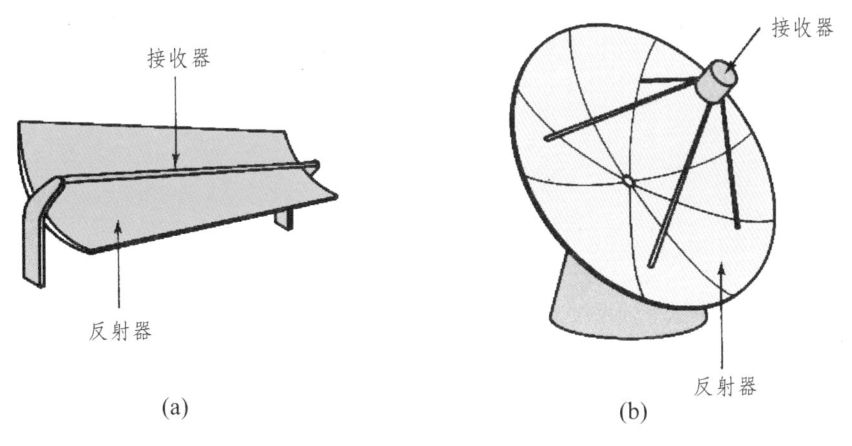

圖 11.1 ☼ **(a)** 二維或線狀聚光器；**(b)** 三維或點聚光器

而如圖 11.1(b) 所示的三維或點聚光（point-concentrating）系統，其最大聚光率則由下式決定：

$$C_{m(3D)} = \frac{1}{\sin^2(\theta_m/2)} \tag{11.2}$$

由於太陽本身的大小，使得直射陽光的角度範圍約為 1/2°（9.4 mrad），因而決定了點聚光系統可能得到的最大聚光率為 45000。

聚焦拋物面和透鏡之類的傳統聚光器，無法達到式（11.1）和式（11.2）所給的理想極限值，其性能低於理想值 2 ～ 4 倍 [11.2]。第一個被認為具有性能與理想極限值相當的聚光器是如圖 11.2 所示的非成像（nonimaging）複合式拋物面聚光器（compound parabolic concentrator, CPC）。它由焦點位於圖中所示位置的兩個拋物面反射器構成。

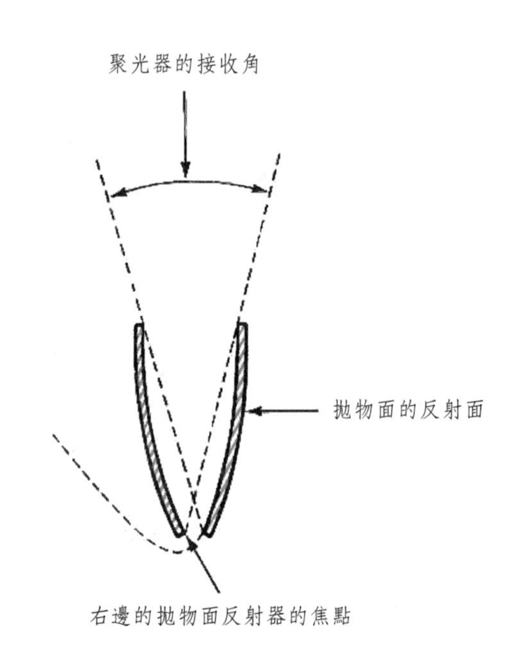

圖 11.2 ☼ 非成像複合式拋物面聚光器示意圖

11.3 固定式和定期調整式聚光器

對固定式聚光器和每天或依季節調整方位的聚光器，顯然希望得到盡可能大的接收角以提高聚光效果。舉例而言，讓我們考慮縱軸呈東西向的槽式聚光器。由於太陽高度的變化，太陽射線的方向會發生很大的改變。可以證明，太陽高度位於其晝夜平分點軌道平面 ±36° 之內的時間，在全年任何一天中起碼有 7 個小時。所以，一個最佳設計的固定槽式聚光器，如果它的接收角是 72°，那麼此聚光器每天至少應能聚光 7 小時，因而可能得到的最大聚光率為 1/sin(72°/2)，只有 1.7。如果縮短最少收集時間，或者把聚光器設計成可以週期性調整傾斜度的，則可能得到較高的聚光率。

阿貢（Argonne）國家實驗室在 1976 年製造了小型的 CPC 太陽光電模組。一組模組採用拋物面反射器；第二組模組則是利用一個 CPC 形狀壓克力塊（acrylic block）中的全內反射（total internal reflection）。二者都需要季節性調整，以得到 7 ～ 9 的聚光率。

以上討論顯示，固定式聚光器所能達到的聚光率是相當低的（遠低於 3），而定期調整可使聚光率提高到 12 左右。採用純固定式聚光器，儘管不必借助於複雜的外部設備，但所得到的聚光水準看來似乎十分勉強。然而，它們存在一個優點，尤其是對非對稱聚光器 [11.14] 而言，就是可以用來提高太陽能系統冬季輸出，使冬夏季輸出相對平衡。對獨立型系統（第十三章）來說，這樣一個聚光器不僅能夠減少所需的電池面積，而且能夠減少所需儲能裝置的數量和減少儲能裝置週期性洩放的困難。

低聚光率系統（< 5）的一個優點是能夠利用大量生產的非聚光用電池，得到雙重經濟效果。聚光率較高的系統則需要改變電池設計。

一種新式的不具備追日系統的聚光器 [11.5] 是發光式聚光器（luminescent concentrator），其結構如圖 11.3 所示，在一個玻璃或塑膠薄板中摻入一種發光物質，將太陽電池沿一個側面安裝在平板上，而其他三個側面都做成反射面。入射的陽光被添加劑吸收，然後以一窄波長範圍光的形式放射出來。大部分放射光，或由於全內反射，或由於側面反射而被限制在平板內，直到達到安裝的太陽電池上為止。這種系統可達到的聚光率不受前述極限的限制。各個角度的入射光都可接受，而且最大聚光率受到諸如放射光在平板中的吸收等實際因素的限制。

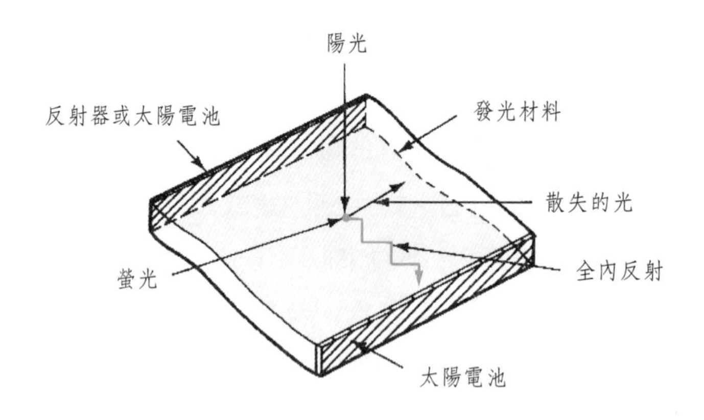

圖 11.3 ☼ 發光式聚光器。吸收的陽光以光的形式再放射，大部分放射光由於全內反射而被限制在平板內，被限制的光最終到達太陽電池

11.4 具追日功能的聚光器

聚光型太陽光電系統的主流是聚光率在 20 以上並能追蹤太陽的系統。這種系統已經有幾種不同的設計方式。

設計方式的差異可以從在 1978 年和 1979 年間安裝在聖第亞（Sandia）實驗室的一個 10 kW 子單元所使用的兩種不同方法看出來。第一種方法，如圖 11.4(a) 所示，利用拋物面槽將陽光匯聚到二次聚光器上，然後再匯聚到太陽電池 [11.6]。總幾何聚光率為 25。這種安排放寬了對一次聚光器的精度要求，雖然這意味著所需要的兩次反射過程將使到達電池的陽光最大值減少到入射光的 78%。在電池上安裝有散熱器，以確保電池的被動冷卻。一個安裝在用來追蹤方位角（azimuth tracking）的圓形軌道上的 10 kW 陣列示於圖 11.4(b)。

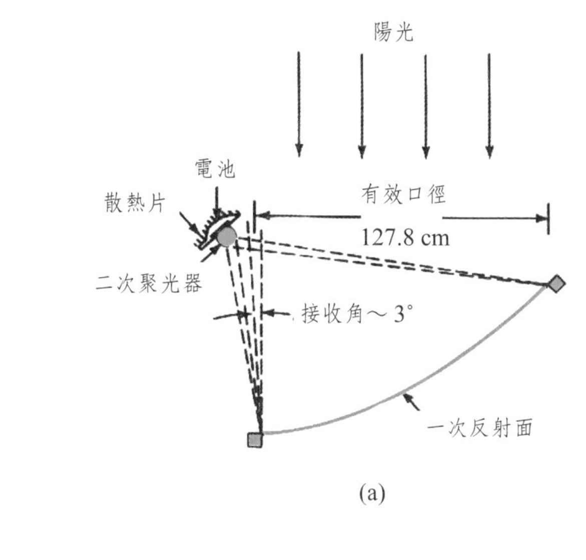

(a)

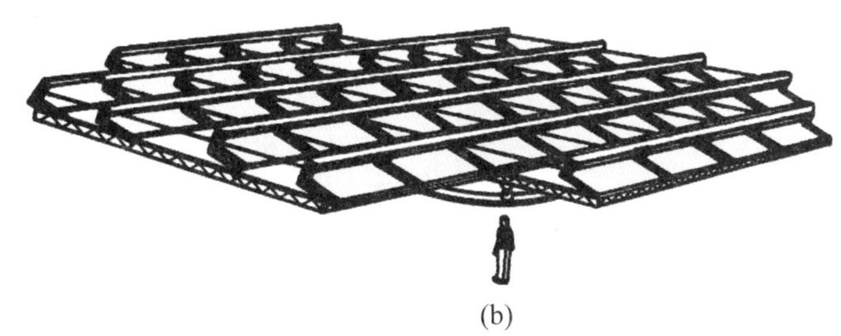

(b)

圖 11.4 ☼ 採用拋物面槽聚光器的 **10 kW** 聚光型太陽光電系統。**(a)** 聚光元件和電池裝置；**(b)** 安裝在一個圓形軌道上的整個系統 [11.6]

另一種方法示於圖 11.5，其工作原理為折射效應。在這類應用中，菲涅耳透鏡（Fresnel lens）具有一些優點。透鏡不但有聚光作用，而且也為電池提供了外罩。圖示的系統採用一個四路透鏡（quad lens）將陽光匯聚到安裝在散熱器上的電池上。在這種系統中，散熱片面積可以做得和系統口徑面積一樣大，這樣即使在聚光率高達 40 的情況下，也能確保電池得到合理冷卻。一個採用這種方法的 2.2 kW 陣列示於文獻 [11.7]。一個由類似單元組成的 350 kWp 系統在 1980～1981 年間安裝於沙烏地阿拉伯，此系統是當時運轉中最大的太陽光電系統。

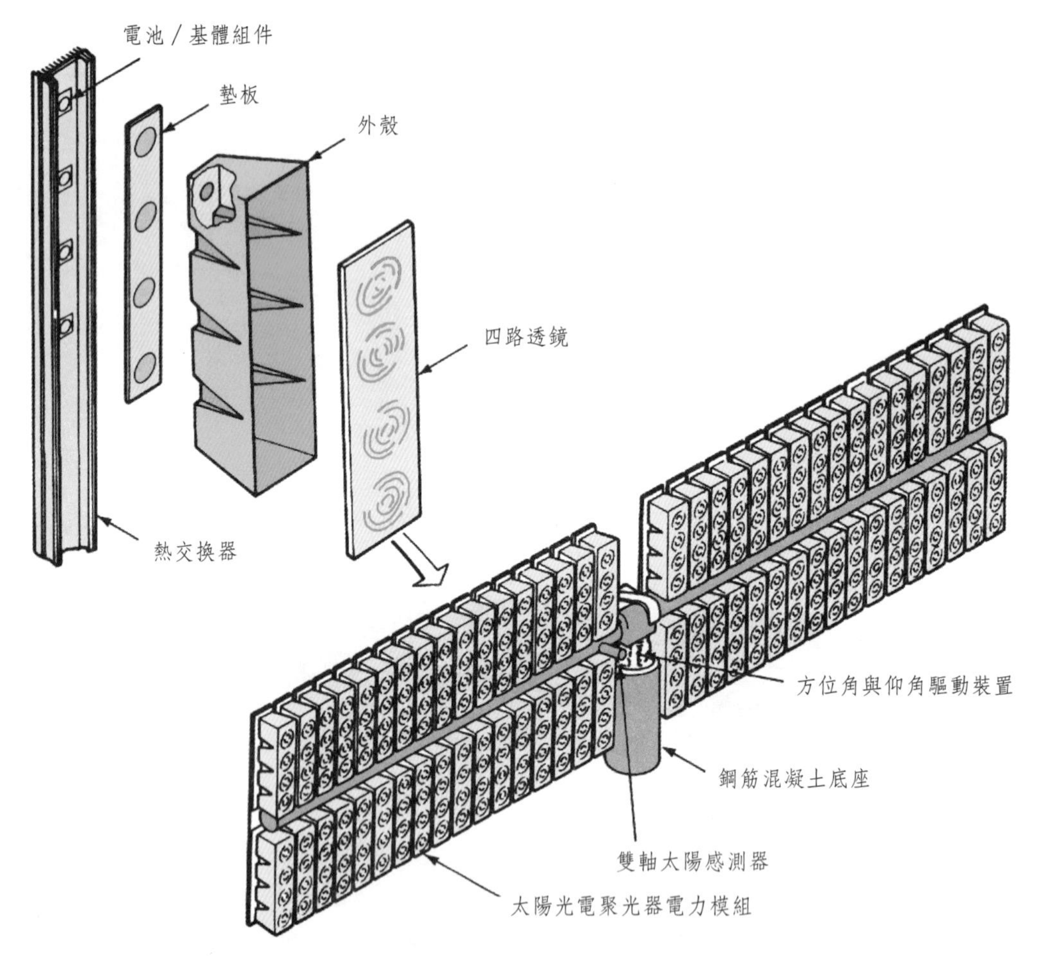

圖 11.5 ☼ **2.2 kW** 菲涅爾透鏡聚光器。透鏡不僅聚光而且是電池外罩的一部分。在該設計中，散熱片面積與系統口徑面積相近[11.7]

11.5 聚光型電池設計

在溫度固定的情況下，電池的理想效率隨聚光率的增加而提高，這是因為短路電流隨照光強度呈線性增加，開路電壓隨照光強度呈對數增加，而填滿因子隨開路電壓增加而增加。實現上述效率提升的主要困難，是在於高電流密度下，串聯電阻損失的影響變得更加重要。因為對一個特定的功率輸出，電池的效率決定了所需的聚光元件的面積，所以電池達到盡可能高的效率是極其重要的。

為降低太陽電池的電阻，建議採取以下措施：(1) 為降低基材（bulk）電阻和接觸電阻損耗，宜採用具有背表面場的低電阻基板；(2) 使正常擴散的薄頂層片電阻盡可能小；(3) 採用細柵線圖案（fine finger pattern）的上電極設計方式，以減少橫向電流引起的損耗；(4) 採用厚的金屬接觸層，以減少在柵線和主線上的電阻損耗。

以上措施在目前的聚光電池生產中都已被採用。採用電阻率較一般電池所用的要低的基板[1]。擴散層的片電阻也適當降低，但是，太低的片電阻值會導致第七章中所提到的電池性能降低的結果。製備上電極的每種技術都面臨一個電極的柵線究竟能做到多細的問題。這一極限並且受到所需要的上電極金屬厚度之影響。根據經驗法則，柵線的厚度只能做到其寬度的一半左右。一般做法是用真空蒸鍍法沉積電極金屬，再用微影技術（photolithographic）法加工成所需圖案，然後電鍍銀，使柵線盡可能加厚。

在聚光應用中，電池一般設計成上表面只有部分受到光照。例如，圖 11.6 所示的典型點聚光系統電池的電極設計中，環繞在主線外圍而未被其覆蓋的區域為設計面積。效率是按到達設計面積（而不是全部面積）的光通量計算的。在固定溫度下，效率與聚光率之間的關係曲線示於圖 11.7。一般趨勢是，在低聚光率時，電池效率隨聚光率的增加而提高，在高聚光率時，則隨聚光率的增加而降低。峰值效率可能出現在 20 到幾百個太陽之間的任何聚光率上。在低聚光率時，效率隨聚光率增加而提高是因為輸出電壓隨電流密度增加呈對數增加。在高壓電流密度時，串聯電阻損耗變得更為重要，由於填滿因子降低，效率便隨著降低。

[1] 由於「高注入（high injection）效應」，製作在有背表面場的高電阻率基板上之電池在某些情況下會呈現低的串聯電阻，這為製作聚光電池提供另一條途徑。請看8.4節的註腳及其參考文獻。

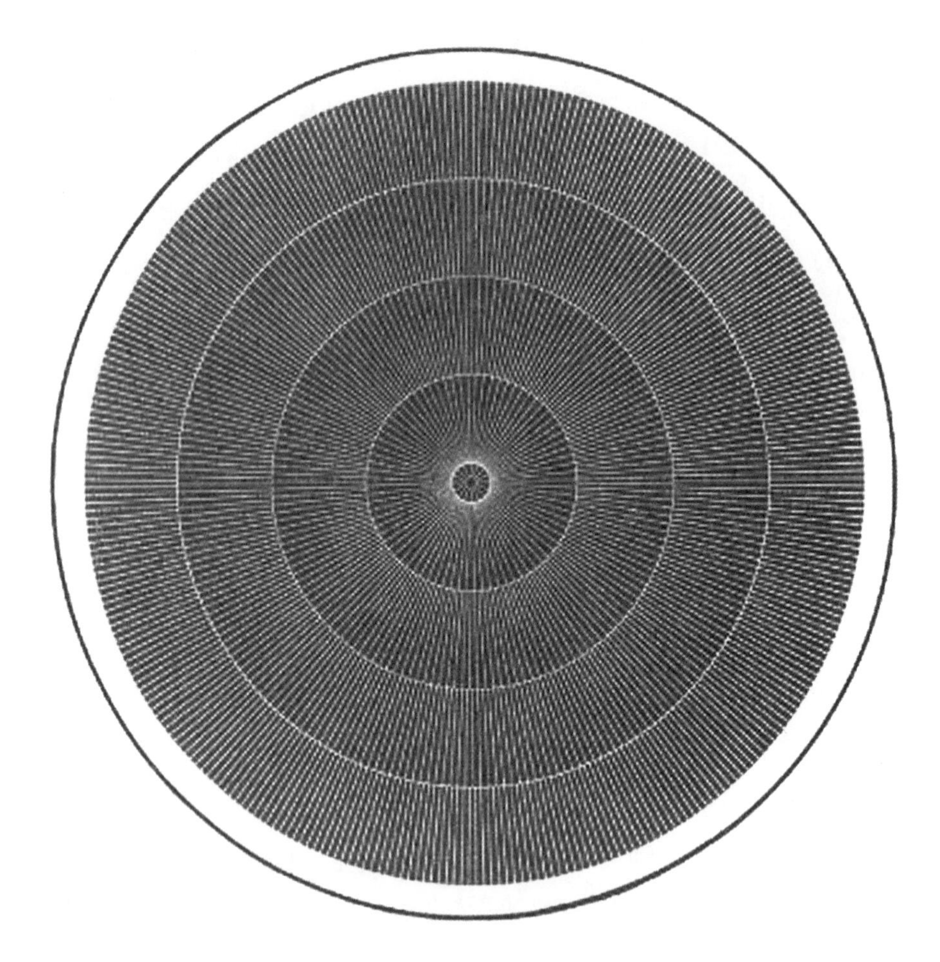

圖 11.6 ☼ 典型的點聚光系統用聚光電池

（承蒙 Applied Solar Energy Corporation 提供電池）

根據文獻，矽聚光型電池已獲得超過 20% 的峰值效率 [11.8]，而砷化鎵聚光型電池的峰值效率約為 25%[11.9]。實際工作效率比這個值要低一些，因為在聚光型系統中，由於功率密度的增加，電池很可能會在比較高的溫度之下工作。此外，光學損失將導致系統效率進一步降低。如果所設計的系統能使受光面中的 85% 的光到達電池，聚光系統的設計者就應該非常滿意了。

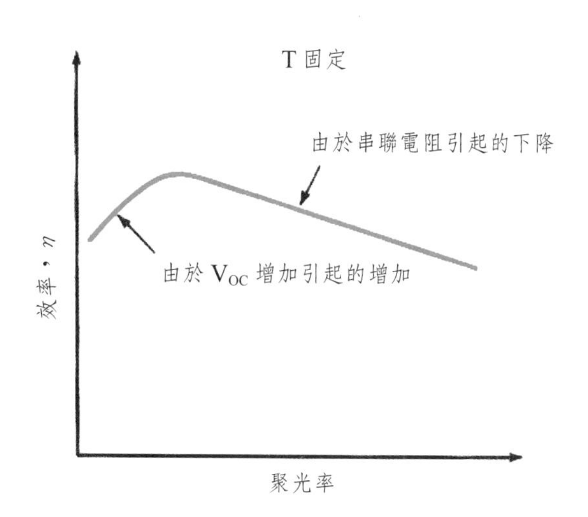

圖 11.7 固定溫度下太陽電池效率隨聚光率增加而變化的典型曲線

11.6 超高效率系統

11.6.1 概要

聚光型系統的太陽光電能量轉換效率是決定系統成本的關鍵參數。它決定了特定輸出條件下的系統孔徑（aperture）面積。在以下幾節中，將探討幾個可得到超高能量轉換效率的概念。這種達到超高效率的能力是聚光型系統的一個特點，這使得聚光型系統完全不同於平板（flat-plate）式模組。

11.6.2 多能隙電池概念

太陽電池材料的最佳能隙必須折衷選擇，即所選的能隙不能太寬，以免太多光子因能量不足以產生電子一電洞對而被損失掉，但也不能太窄，以免因所產生的電子一電洞對能量遠超過能隙而造成光子能量的太大浪費。

如果陽光中的低能量光子照射到由窄能隙半導體製造的電池上，而高能量光子照射到寬能隙電池上，低能量光子可被前者利用，而在後者光子能量不會因所產生的電子電洞對的能量遠超過能隙而被浪費掉，則可以得到一種更加有效的系統。

兩種將光照射到適當能隙電池上的概念示於圖 11.8。第一種稱為「光譜分離（spectrum splitting）」，使用光譜感光鏡（spectrally sensitive mirror）將光投射到適當的電池上。第二種稱「串疊型電池（tandem cell）」，利用一系列串疊在一起的電池，寬能隙材料電池位於最上層，低能量光子將穿過上面的電池，直至到達一個其能隙窄到可以利用這個光子的電池為止。因為這兩種設計概念比單一電池複雜得多，所以多能隙電池設計方案最適用於高聚光率的系統。

採用這種多能隙電池設計方案所能獲得的最大效率取決於所使用不同能隙的電池數量。表 11.1 列出了這個關係，並列出了這些電池的最佳能隙值。所列效率係對應於 1000 個太陽下（AM1），其理想值見圖 11.9(a)。可以看出，多能隙電池系統與單電池系統相比，理想極限效率提高一倍。在實際上，這樣的系統會比單電池系統產生更多不可避免的光學損失。考慮到這些損失，效率將降低到如圖 11.9(b) 所示保守的數值，而採用多電池帶來的效率提升也將減小到 20% ～ 50%。

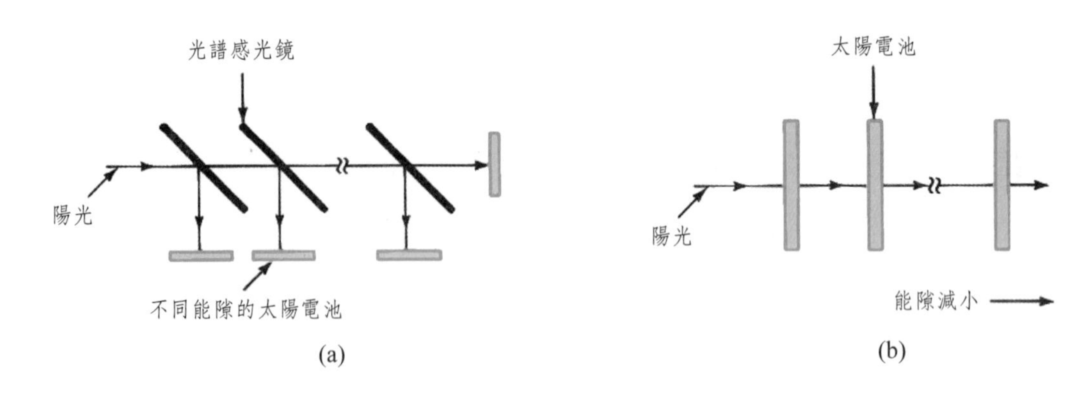

圖 11.8 多能隙電池概念。**(a)** 光譜分離設計方案；**(b)** 串疊電池設計方案

表 11.1 多能隙電池的最佳能隙和效率（1000×AM1）[11.10]

電池數目	系統效率（%）	能隙（eV）										
1	32.4	1.4										
2	44.3	1.0	1.8									
3	50.3	1.0	1.6	2.2								
4	53.9	0.8	1.4	1.8	2.2							
5	56.3	0.6	1.0	1.4	1.8	2.2						
6	58.5	0.6	1.0	1.4	1.8	2.0	2.2					
7	59.6	0.6	1.0	1.4	1.8	2.0	2.2	2.6				
8	60.6	0.6	1.0	1.4	1.6	1.8	2.0	2.2	2.6			
9	61.3	0.6	0.8	1.0	1.4	1.6	1.8	2.0	2.2	2.6		
10	61.6	0.6	0.8	1.0	1.4	1.6	1.8	2.0	2.2	2.4	2.6	
11	61.8	0.6	0.8	1.0	1.2	1.4	1.6	1.8	2.0	2.2	2.4	2.6

資料來源：參考文獻[11.10]

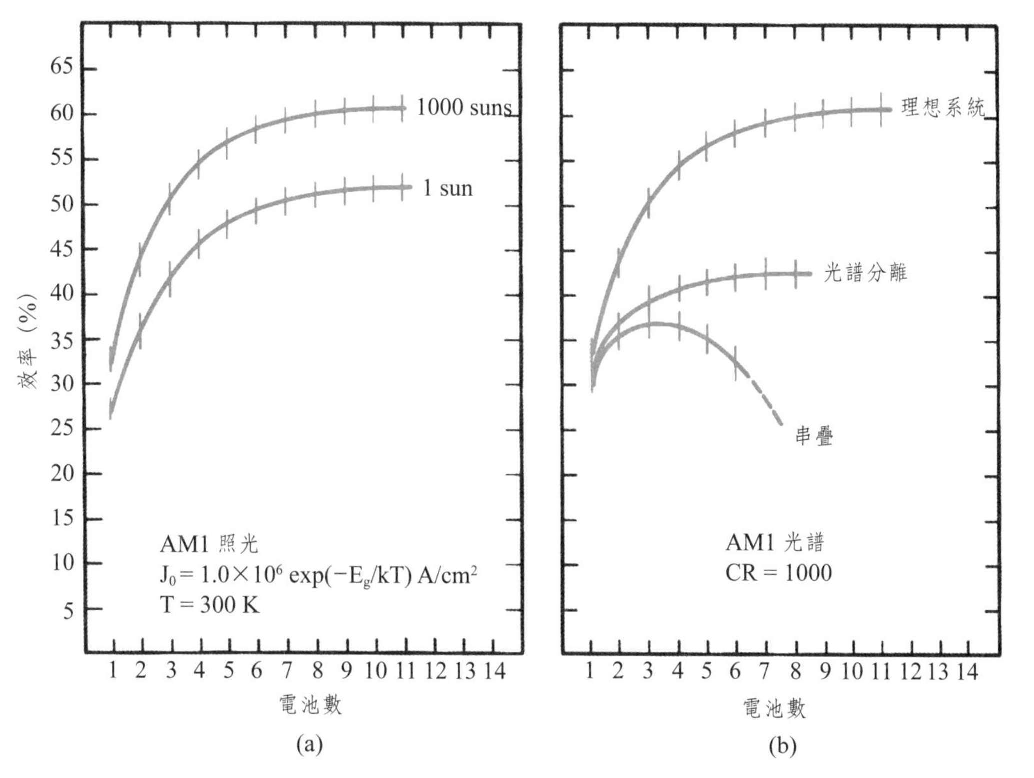

圖 11.9 **(a)** 聚光和無聚光情況下多能隙電池的最佳效率；**(b)** 光學損失的影響 **[11.10]**

當我們考慮一個二電池系統時，矽並不是窄能隙電池的最佳選擇。但是，矽電池（能隙 1.1 eV）與能隙 1.6 ～ 2.1 eV 的材料組合而成的電池系統可能得到接近最佳的性能 [11.11]。第一個真正引起注意的多能隙電池設計方案之實驗結果，源自 1978 年一個由矽電池和 $Al_xGa_{1-x}As$ 異質接面電池組成的系統 [11.11]。這個異質接面電池的窄能隙側為 1.61 eV。利用波長選擇鏡（wavelength-selective mirror）來反射能量小於 1.65 eV 的光子到矽電池上，而其餘的光子穿過鏡子到達異質接面電池。在 165 個太陽聚光下，該系統的總輸出顯示系統具有 28.5% 的效率，這是當時所有太陽光電系統所能達到的最高效率。

在多能隙電池系統中，不同能隙電池的電壓輸出不同，其電流輸出一般也不同。對每一種電池設置獨立的電路當然可以，但增加了複雜性。另一種方法是將電池串聯，但如 6.6.4 節所述，串聯電池組的電流輸出等於其中最差電池的電流。為保持多電池結構的效率，需要將不同類型的電池設計成具有相同的短路電流。因此，選擇適當的電池能隙被認為是一項可以獲得最大效率的合理準則 [11.11]。

在這方面，一個有趣的想法是在同一基板上建構出內部串聯起來的「串疊」電池組。這種電池組可利用與 10.4 節中所談到的與 GaAs 電池同樣的磊晶生長技術製造。例如，圖 11.10 顯示了一個雙電池串聯的串疊結構和對應的能帶圖 [11.12]。

頂層對緊鄰於下方的 $Al_{0.38}Ga_{0.62}As$ 電池來說，其作用相當於一個視窗（window）層。在這個電池下面有兩個具有多種功能的重摻雜層。對上面的電池來說，它們具有背表面場的作用；對下面的電池來說，則具有前表面場的作用。這二層之間的接面區空乏層很薄，由於量子力學的穿隧效應，電子可在其導電帶和價電帶之間流動。因而，該區具有電池間的串聯連接作用，而且對下面的 GaAs 電池來說是一個光學視窗。這種結構的複雜度不會超出製造半導體雷射器所能達到的技術範圍 [11.13]。

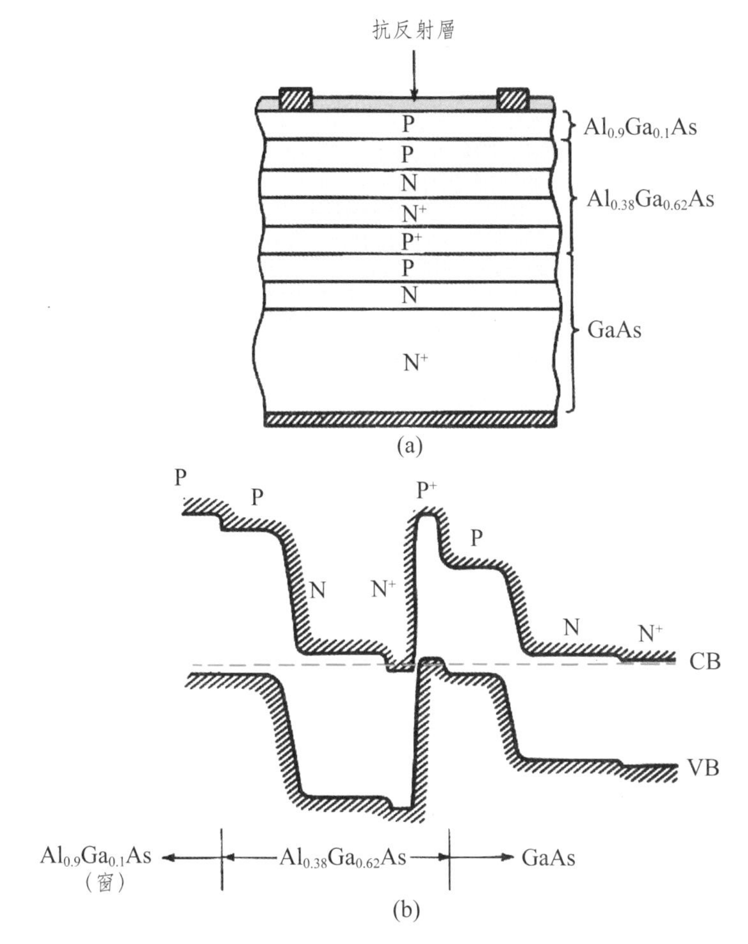

圖 11.10 **(a)** 在一塊基板上用磊晶技術製備的二層串疊電池；**(b)** 相對應的能帶圖

對串聯的多能隙電池來說，一個重要的問題是，當電池在正常條件下工作時，陽光的光譜成分是否有很大的變化。這種變化使電池電流輸出隨著發生變化，因而對系統的效率有明顯的影響。這方面的初步資料指出，雖然由於雲霧或在太陽剛升起時這種變化會發生，但這不被認為是一個主要的損失機制 [11.11]。

11.6.3 熱光伏特（Thermophotovoltaic）轉換

在太陽電池中的一項重要損失是來自於超過能隙能量的光子也只能產生一個電子一電洞對。因此，具高能量的光子對電池輸出的貢獻與一個能量低得多的光子是一樣的。圖 11.11(a) 示出入射到矽電池的能量之利用率與波長的關係。

如果用一個溫度較低（2000℃）的黑體照射太陽電池，則結果修改為如圖 11.11(b) 所示的情況。在能量超過能隙的光子中，有較多的能量可被利用。但事實上，電池的效率將會降低，因為能量超過能隙的光子數目相對減少了。然而，如果大部分無效光子能夠重新輻射回黑體並被黑體吸收，以保持黑體的溫度，那麼情況就不同了。這些光子不再是無用的了，它們提供用以保持黑體溫度所需的部分能量。

在熱光伏特（thermophotovoltaic）太陽能轉換中 [11.14]，太陽把一個輻射器（radiator）加熱到高溫，然後輻射器再發出輻射到太陽電池上。電池不能利用的長波輻射被回收到輻射器。熱光伏特轉換器的主要組件示於圖 11.12。電池的背面做成高反射性，以便通過電池的長波段輻射被反射回輻射器。雖然這種設計的理論效率上限非常高，但因為涉及一系列的製程，使得實驗效率未必會達到那麼高 [11.15]。

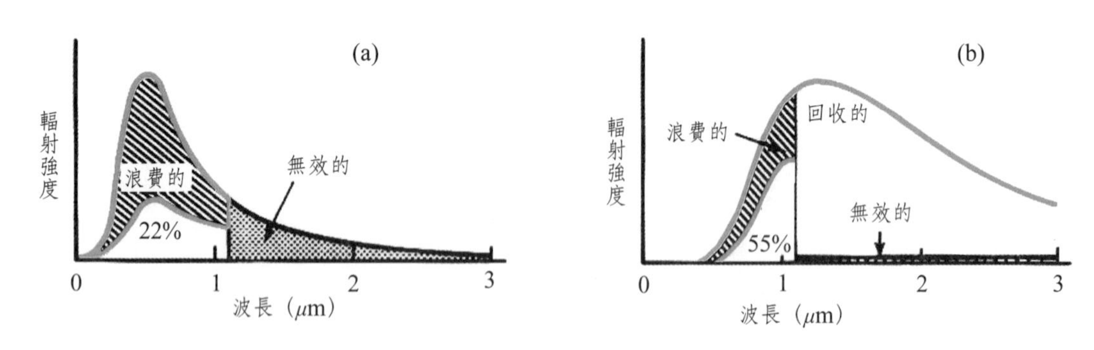

圖 11.11 由兩種不同溫度的黑體輻射到矽電池上的能量的利用情況 [11.15] **(a)6000**℃；**(b)2000**℃

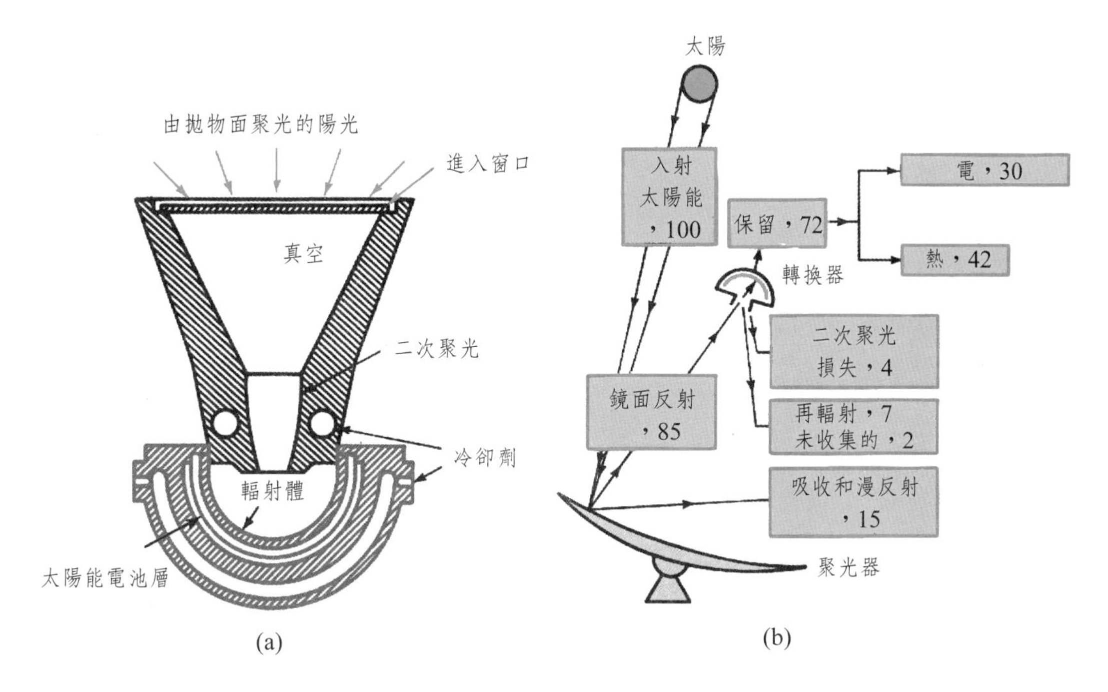

圖 11.12 (a) 熱太陽能轉換器的主要組件 (b) 對應的能量轉換系統和可能的能量預算 [11.1]

11.7｜結語

採用聚光技術的結果，將使得太陽光電系統的成本從電池成本轉移到聚光元件和追蹤元件的成本上。為保持聚光率超過 12，聚光器就需要連續追蹤太陽。

在一定溫度下，電池效率的上限隨著聚光率的增加而提高。但是，電池應用於聚光型系統時，由於工作溫度通常較高，會抵消這個正面效果。在低聚光率系統中，電池的被動式冷卻是可行的，對聚光率超過 50 的系統則需要循環水之類的主動式冷卻。這就導致了利用陽光既產生電能又產生熱能的全能源系統的產生。

在聚光系統中，與電池成本相比，電池效率可能是更關鍵的指標。為增加效率，可採用比較複雜的方案。採用能隙不同的幾個電池，對太陽光中的不同光譜成分進行轉換的設計，有可能使系統效率達到 30% 以上。利用熱光伏特效應來改變太陽光譜成分，也能達到同樣高的效率。

習題

11.1 有一個如圖 11.3 所示的發光式聚光器。如果發光物質再發射的光是以均勻密度射向各個方向，計算在平板中由於全內反射所捕獲的光的百分比。發射點位於平板中間，假定平板的折射係數是 1.5。

11.2 一個淺接面矽太陽電池的頂層片電阻為 30 Ω/ □。在一個太陽下，當電壓為 450 mV，電流密度為 30 mA/cm^2 時，該電池輸出最大功率。試估算在 100 個太陽下工作，並要求橫向電流流過頂層引起的功率損失少於 4% 的條件下，該電池上電極柵線之間的最大允許間隔。

11.3 在一個太陽下（100 mW/cm^2），溫度為 300 K 時，一個太陽電池的開路電壓為 0.60 V，短路電流為 0.6 A。電池的設計面積為 20 cm^2，其理想因數為 1.2，串聯電阻為 0.007 Ω。假設後兩個參數不隨光強度變化，計算並畫出在溫度為 300 K 時電池效率隨聚光率變化的關係曲線。聚光率變化範圍為 1 ～ 50。[利用式 5.17 計算串聯電阻對太陽電池輸出的影響]

11.4 參見圖 5.1(b)，選擇一個 AM1.5 照光下二層電池串疊結構的第二電池的理想能隙。假定第一電池為：(a)Si（E_g = 1.1 eV）；(b)GaAs（E_g = 1.4 eV）。計算每一種情況下在 AM1.5（83.2 mW/cm^2）及 1000×AM1.5 輻射下的極限效率。假定電池溫度保持在 300 K。

參考文獻

[11.1] W. T. Welford and R. Winston, *The Optics of Nonimaging Concentrators* (New York：Academic Press, 1978).

[11.2] A. Rabl, “Comparison of Solar Concentrators,” *Solar Energy 18* (1976), 93-112.

[11.3] J. L. Watkins and D. A. Pritchard, "Real-Time Environmental and Performance Testing of Concentrating Photovolatic Arrays," *Conference Record, 13th IEEE Photovoltaic Specialists Conference, Washington, D. C.*, 1978, pp. 53-59；M. W. Edenburn, D. G. Schueler, and E. C. Boes, "Status of DOE Photovoltaic Concentrator Technclogy Development Prpject," *Conference Record, 13th IEEE Photovoltaic Specialists Conference, Washington, D. C.*, 1978, pp. 1028-1039.

[11.4] D. R. Mills and J. E. Giutronich, "Ideal Prism Solar Concentrators," *Solar Energy 21* (1978), 423-430.

[11.5] C. F. Rapp and N. L. Boling, "Luminescent Solar Concentrators," *Conference Record, 13th IEEE Photovoltaic Specialists Conference, Washington, D. C.*, 1978, pp. 690-693.

[11.6] J. A. Castle, "10 kW Photovoltaic Concentrator System Design," *Conference Record, 13th IEEE Photovoltaic Specialists Conference, Washington, D. C.*, 1978, pp. 1131-1138.

[11.7] R. L. Donovan et al., "Ten Kilowatt Photovoltaic Concentrating Array," *Conference Record, 13th IEEE Photovoltaic Specialists Conference, Washington, D. C.*, 1978, pp. 1125-1130.

[11.8] E. C. Boes, "Photovolatic Concentrators," *Conference Record, 14th IEEE Photovolatic Specialists Conference, San Diego*, 1980, pp. 994-1003.

[11.9] R. Sahai, D. D. Edwall, and J. S. Harris, Jr., "High Efficiency AlGaAs/GaAs Concentrator Solar Cell Development," *Conference Record, 13th IEEE Photovoltaic Specilists Conference, Wahington, D. C.*, 1978, pp. 946-952.

[11.10] A. Bennett and L. C. Olsen, "Analysis of Multiple-Cell Concentrator/ Photovoltaic System," *Conference Record, 13th IEEE Photovoltaic Specilaists Conference, Wahington, D. C.*, 1978, pp. 868-873.

[11.11] R. C. Moon et al., "Multigap Solar Cell Requirements and the Performance of AlGaAs and Si Cells in Concentrated Sunlight," *Conference Record, 13th IEEE Photovoltaic Specailists Conference, Wahington, D. C.*, 1978, pp. 859-867.

[11.12] S. M. Bedair, S. B. Phatak, and J. R. Hauser, "Material and Device Considerations for Cascade Solar Cells," *IEEE Transactions on Electron Devices ED-27*(1980), 822-831.

[11.13] E. W. Williams and R. Hall, *Luminescence and the Light Emitting Diode*, Vol. 13, International Series on Science of the Solid-State, ed. C. R. Panydin（Oxford：Pergamon Press, 1978）.

[11.14] R. M. Swanson, "A Proposed Thermophotovoltaic Solar Energy Conversion System," *Proceedings of the IEEE 67* (1979), 446-447.

[11.15] R. N. Bracewell and R. M. Swanson, *Proceedings of the Electrical Energy Conference*, Institute of Engineers, Australia, Publication 78/3, May 1978, pp. 52-55.

第 12 章

太陽光電系統：組成與應用

12.1 前言

前幾章詳細地討論了太陽光電系統當中最主要裝置的特性，也就是太陽電池本身的性能。本章及以後幾章將介紹太陽光電系統所需要的其他裝置，還將介紹整個系統的性能及商品化生產的可行性。

由於在地面環境中太陽光電系統的輸出電力是間歇性的，並且是難以預測的，因此，如果系統需要隨時供電的話，就需要某種形式的儲能裝置和（或）備用電源。我們將探討目前和今後可能利用的儲能方式。

太陽電池產生直流輸出電力。在最大功率點的電壓隨陽光的強度及電池溫度變化。由於最常見的供電方式為交流形式，所以在太陽電池模組與用電負載之間需要某種形式的功率調節裝置。本章將介紹功率調節裝置應具備的一般特點。

過去，由於成本較高，太陽電池的商業性應用只局限於做為偏遠地區相當小型的獨立電源。隨著電池價格不斷下降，商業性應用範圍正不斷擴大 [12.1]。後面幾個小節將介紹幾個應用實例。

12.2 能量的儲存

12.2.1 電化學電池

在過去安裝的太陽光電系統中，主要選用電化學電池（electrochemical battery）作為儲能裝置。已經使用的有鉛－酸蓄電池，少數場合使用鎳－鎘蓄電池。這種儲能方式的主要困難點是蓄電池的成本太高，以及大規模儲能時需要大量的材料。

為了能在電動車輛上以及供電系統的短期儲能，即在「均載（load leveling）」方面應用，另外幾種蓄電池系統正在研製中 [12.2]。這使得將來用於太陽光電系統的蓄電池渴望做到成本很低 [12.3]。目前來看，最被看好的系統包括鋅－氯（zinc-chlorine）蓄電池和高溫電池，如鈉－硫（sodium-sulfur）及鋰－

硫化鐵（lithium-iron sulfide）蓄電池。

在電化學儲能方面，特別適合於獨立型太陽光電系統的一項新成果是氧化還原蓄電池[12.4]。有關氧化還原對的概念在 9.7.2 節已介紹過，這個術語是指溶液內部的一種氧化和還原狀態。在氧化還原蓄電池中，兩種分開的氧化還原對溶液彼此保持嚴格絕緣。充電時一個氧化還原對被氧化，而另一種溶液中的氧化還原對被還原。放電時的情況則相反。

最受重視的氧化還原對溶液是鉻（氧化還原對：Cr^{2+}/Cr^{3+}）和鐵（氧化還原對：Fe^{2+}/Fe^{3+}）的酸化氯化物溶液（acidified chloride solution）。圖 12.1 所示為最簡單的氧化還原系統裝置。每個槽內裝有一種氧化還原對溶液，這些溶液透過泵加壓而流經電力轉換區，在這裡，溶液以高選擇性離子交換膜隔開。每種溶液用惰性碳電極作為引出電極。隔膜能阻止鐵離子和鉻離子通過，但氯離子和氫離子則很容易地通過。

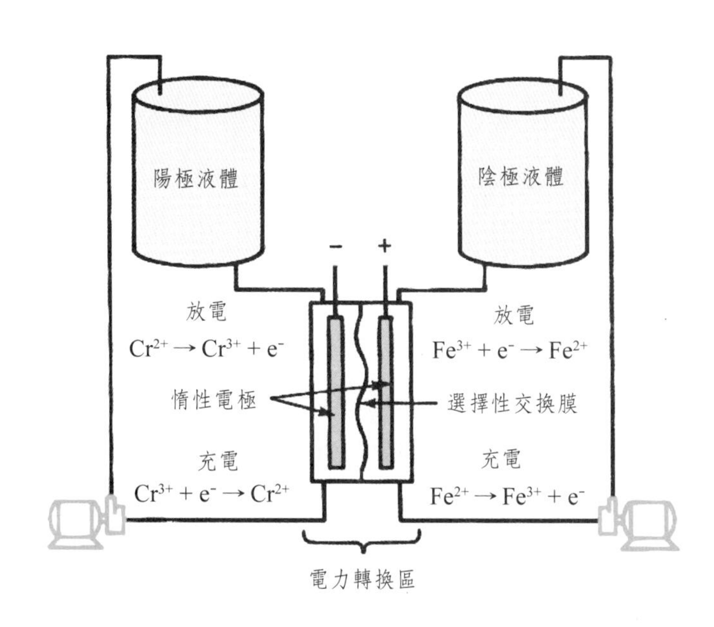

圖 12.1 一種可反復充電的氧化還原儲能系統示意圖[12.4]

當儲能系統充電時，鉻溶液裡的鉻離子大部分處在還原態（Cr^{2+}），而鐵溶液裡的鐵離子大部分處在氧化態（Fe^{3+}）。放電時，產生如下反應：

1. 在陽極，鉻離子被氧化：

$$Cr^{2+} \rightarrow Cr^{3+} + e^{-} \tag{12.1}$$

2. 在陰極，鐵離子被還原：

$$Fe^{3+} + e^{-} \rightarrow Fe^{2+} \tag{12.2}$$

3. H^{+} 離子從陽極穿越隔膜到達陰極，而 Cl^{-} 離子向相反的方向運動以保持電中性。

在外部電路中，電子從陽極流向陰極，使電流得以從電池兩端引出。對電池充電時，外加電壓加在電池兩端，促使反應向相反方向進行。幾個電池可以通過液壓並聯，而且在電氣上串聯以提高輸出電壓。

氧化還原系統不同於普通蓄電池，其特點是由電力轉換部分的尺寸決定系統功率的大小和由所用液槽容積和溶液濃度決定儲能容量，而這二者可獨立選定。這一特點使該系統應用在獨立型太陽光電系統時特別理想，這種獨立型系統往往需要一星期或更長時間的能量儲備，以應付低日照時期的需要。因為溶液較稀，可採用廉價塑膠材料做為液槽和管路。此外，系統允許的充放電次數，理論上是無限的，預計系統的工作壽命可達 30 年。這個方法的缺點是電解液的功率密度比較低。一定體積的荷電（charged）溶液可產生的電力與大約 1/100 體積的石油類燃料所產生的數目相同，不過主要區別在於溶液可以再次充電。

12.2.2 大容量儲能方法

蓄電池是一種既適合於小型太陽光電系統也適合於大型太陽光電系統的儲

能裝置。正如將在第十四章談到的，能量儲存裝置做為傳統電網的一個組成部分，其作用在於提高包含有太陽能發電裝置的電力系統可用率。在這方面，值得注意的是幾種大容量儲能技術已經在這樣的電網中使用。

對於大規模儲存電能來說，最成熟的技術是抽蓄水力儲能（pumped hydro storage）（譯註：亦即抽蓄發電）。在供電高峰期間，把水從位於低位（海拔）的水庫抽到高位的水庫，用這種方法把能量儲存起來。在供電高峰期間，水向相反方向流動，驅動渦輪機發電。用這種方法可重新獲得原有電能的三分之二。目前，這種方法因缺乏適合建立儲能裝置的地點而受到限制。針對該系統新提出的一項研究成果可在某種程度上消除上述缺點。其做法是把系統中的低位水庫建在地下幾百米的堅硬岩石中。對於一定的儲能容量來說，大的落差還可以允許高位水庫做得小一些[12.2]。

在壓縮空氣儲能廠，用過剩能量把經過壓縮的空氣儲存在地下容器內。雖然這項技術實際上比抽蓄法要複雜，但它的優點是具有高的能量儲存密度和較大的設置地下容器的靈活性[12.22]。雖然裝置可能較小，但經濟上還是可行的。世界上第一台工業用裝置位於前西德的杭托夫（Huntorf），其運轉容量超過五十萬千瓦小時。抽蓄水力儲能裝置必須大一個數量級才能獲得充分的經濟效益。

用轉換成氫的方法來儲存電能是特別適合於太陽光電系統的另一可行途徑，因為其電解只需要低的直流電壓。實際上，正如在 9.7.3 節所看到的，雖然目前效率很低，光電解能夠在半導體表面直接完成。氫作為儲能介質，具有一些優點：氫可以利用管路很經濟地遠距離輸送；適合做為傳統原動機引擎或燃料電池（fuel cell）的燃料而有效地發電。這些特點導致了一個「氫能經濟（hydrogen economy）」概念的產生。在這裡，氫成為人類的基本燃料[12.5]。從太陽光電儲能的觀點來看，氫的一個主要缺點是儲能效率目前仍低（低於 50%）。

另外幾種可能的方法是以超導磁鐵（superconducting magnet）的形式儲能或用飛輪儲存機械能。不過，從本質上看目前這兩種方法的成本似乎比其他方法更高一些。

12.3 功率調節裝置

通常，太陽光電系統是由太陽電池、儲能裝置、某種形式的備用電源（輔助發電機或電網）以及交流或直流電負載組成。為了在這些不同的系統組成之間提供一個介面，必須有功率調節和控制裝置，如圖 12.2 所示。

最簡單的太陽電池系統是電池直接連接到負載上，無論何時，只要有充足的陽光就可以供電。使用直流電動機帶動水泵抽水，就是這種系統的一個例子。另一個最簡單的系統是在蓄電池儲備有足夠能量的情況下供電給直流負載，這樣就不需要備用發電機了。在這種情況下，為了防止陽光充足期間因過度充電而損壞蓄電池，系統中只需安裝一個控制器。較複雜的一種是採用類似的系統供電給交流負載，在這種情況下，需要用一個轉換器（inverter）把太陽電池和蓄電池的直流輸出電力轉換成交流形式。更複雜的系統還要包括備用發電機（或電網），在這種情況下，需以某種控制方式來決定何時啟動備用電源。

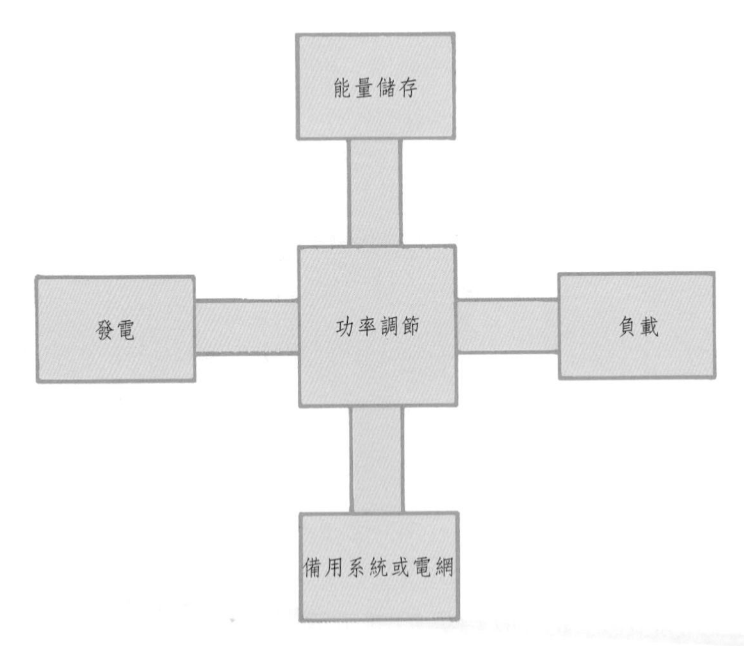

圖 12.2 ☼ 功率調節裝置的功能。在大多數情況下，該裝置不僅具有太陽光電系統的不同裝置間的介面作用，而且還具有控制和保護功能

功率調節方面的主要研究方向是提高轉換器的性能及降低其成本。關鍵的性能參數是效率和無載功率損耗 [12.6]。

12.4 | 太陽光電應用

過去，由於太陽電池的成本很高，商業性應用侷限於遠離電網地區的小型電力系統。電信系統是太陽電池商業市場的支柱，這些系統從需要峰值達幾仟瓦發電容量的微波中繼站電源，到供偏遠地區無線電話業務用電，額定功率僅幾十瓦的小型電池模組。

其他大量應用還有供電給導航設施和報警設備、鐵路平交道裝置、氣象及污染監控裝置、使用外加電流的防蝕技術以及電氣消費性產品（如計算機和鐘錶）。太陽電池也已經應用於開發中國家的電視教學以及疫苗冷藏的電力供應上。

隨著太陽電池成本的不斷下降，與開發中國家特別相關的其他應用變得經濟可行 [12.7]。小規模的抽水灌溉和飲水淨化就是兩個例子。開發性的援助計畫也許是為這個市場提供太陽電池的一個途徑，這或許可以克服增加太陽能系統投資所帶來的問題。

對世界能量需求可能有明顯影響的第一個太陽光電應用是在北美地區提供住宅用電。在假想的工作模式中，如第十四章將介紹的，住宅還可能與市電網路相連，而電網具有長期儲能裝置的作用。之前在第七章談到的那些矽電池技術，看來能夠生產出成本符合住宅用電要求的電池。

對大規模發電（例如大容量的集中型電廠）來說，其太陽電池的成本必須約為住宅用電池成本的一半才有競爭力。薄膜太陽電池技術實現這樣低成本的可能性要大得多。這種應用方式所要求的其他特性將在第十四章討論。

12.5 | 結語

除少數應用外，任何一個太陽光電系統除了太陽電池以外還需要其他裝置。一個太陽光電系統大概包括太陽電池、能量儲存裝置、電力儲存裝置、功率調節和控制裝置以及備用發電機。功率調節裝置的主要部分一般是換流器，它能把太陽電池和蓄電池的直流輸出電力轉換為一般負載所需要的交流形式。

過去，太陽電池的商業性應用只限於偏遠地區的小規模供電。將來，隨著太陽電池成本的不斷下降，應用範圍會更加廣泛。在美國的電網涵蓋地區，住宅供電被看作是一個很有潛力的應用，利用目前新發展出來的技術，這種應用在經濟上是可行的。為了使大容量集中型電廠得以實現，其太陽電池成本必須大約是住宅用電池成本的一半，使用最少半導體材料的薄膜技術，成為最有可能生產出這種低成本電池的技術途徑。

習題

12.1 以蓄電池做為一個能提供尖峰負載為 10 kW 而且平均負載為 1 kW 的太陽光電系統的儲能裝置。假設一個能供給尖峰負載的先進鉛一酸蓄電池儲存每 kWh 能量的價格為 100 美元；而氧化還原蓄電池的功率轉換部區每 kW 尖峰額定售價為 300 美元，再加上每 kWh 能量儲存費 40 美元。對於：(a) 儲存 4 小時；(b) 儲存 5 天，哪種系統購置費用較低？

參考文獻

[12.1] D. Costello and D. Posner, “An Overview of Photovoltaic Market Research,” *Solar Cells 1* (1979), 37-53.

[12.2] F. R. Kalhammer, “Energy Storage Systems,” *Scientific American 241*, No. 6 (December 1979), 42-51.

[12.3] *Handbook for Battery Energy Storage in Photovoltaic Power Systems*, Final Report, DOE Contract No. DE-AC03-78ET 26902, November 1979.

[12.4] L. H. Thaller, “Redox Flow Cell Energy Storage System,” Report No. DOE/NASA/1002-79/3, NASA TM-79143, June 1979.

[12.5] J. O’M. Bockris, *Energy: The Solar Hydrogen Alternative* (London: Architectural Press, 1975).

[12.6] G. J. Naaijer, “*Transformerless Inverter Cuts Photovoltaic System Losses*,” *Electronics 53*, No.18 (August 14, 1980), 121-126.

[12.7] L. Rosenblum et al., “Photovoltaic Power Systems for Rural Areas of Developing Countries.” *Solar Cells 1* (1979), 65-79.

第 13 章 獨立型系統的設計

13.1 前言

過去，太陽光電系統的主要市場在於提供偏遠地區用的小型而可靠的電源。這些系統通常在未搭配其他的備援發電設備下運轉，所以太陽電池是負載唯一的電力來源。這一章將討論這種獨立型系統的設計。

圖 13.1 是簡單的太陽光電系統示意圖。大多數這種小型系統的負載是使用直流電力，而這正是太陽電池所能產生的。除電池陣列和蓄電池組以外，系統的其他組件，還包括用以防止在晚上蓄電池組經由太陽電池放電的阻隔二極體（blocking diode）和用以防止在強烈日光照射時蓄電池組過度充電的控制器。

13.2 太陽電池模組的性能

現在的太陽電池模組通常包含串聯足夠數量的太陽電池，以便能產生足夠高的電壓以供 12 V 的蓄電池充電。模組的串聯可以增加系統的輸出電壓，而並聯可以增加系統的輸出電流。在實際應用的考量下，為了對額定值為 12 V 的蓄電池充電，串聯太陽電池數量必須比基本要求的數量略多一些。這是因為對鉛一酸（lead-acid）蓄電池組而言，要使一個額定 12 V 的蓄電池完全充電，需要 14 V 以上的電壓。如果使用矽阻隔二極體，最少還需增加 0.6 V，以確保其

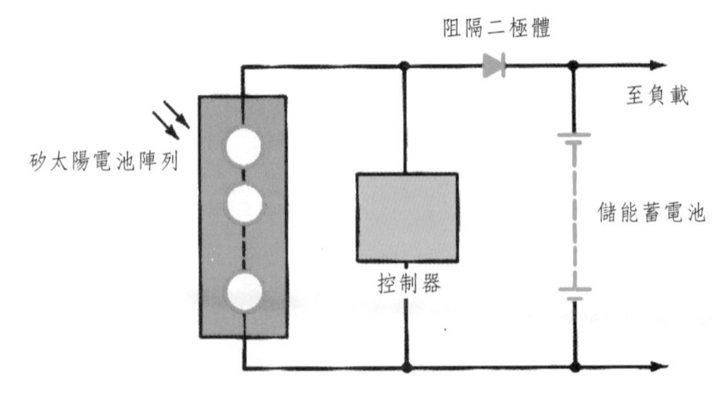

圖 13.1 簡化的獨立型太陽發電系統 [13.2]

順向偏壓。另外，模組在現場的工作溫度常常超過 60℃，然而溫度每升高 1℃，模組的開路電壓下降 0.4%（5.3 節），這意味著在 25℃下，電池模組原來為 20 V 的開路電壓，大約減少 3 V。正如在 6.2.2 節中所指出的，不同的模組設計會導致電池在現場的工作溫度有所不同。例如，背面空氣循環的模組安裝方式較非背面空氣循環者的溫度要低一些。

為了獲得最佳性能，模組的安裝在北半球時是面朝向南，在南半球則面朝向北，而且與水平面成一定角度，角度大小隨所在地點的緯度而定，可得到全年最大輸出的角度大約等於緯度角。對本章所描述的有 10 到 30 天蓄電池儲能容量的系統而言，為了提高系統在冬天的輸出，這個角度的最佳值大約要增加 15°。

為了對 12 V 蓄電池充電而設計的模組，通常在白天照光下都能產生足夠高的充電電壓。電流輸出與照射到模組上的陽光強度幾乎成正比。因此，在設計本章所敘述的系統時，注意的焦點在於模組的電流輸出。

有關模組性能的最後一點是所堆積灰塵的影響。這是一個週期性的影響，每當下雨過後灰塵覆蓋最小。數據顯示，對採用玻璃覆蓋的模組而言，由於這種影響而引起的平均損失是 5 ～ 10%。

13.3 | 蓄電池性能

13.3.1 性能要求

在目前價格下，太陽光電系統的競爭優勢在於高可靠性和低維修費用。為了實現這些特性，所設計的系統通常配備一個大的輔助蓄電池儲能裝置，使它能順利地渡過可能有的最差日照期。一般而言，獨立型太陽光電系統的維修主要是蓄電池的維修。

對於如此大容量的蓄電池來說，蓄電池上的充放電循環是一種季節性的循環，夏天對蓄電池充電，而冬天讓蓄電池放電。在這種季節性循環之上又加上小得多的日循環，白天給蓄電池充電，而晚上消耗掉其荷電的很小部分。由於這種隨季節更換而變化的儲能特性，採用低自放電率的蓄電池是十分重要的。另外，還希望有高的充電效率（charge-storage efficiency）（能夠從蓄電池輸出的電量與對蓄電池輸入的電量之比）。

13.3.2 鉛—酸蓄電池組

太陽光電系統最常用的蓄電池組是鉛一酸（lead-acid）蓄電池組。對專業的太陽光電系統來說，汽車上常用的含銻型鉛（lead-antimonial）蓄電池並不合適，因為它們的自放電率高（每月高達額定容量的 30%），而且壽命短。

最適合於獨立型供電系統的商用蓄電池組是固定式（stationary）也就是浮充式（float）蓄電池組。這些蓄電池組是作為諸如不斷電系統的緊急電源而設計的。在這種應用中，蓄電池組保持在完全充電狀態，一旦主電源失效，該電池組便能立刻滿足負載需求。在這類應用中，蓄電池組的使用壽命一般超過 15 年。這些蓄電池組通常設計為 8 或 10 小時放電率，採用鉛一鈣或純鉛極板。最近，這種類型的蓄電池已經發展到能符合太陽光電工作模式的特殊需求 [13.1]。

在本章所描述的這類太陽能系統中，蓄電池的工作模式相當獨特。蓄電池在夏天保持完全充電狀態，而在冬天大都只處於部分充電狀態。長時間處於充電不足狀態會使蓄電池的極板上形成硫酸鉛（lead sulfate）結晶，其結晶尺寸比放電時所形成的要大得多，這個稱為硫酸鹽化（sulfation）的過程會使蓄電池容量減少、壽命降低。良好的設計應確保蓄電池的儲能在冬季裡能維持足夠大，使它在冬天的月份裡也能保持在接近完全充電狀態，同時也能確保在這些月份裡，電解液中的硫酸維持較高濃度而降低凍結的可能性 [13.1]。

在夏天，太陽電池會產生超過負載所需要的過多能量，因而蓄電池有可能被過度充電。這是不希望發生的狀況，原因列述如後。蓄電池過度充電會導致一個稱為「釋氣（gassing）」的過程—氫氣和氧氣從電池中逸出，造成電解質損失並引起危險，它還會導致極板的過度成長和活性材料從電極上脫落，縮短蓄電池的壽命。另一方面，定期對鉛一酸蓄電池組升壓式充電（boost charge）

則對電池組有所助益，所產生的氣體會攪拌電解液，防止較濃物質在電池底部「分層（stratification）」。過度充電或「均衡充電（equalizing charge）」也確保了蓄電池組中較差的電池可得到充電的機會 [13.1]。

圖 13.2 顯示定電流充電時，蓄電池組中電池兩端電壓如何隨電池的充電程度而變化。當充電到大約 95% 時，電池兩端電壓會突然升高。這相當於釋氣點。為了限制釋氣量，同時考慮到定期過度充電帶來的好處，對於圖中所示的例子，合理的折衷辦法是利用電壓控制器把蓄電池組中的每個電池的電壓限制在大約 2.35 V[13.2]。

其他考量的重點還包括電池容量會受放電率和溫度變化影響。蓄電池的容量一般是在一定放電率下訂定的。例如，圖 13.3 顯示一個蓄電池在兩種不同放電率下所測出的輸出安培小時數。在 10 小時放電率下，當每個電池放電到 1.85 V 時，電池組容量為 550 Ah（55 安培下連續放電 10 小時）。可以看出，蓄電池在 10 小時放電率下的實測容量超過規範值。在 300 小時放電率下（這更符合太陽能系統工作條件），蓄電池的容量幾乎是規範值的兩倍。由此可見，在設計太陽能系統時，不僅蓄電池的容量很重要，而且規定該容量時的放電率也是很重要的。

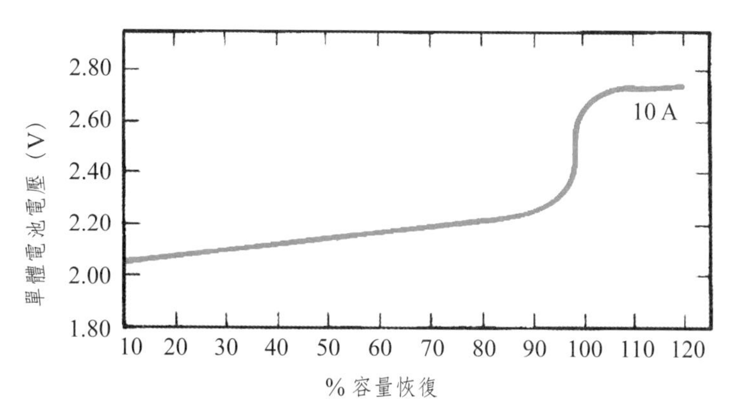

圖 13.2 ☼ 適用於太陽光電系統的鉛一酸蓄電池之定電流充電特性 [13.2]

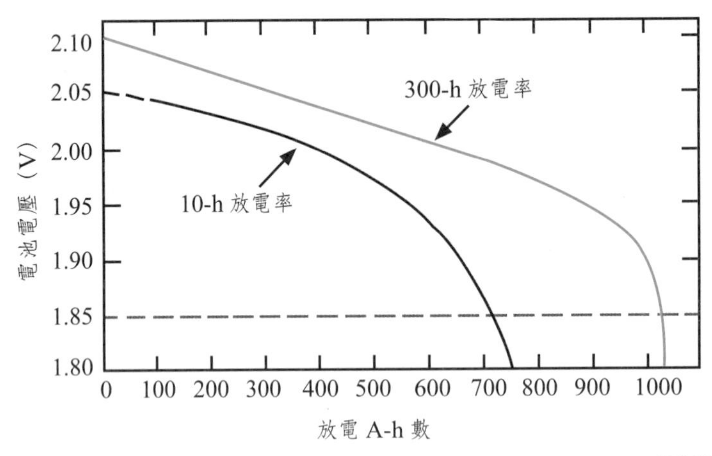

圖 13.3 ☼ 不同放電率下鉛一酸電池的定電流放電曲線 [13.2]

蓄電池的儲存容量隨著溫度的降低而減小，這是很遺憾的，因為蓄電池大多是在冬天發揮作用。根據經驗法則，在大約 20℃以下，溫度每降低 1℃，容量大約下降 1%。由於這個原因，再考慮到電解質結凍的可能性，最好是將蓄電池與酷冷的環境妥善隔絕。另一方面，高溫會加速蓄電池的老化，增加自放電速率，加速電解質的消耗，因此，蓄電池組需要適當遮蔽以避免高溫。

在適度的充電率和放電率下，鉛一酸電池組大約有 80 ～ 85% 的充電量可以被重新放電使用。而這種低效率主要是由於充電時釋氣所引起的。但在獨立型太陽光電工作模式中，冬天裡不大可能出現釋氣，因為此時蓄電池必須供給相當大量的電力到負載。因此，在這些關鍵月份充蓄電池的充電效率要比上述值高得多，文獻中曾經出現過高達 95% 的庫侖效率（coulombic efficiencies）[13.3]。

13.3.3 鎳一鎘蓄電池組

極板盒式（pocket-plate type）的鎳一鎘（Nickel-Cadmium）蓄電池組也已被應用到太陽光電系統中。與 13.3.2 節所敘述的鉛一酸蓄電池比較，這種電池組的主要優點是：

1. 經得起過充而不損壞；
2. 經得起長時間少量充電而不損壞；
3. 機械強度好，更方便運送；
4. 經得起冷凍而不損壞。

其主要缺點是：

1. 價格較高（在大容量的情況下，同樣容量，其價格約高三倍）；
2. 充電效率低（對於太陽光電工作是 55 ～ 60%）；
3. 在太陽能應用之低放電速率下，所獲致的電池容量之增加量遠比採用鉛一酸蓄電池時少。

就目前而言，在大多數太陽能應用中，這種電池組的優點尚不足以凌駕其缺點。

13.4 功率控制

通常在蓄電池和太陽電池陣列之間會安裝阻隔二極體，以防止在夜裡蓄電池經由太陽電池陣列漏失電力。當太陽電池陣列向蓄電池充電時，其充電電壓等於陣列電壓減去二極體上的電壓降。對矽二極體而言，其壓降大約是 0.6 到 0.9 V，但若使用蕭特基二極體或鍺二極體，則壓降減少到 0.3 V。

為防止蓄電池組過度充電，某種形式的電壓調節是有必要的，對於小太陽電池陣列，可以用簡單的線性分流控制器（shunt regulator）耗散不需要的功率。圖 13.4 顯示出一個 12 V/60 W 太陽電池陣列的控制器線路圖 [13.2]。將 RV1 調整到控制器導通（cut in）的位置上，以大約 14.1 V 為宜。當蓄電池充電到高於這個電壓時，充電電流就會經由 R_L 和 TR1 分流，而不再繼續對蓄電池充電。

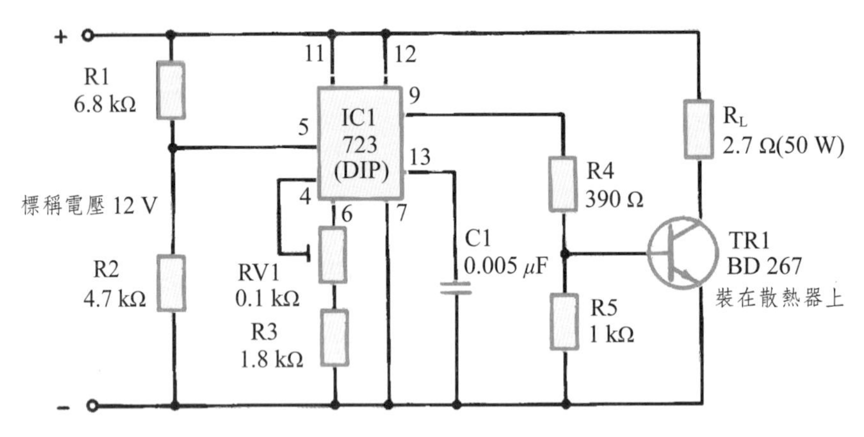

圖 13.4 ☼ **12 V/60 W** 太陽電池陣列的分流控制器 [13.2]

對大型太陽電池陣列來說，這種方法並不可行，因為它會產生大量的熱。比較好的方法是由分散的太陽電池本身以熱的形式消耗掉多餘的能量。這可藉由將太陽電池陣列的一部分短路或開路來實現。

圖 13.5 是短路型（short-circuiting type）控制器的工作原理示意圖。電晶體能把太陽電池陣列並聯的各個部分依次地短路掉以維持蓄電池電壓在所希望的限制值以下。雖然個別電池短路是容許的，但如果整列串聯的電池都短路就可能會出現問題。正如 6.6.4 節所討論的，輸出低於平均電流的電池就會變成逆向偏壓，實際上該電池會耗散電池模組的全部峰值輸出。採用這種短路型控制器，現場失效是常見的。因此，除非太陽電池模組中有安裝旁通（bypass）二極體之類的特殊保護元件，否則不宜採用這種方法。

另一種方法是將陣列並聯的某些部分開路。一種採用閘流體（thyristor）的方法示於圖 13.6。考慮太陽電池陣列群組 1，依蓄電池的電壓高低變化，脈衝可能加到 TR1 或 TR4 的基極。脈衝加到 TR1，將確保 TH1 不導通，陣列群組 1 便開路；脈衝加到 TR4，將使閘流體轉換到導通狀態。在這種狀態下，它和普通阻隔二極體的作用完全一樣。為了防止不穩定的發生，電壓檢測線路上要有一定程度的遲滯（hysteresis），圖 13.7 所示為在夏天（這時蓄電池接近完全充電狀態）這種系統所得到的蓄電池電壓和太陽電池陣列電流。

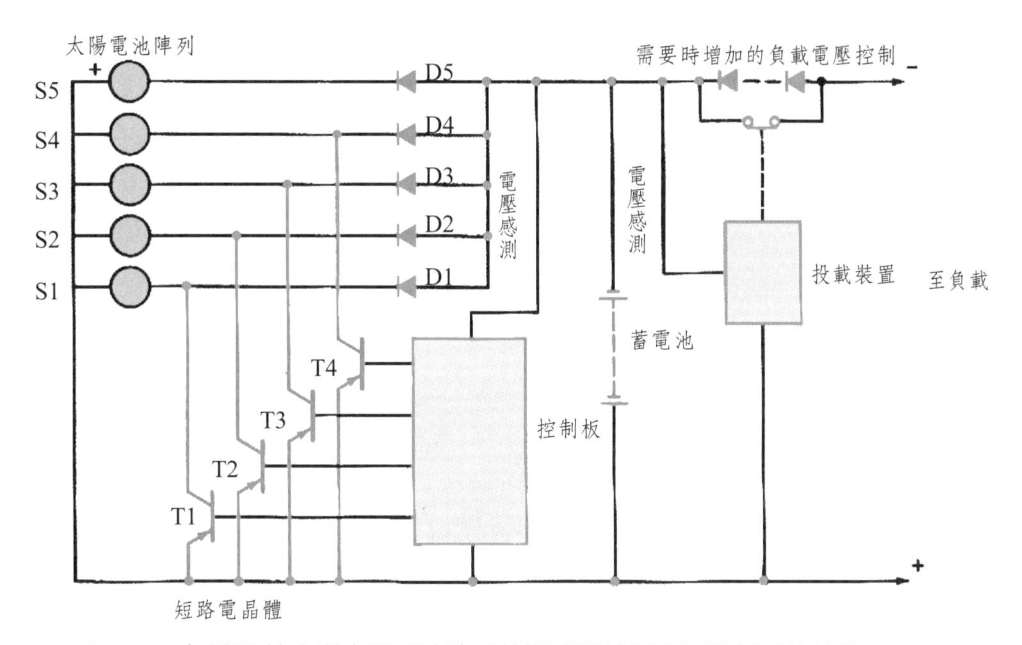

圖 13.5 ☼ 適用於大型太陽電池陣列的短路型控制器可能採用的技術。除非陣列各部分裝有旁通二極體等保護元件，否則不宜採用這種類型的控制器 [13.2]。

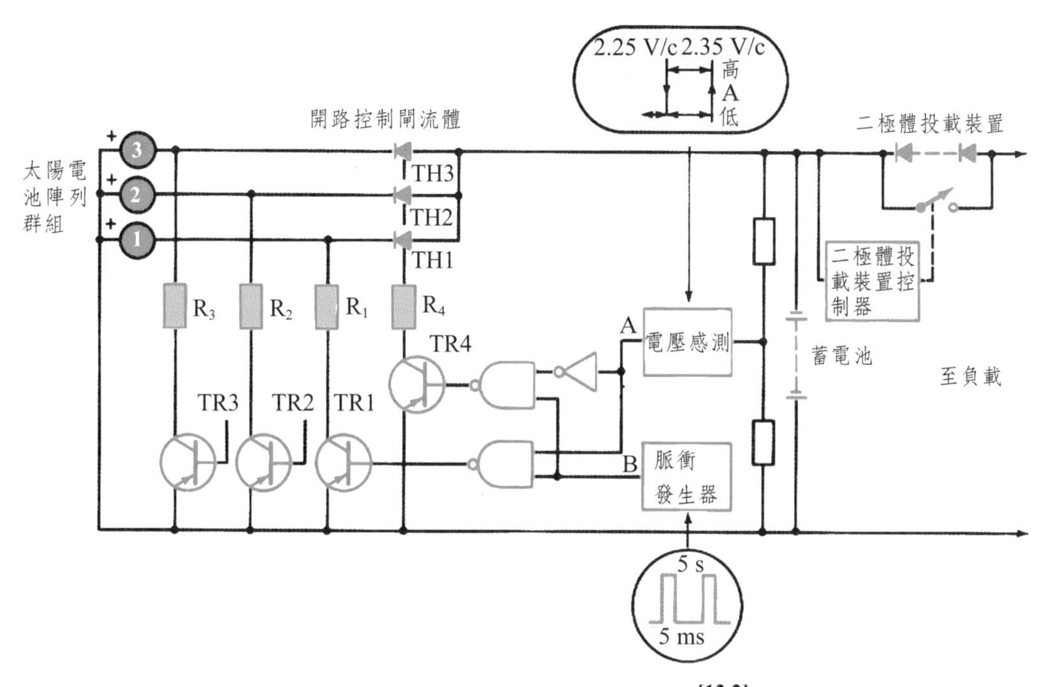

圖 13.6 ☼ 閘流體開路型調節電路 [13.2]

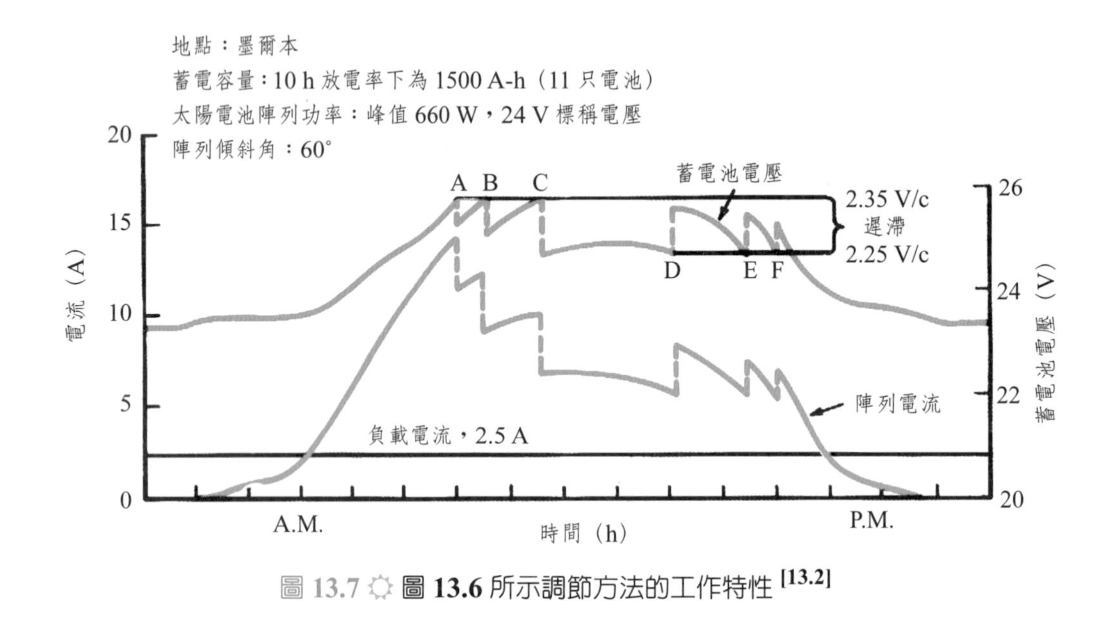

圖 13.7 ☼ 圖 13.6 所示調節方法的工作特性 [13.2]

13.5 系統的規模估算

為了估算太陽光電系統，掌握負載的精確資訊和裝設地點的最可靠日照數據是很重要。

對於像微波中繼站之類的應用，負載很容易決定，因為它實際上是定值的。至於其他用途，如家用無線電話，在傳送模式下功率需求大，負載大小視用戶的發話率而定，所以較難預測。使用獨立型太陽光電系統的偏遠地區不太可能有現成的詳細日照輻射數據。最好的辦法是根據類似地區觀測站所記錄的數據，推估得到所需要的數據。

太陽電池的製造廠家和主要用戶已開發出一些用來估算太陽光電系統規模的電腦程式，這些程式的功能十分完善，諸如溫度對太陽電池和蓄電池電壓的影響以及蓄電池容量隨溫度下降等因素都已納入考慮。在此要介紹的是一個簡單的設計方法，這個方法不僅能說明所設計的概念，而且足以應付因數據不足而無法進行較詳細設計的情況。

設計程序的第一步是選擇所需蓄電池的容量。蓄電池容量要能達到兩個目的。一個是在較長時間沒有陽光，或是太陽電池系統失效的情況下，能夠提供儲備容量（reserve capacity）。另一個目的是能提供季節性的儲存 [13.3]。

所需要的儲備容量大小與幾個因素有關，氣候便是其中之一。在陽光充足且乾燥的地區相於較多霧的海岸地區所需要的儲備容量較少。地點的遠近、系統的定期監控和系統失效的後果是其他重要的考慮因素。通常，儲備 10 至 20 天的容量較為適宜，基於最保守的考慮則需要多達 30 天的儲備。在選定這個蓄電池容量時，還要考慮溫度和放電率對蓄電池容量的影響。

決定儲備容量之後，下一步是決定季節性的太陽能輸入波動下，系統中蓄電池可接受的放電深度。正如 13.3.2 節已指出的，過大的放電深度會縮短鉛—酸蓄電池的使用壽命。放電到可用容量 50% 的深度是所希望的最大值。相反地，放電深度設計得太淺將會增加太陽電池陣列的大小。隨著太陽電池模組價格的下降，最佳設計可以改變成較淺的放電深度。

涵蓋季節性波動的放電深度一旦選定，蓄電池的總容量便可以計算出。因為蓄電池即使由於季節變化而處於最低充電狀態也必須能提供儲備容量（C_R），所以所需的總容量是 $C_R/(1-d)$，其中 d 是所希望的放電深度。

蓄電池的大小選定後，下一步是決定太陽電池陣列的大小。電流輸出和電壓輸出分別決定如下。電壓輸出要選得足夠大，以確保全年都能有效地對蓄電池組充電。電流輸出的選擇要確保蓄電池不會因季節變化的影響，而放電至低於所選定的放電深度。

為了進一步進行設計，接下來需要太陽光的輻射數據。這些數據通常包括水平面上的總體輻射（R）以及水平面上的漫射輻射（diffuse radiation）（D）。如果後者無法取得，可以採用參考文獻 [13.5] 所描述的方法提供一個合理的估計。為了把現成的數據轉換成照射在非水平方向安裝太陽電池陣列上的輻射數據，在此必須做一些假設，假設在水平面上的每日平均直射輻射（S）是由下式提供：

$$S = R - D \tag{13.1}$$

從圖 13.8(a) 可看出，與水平面成 β 角的陣列，其表面上之直射分量可由下式推導出：

$$S_\beta = S\,\frac{\sin(\alpha+\beta)}{\sin\alpha} \tag{13.2}$$

其中，α 是正中午時的太陽仰角。從圖 13.8(b) 可看出，α 由下式決定：

$$\alpha = 90° - \phi \pm \delta \tag{13.3}$$

北半球採用正號，南半球採用負號。式中，ϕ 是地理緯度，而 δ 是太陽的赤緯角，可由下式獲得：

$$\delta = 23.45°\sin\left[\frac{360}{365}(d-81)\right] \tag{13.4}$$

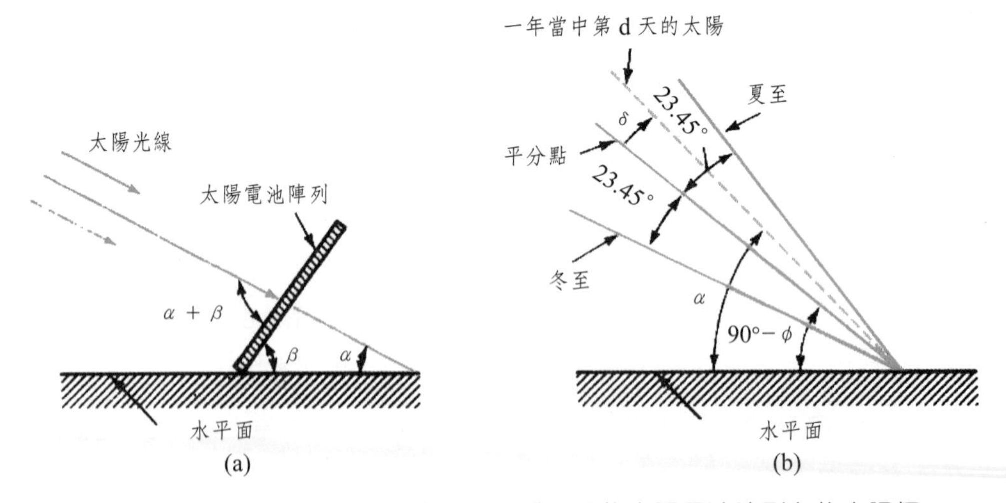

圖 13.8 ☼ **(a)** 在正中午時與水平面成 β 角的太陽電池陣列上的太陽輻射（α 角是太陽仰角）；**(b)** 太陽仰角（α），太陽赤緯（δ）和地理緯度（ϕ）之間的關係

其中 d 是從一年開頭算起的天數。假設漫射輻射與電池陣列的傾斜角無關，則在陣列上的總體輻射可由下式導出 [13.2]

$$R_{\beta}=S\,\frac{\sin(\alpha+\beta)}{\sin\alpha}+D \tag{13.5}$$

式（13.5）只有在正中午時才完全正確，但它將每日水平輻射轉換成傾斜表面上的輻射提供了一個合理的近似。更複雜的算法可得到更加精確的結果 [13.5]。

描述設計步驟最好的方式是藉由具體實例來說明。因此，我們將設計一個安裝在澳洲墨爾本（南緯 37.8°），能夠連續提供 24 V 直流負載 100 W 功率的太陽能光電系統。

對於這樣一個系統，儲備天數選為 15 天。因為負載要求 100 Ah/ 天，這相當於 1500 Ah 的儲存容量。考慮到太陽光強度的季節性變化，同時為了延長蓄電池的壽命，放電深度的設計值選為 25%，如此一來，在 480 小時（20 天）放電率下，總裝置容量為 2000 Ah[1500 Ah/(1 − 0.25)]。

下一個步驟是決定太陽電池模組的大小，以確保蓄電池放電時不會低於 25% 的放電深度。安裝太陽電池陣列的最佳傾斜角度是安裝地點的緯度加 15° 至 20°，就現在的位置來說大約是 60°。這個與水平面的夾角 β 一旦選定，原始的輻射數據就可轉換成適用於此傾斜表面上的輻射數據。墨爾本的數據列於表 13.1。在這個地區，任一與水平面成 60° 的陣列上的每日平均輻射是 21.0 MJ/m^2。令陣列全年輸出的電量等於負載所需要的電量，就可計算出陣列必須產生的電流下限。這是儲備容量為無限大的理想系統之情況。在現在的情況下，負載要求 100 A − h/ 天（100 W÷24 V×24 h）。在傾斜表面上日平均輻射強度是 21.0 MJ/m^2，除以 3.6，得到 5.83 kWh/m^2 或 583 Wh/cm^2。這相當於受到峰值強度為 100 mW/cm^2 的晴朗陽光照射 5.83 小時。因此在 100 mW/cm^2 輻射強度下，太陽電池陣列峰值電流至少必須是 17.2 A（100 Ah/5.83 h）。

事實上，提供給蓄電池的電量並非全部都可以從蓄電池中重新取出，在釋氣點以下，估計只有 95% 的電量能取出，並且灰塵積聚使性能平均降低 10%。將這些影響納入考慮後，陣列峰值電流下限估計增加為 20.1 A（17.2 A ÷0.95÷0.90）。

用最差月份的輻射資料重新計算，就可以得到陣列必須產生的電流上限值。如果系統是採用這種方法設計的，則除了天氣寒冷的時期以外，蓄電池將非常接近於完全充電狀態。對現在這個例子而言，最差的月份是六月。在這個月份中，傾斜表面上的輻射量只相當於 4.26 h 的充足太陽光輻射，所以得到的電流上限值是 27.5 A（20.1 A×5.83 h÷4.26 h）。

陣列的最佳額定峰值電流將位於這兩個極限值之間。此最佳值可由試誤法（trial-and-error）算出，該計算包括對蓄電池全年充電狀態的檢視。對這個例子來說，最佳的陣列額定峰值電流是 25 A。表 13.1 列出全年各個月份中所產生的 Ah 值、所消耗的 Ah 值和蓄電池的充電狀態。應該注意的是，蓄電池全年蓄電量維持在設計數值的 75% 以上。如果蓄電量下降到這個數值以下，則陣列的尺寸就要增大。如果充電狀態總是維持在遠高於此一數值，則採用小一點的陣列會更為經濟。雖然表中列出的是全年所有月份的計算結果，但只有月輻射比平均值小的月份才需要加以考慮。計算結果顯示，採用這樣的設計方法將導致在夏天大量的能量被浪費掉。圖 13.9 顯示出在三種不同陣列額定電流下，蓄電池的充電狀態在一年當中的變化。由圖中可清楚地看出來，陣列尺寸些微增加就有明顯的影響。例如，對提高蓄電池全年的充電狀態而言，陣列尺寸增加 4% 比蓄電池容量增加一倍所獲致的效果還要大。

為了完成系統的設計，陣列的電壓必須加以規定。為了使上述設計精確有效，在正常工作中所能夠達到的最高溫度下，甚至在蓄電池接近完全充電狀態時（每個電池～ 2.35 V），陣列必須能提供所需要的峰值負載電流。對這個設計實例而言，其假設的最高溫度是 60℃，陣列就必須能夠在溫度為 60℃，電壓為 29 V 的情況下〔12×2.35 V+0.8 V（阻隔二極體壓降）〕提供 25 A 的峰值電流。因此，在 60℃時的陣列額定峰值功率必須是 725 W。因為陣列功率隨著溫度上升而下降大約為 0.5%/℃，所以在正常規定溫度（25℃）和入射功率為

表 13.1 獨立型太陽光電系統設計數據

位置：墨爾本，南緯 37.8° 負載：100 W, 24 V

陣列傾角：與水平面成 60° 蓄電池容量：2000 A-h

陣列額定峰值電流：25 A

系統數據	平均日輻射量（mWh/cm²）			月安培小時數（A-h）			蓄電池狀態		
月份	總體輻射（R）	散射（D）	陣列 *	陣列†	負載†	差值	開始	最終	% 完全充電
1	839	210	688	4559	3147	1412	2000	2000	100
2	708	149	648	3878	2842	1036	2000	2000	100
3	562	166	609	4035	3147	888	2000	2000	100
4	436	127	575	3687	3045	642	2000	2000	100
5	297	98	463	3068	3147	−79	2000	1921	96
6	246	79	426	2732	3045	−313	1921	1608	80
7	277	82	462	3061	3147	−86	1608	1522	76
8	374	120	520	3446	3147	299	1522	1821	91
9	516	148	596	3822	3045	777	1821	2000	100
10	697	197	673	4459	3147	1312	2000	2000	100
11	732	241	627	4021	3045	976	2000	2000	100
12	890	214	701	4645	3147	1498	2000	2000	100

* 用式（13.5）計算

†按下式計算：額定峰值電流 × 月天數 × 平均日輻射量 × 充電效率 × 灰塵堆積因子 /100 mW/cm²

†包括每月（30）蓄電池峰值容量的 30% 放電（原文為 3%——者註）

來源：採用參考文獻 13.2 的數據

100 mW/cm² 的情況下，陣列的額定峰值功率必須是 879 W。

然而，這是一個保守的設計，因為在夏天會有大量的能量白白地被浪費掉。在寒冷的月份（這是太陽電池模組輸出最重要的時候），墨爾本的天氣資料顯示，環境溫度不太可能高於 20℃。對正常的模組設計而言，在這些月份電池溫度不太可能超過 44℃。如果陣列輸出電壓 29 V 是在這個溫度下規定的，那麼在冬天的月份陣列將提供所計算的功率。夏天時的輸出會比計算值低，可是，由於在這些夏天月份產生的功率綽綽有餘，所以不會造成問題。

在墨爾本，蓄電池在七月達到其最低充電狀態。在這個月份裡，墨爾本的平均氣溫大約是 10℃。假設蓄電池在此環境溫度下工作，則需增加蓄電池容

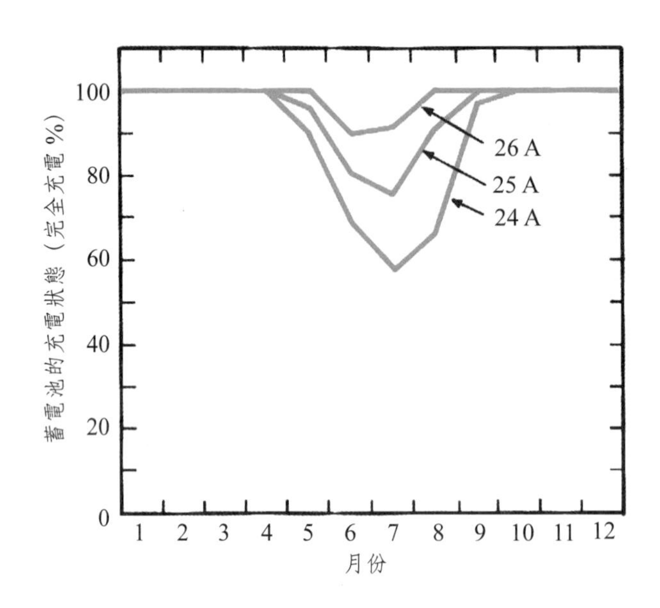

圖 13.9 ☼ 正文中的設計實例在三種不同陣列尺寸下的蓄電池充電狀態

量，以確保在這個月也能夠滿足儲備容量的要求。假設在此溫度下容量減少 10%，則在室溫下 480 h 放電率時要求容量增加到 2222 Ah。對太陽電池模組和蓄電池的要求也許都必須做某些修改，使它們可以由市售元件互連組成。陽光充足的地區可以用比較小的陣列來滿足同樣的負載需求。例如，在澳大利亞的某些地區，只用對墨爾本所算得的陣列大小的三分之二就可滿足同樣負載需求 [13.2]。圖 13.10 是為了供給大約此負載大小而設計的太陽能發電廠的照片，一座貨櫃既用來支撐太陽電池模組，也用來遮蔽蓄電池和控制用的電子設備，並作為維護人員的工作間。

設計步驟摘要如下：

1. 決定負載數據；
2. 按照地理緯度和當地的氣候特徵選定蓄電池的大小；
3. 決定電池陣列的傾斜角；
4. 從照射在傾斜陣列上的平均和最小月輻射量，估算陣列大小的下限和上限；
5. 求出陣列的最佳尺寸以確保蓄電池全年充電狀態都在某一比例之上；

圖 **13.10** ☼ 為連續供應大約 **100** 至 **150 W** 電力給微波中繼站而設計的太陽能發電系統。貨櫃既用來支撐太陽電池模組，也用來遮蔽蓄電池和控制用的電子設備，並作為維護人員的工作間。(承蒙 **Telecom Australia** 提供照片)

6. 必要時，調整陣列的傾斜角以求得最佳值；
7. 規定最高工作溫度下的陣列電壓，要求在這個電壓下能提供全負載電流。

13.6 | 抽水站

太陽能發電很適合應用於小型抽水站，其原因有兩個：第一，太陽電池陣列可以直接與泵的電動機連接，中間不需要經過功率調節，也不需要蓄電池儲能，因此系統十分簡單、輕便、很少需要維修；第二，很多應用場合都是當太陽光微弱時，抽水的需求也減少，這使系統設計變得經濟。藉由儲存已抽取上來的水可以有效地實現能量的儲存。

這種小型太陽能抽水站最大的用途是提供落後地區灌溉 [13.6]。灌溉可以大幅提供單位面積農作物產量，進而增加收益。微型太陽光電灌溉系統（～250 W_p）非常適用於農家的小面積耕種。當農民無法籌集必要的資金時，建議在開發性援助計畫中納入這種系統 [13.6]。這樣做有兩個目的：一是在這些地區增加糧食產量；其次是在近期內為太陽電池提供一個龐大的市場以加速其發展。

13.7 結語

一般來說，獨立型太陽光電系統的維護主要是蓄電池的維護。蓄電池需要每年或半年添加一次電解液。但是，為了使蓄電池有較長壽命，系統設計必須謹慎，既要防止鉛一酸蓄電池過度充電，又不能充電不足，否則，會使蓄電池長時間處於低儲存電量狀態。

電子通信設備所要求的功率和太陽電池的價格都不斷下降，使得電信業成為太陽電池在地面上大量應用的主要對象。類似於本章所敘述的獨立型系統應用已經推廣到微波中繼站、導航設施、氣象站和防蝕方面。

在獨立系統中，採用大的儲存容量以確保可靠性，而藉由選擇適當大小的太陽電池陣列來確保在低照光的冬季月份中，蓄電池能保持不低於所要求的充電狀態。在這個設計模式中，太陽能系統不會產生最大的全年電力輸出。理想的獨立型太陽光電裝置，陣列的額定峰值功率必須大約是系統供給平均功率的五倍。而在偏遠地區，此一數值可能增加一倍或更多。

習題

13.1 就表 13.1 的設計例子，試著針對蓄電池充電狀態之典型的日週期性變化與季節性變化進行比較。

13.2 對於北緯 34° 地區，利用正文中所述的近似方法，求出在 11 月份最大系統輸出的太陽電池陣列的傾斜角。11 月份在這個地區水平面上的平均總體輻射是 12 MJ/m^2 ／天，而對應的漫射輻射值是 4.1 MJ/m^2 ／天。

13.3 設計一個位於北緯 23° 地區的獨立型太陽光電系統。這個系統需要在 48 V 直流電壓下對 250 W 的固定負載供電。1 至 12 月份水平面上的總體輻射數據（括弧內的數字為對應的漫射輻射值）分別為：15.5(3.2)、17.2(4.2)、21.6(4.0)、23.3(6.0)、24.9(7.0)、24.1(8.8)、23.8(8.9)、22.9(8.1)、20.7(7.3)、18.9(4.8)、15.6(4.7) 和 14.5(3.8) MJ/m^2 ／天。

參考文獻

[13.1] *Handbook for Battery Energy Storage in Photovoltaic Power Systems*, Final Report, DOE Contract No. DE-AC03-78ET 26902, November 1979.

[13.2] M. Mack, "Solar Power for Telecommunications," *Telecommunication Journal of Australia* 29, No. 1 (1979), 20-44.

[13.3] *Solar Electric Generator Systems: Principles of Operation and Design Concepts*, booklet prepared by solar Power Corporation.

[13.4] G. O. C. Löf, J. A. Duffie, and C. O. Smith, *World Distribution of Solar Radiation*, Solar Energy Laboratory, University of Wisconsin, Report No. 21, July 1966

[13.5] S. A. Klein, "Calculation of Monthly Average Insolation on Tilted Surfaces," *Solar Energy 19* (1977), 325-329.

[13.6] D. V. Smith and S. V. Allison, *Micro Irrigation with Photovoltaics*, MIT Energy Laboraloty Report, MIT-EL-78-006, April 1978.

第 14 章

住宅用和集中型太陽能電力系統

14.1 前言

本書最後一章將探討有關太陽電池潛在的長遠應用議題。太陽光電可能對世界能源需求做出重大貢獻的兩個領域是提供住宅用電和大規模集中型電廠的發電。由於要達到這個階段，電池的產量必須很大，而且一項新技術要進入商用領域需要經過相當長的發展時間，因此在新世紀來臨之前，用戶不太可能會超過幾個百分比。但這並不意味著在這之前此（這）類經濟實用的系統不可能出現。

經濟分析顯示，採用第七章所敘述的大多數先進矽技術進行大量生產時，所生產的太陽電池模組的售價將使得這些模組在供給住宅用電上具有競爭力。為了在大規模集中型電廠的應用上可以與其他發電方式競爭，對太陽光電模組成本的要求則必須倍加嚴格。正如第十章所述，薄膜太陽電池最有希望達到這樣低的模組成本。

14.2 住宅用系統

14.2.1 儲能方式的選擇

第十三章說明了應用於偏遠地區的獨立型太陽光電系統。雖然在電力公司無法供電的地區，這種獨立型太陽光電系統是具有吸引力的，但在有市電供給的地區卻難以生存，因為這需要大幅度降低小型儲能系統的價格才行。採用十二章所描述的氧化還原系統也許有可能降低價格。

在沒有廉價的儲能方法之前，最可行的方法是將太陽光電系統接到市電上，這樣就不需長期的能量儲存。在這種市電併聯（grid-connected）模式中，存在幾種可能的不同系統規劃方式，每一種方式都必須有換流器，以將太陽電池的直流輸出轉換為交流形式。

儘管市電電網可做為一個長期的儲能媒介，但在此仍要提出是否有必要就地短期儲能的問題。這種儲能有助於系統順利地度過夜間和短期的惡劣天氣。在長期惡劣天候的情況下，有了短期儲能，供電網可以在適當的時機供電給住戶。當然也可採用不配備就地儲能裝置的系統，特別是在電力公司有能力而且願意收購多餘電力時。在這種情況下，陣列的最佳尺寸隨收購價格的提高而加大。

從住戶的觀點來看，最佳系統取決於太陽電池系統和儲能系統之間的相對成本，以及電力公司的電費費率結構。一天當中不同時段的電費差價越大，越會促使儲能裝置增大。如果電力公司願意用相當於售價一部分的合理價格來收購住戶所產生的多餘電力，則會使儲能裝置的最佳尺寸對應地減小應減小。蓄電池儲能是最有希望的儲能方法。其主要缺點是蓄電池對住宅的環境有潛在危害性且需要定期維護。雖然如此，在適當通風和具有蓄電池電子保護裝置的情況下，這種儲能方式還是可行的 [14.1]。圖 14.1(a) 顯示出一種可能的蓄電池組規劃方式。假如第十二章所述的氧化還原系統能研製成功，它將會有若干優點。飛輪儲能裝置 [14.2] 也已經被考慮過，這種裝置的典型尺寸見圖 14.1(b)。

14.2.2 模組的安裝

研究結果顯示，安裝太陽電池模組最廉價的方法是如圖 14.2(a) 所示，將模組整合成覆蓋屋頂的材料，如此一來模組可同時具有產生電力和提供保護的雙重作用 [14.3]。樣式翻新的模組或許可以安裝成如圖 14.2(b) 所示的支架（stand off）式。雖然兩者的安裝費用相近，但採用第一種方式的電池模組代替傳統屋頂材料將可獲得額外的好處。

這種用途的模組，其最佳尺寸估計為 0.8×2.5 m，對應的模組重量約為 25 kg[14.3]。佈線費用將隨陣列輸出電壓增高而下降。但直流電壓超過 100 V 時，這種電壓對佈線費用的影響就不太明顯了 [14.3]。所列舉的參考文獻指出，從審美觀點來看，長寬比為 2：1，顏色為暗土色並具有無光澤面的矩形模組比較美觀大方。如果能研發出廉價的互連技術，那麼蓋板（shingle）式模組〔圖 14.2(c)〕也是很具有吸引力的。

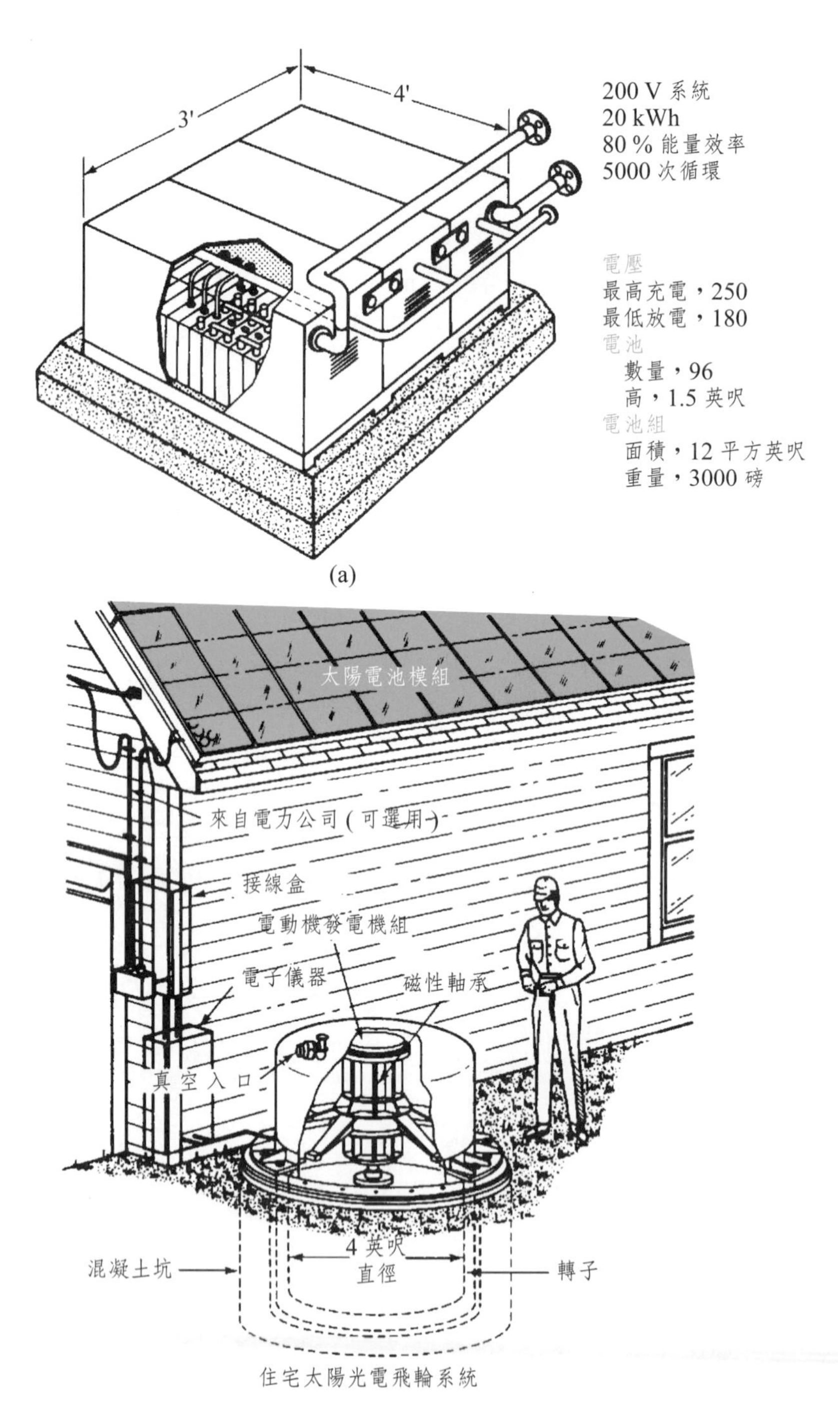

圖 14.1 住宅用系統的能量儲存裝置原理圖

(a) 可選用的蓄電池結構 [14.1]；**(b)** 飛輪儲能裝置 [14.2]

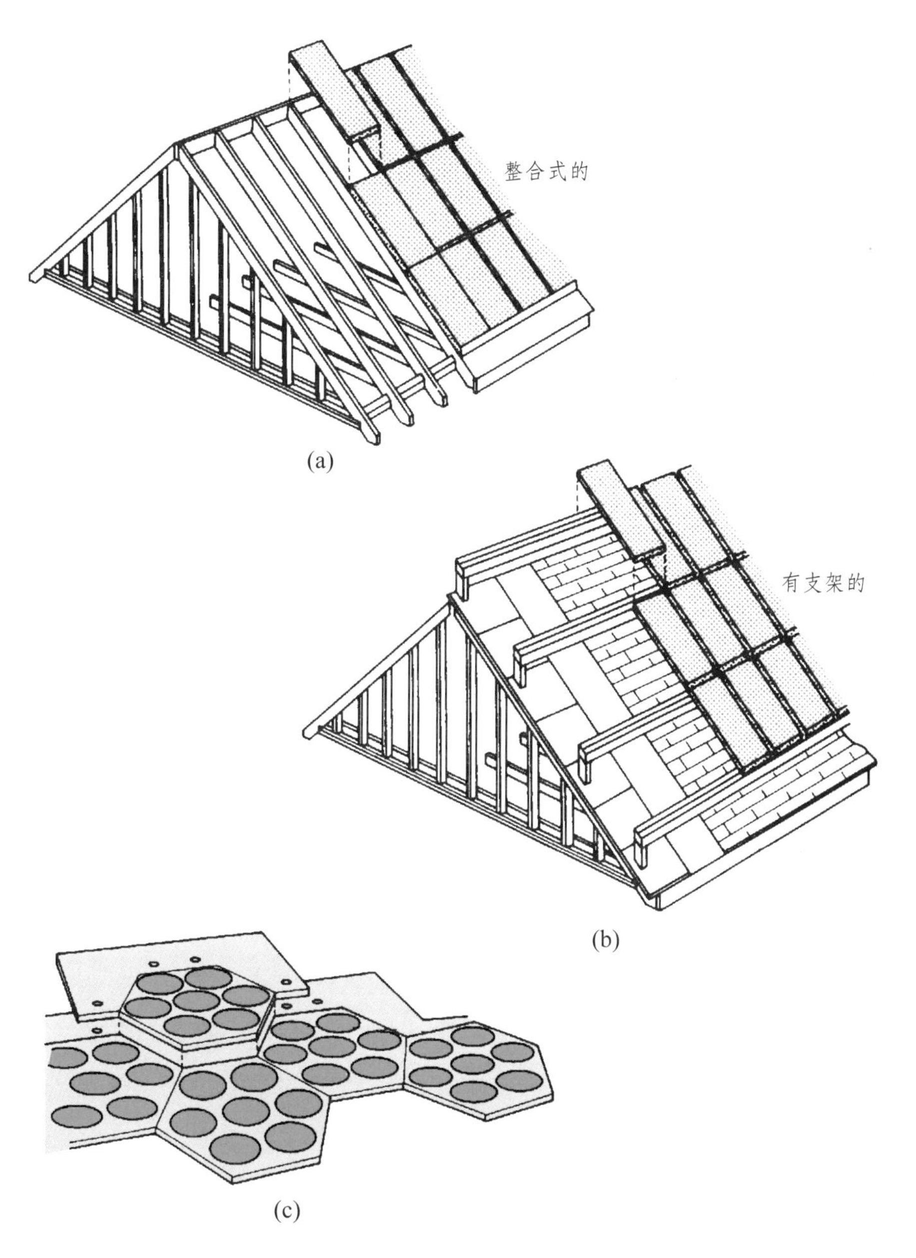

圖 14.2 ☼ 幾種可能的屋頂太陽電池模組安裝方案
(a) 整合式的 [14.3]；**(b)** 有支架式的 [14.3]；**(c)** 蓋板式的

14.2.3 供熱

住宅所用的大部分能源是供熱水系統和室內取暖的低級（low-grade）熱能。因此，產生了如何使包括太陽光電電池在內的系統圓滿地提供這些熱能的問題。三種可能解決的方法是：利用太陽光電模組同時提供住戶用電和熱源；利用單獨的太陽集熱器供應熱能至熱負載；採用混合的太陽光電／熱模組，或是稱為全能源（total energy）系統。

儘管用同一個模組同時實現太陽光發電和供熱功能的全能源系統的構想很吸引人，但是卻存在一些缺點。太陽電池變成必須在高溫下工作，因此效率低。集熱器的工作效率也比較低，因為太陽電池也將消耗部分能量。所產生的熱能和電能的比例一般不會正好是住戶所需要的。研究指出，住宅全能源系統很難在成本上優於具有最佳面積的太陽光電模組和熱模組[14.5]。

究竟該選擇這種全能源系統還是純粹的太陽光電系統，取決於後一種系統的簡易度是否能超過太陽能轉換為電能再轉換為熱能的固有低效率特性，當太陽光電模組價格低時就會出現這種情況。

14.2.4 系統的規劃

圖 14.3 顯示出了一些可能的系統規劃方案。在圖 14.3(a) 所示的第一種方案中，採用蓄電池儲能，在模組和蓄電池之間連接一個控制器（防止蓄電池過充），換流器的輸入電壓來自蓄電池。圖 14.3(b) 呈現一種更有效率的規劃方案，在這種規劃中電池模組輸出中只有用於蓄電池充電的部分才會流經控制器分路。圖 14.3(c) 是不採用蓄電池儲能的規劃方式，模組連接到換流器，該換流器設計成能確保模組在其最佳功率點提供電力。最後，圖 14..3(d) 展示一個集熱器如何與上述系統連接。在以上每一種情況下，換流器的交流輸出均與電力公司輸入的市電同步。

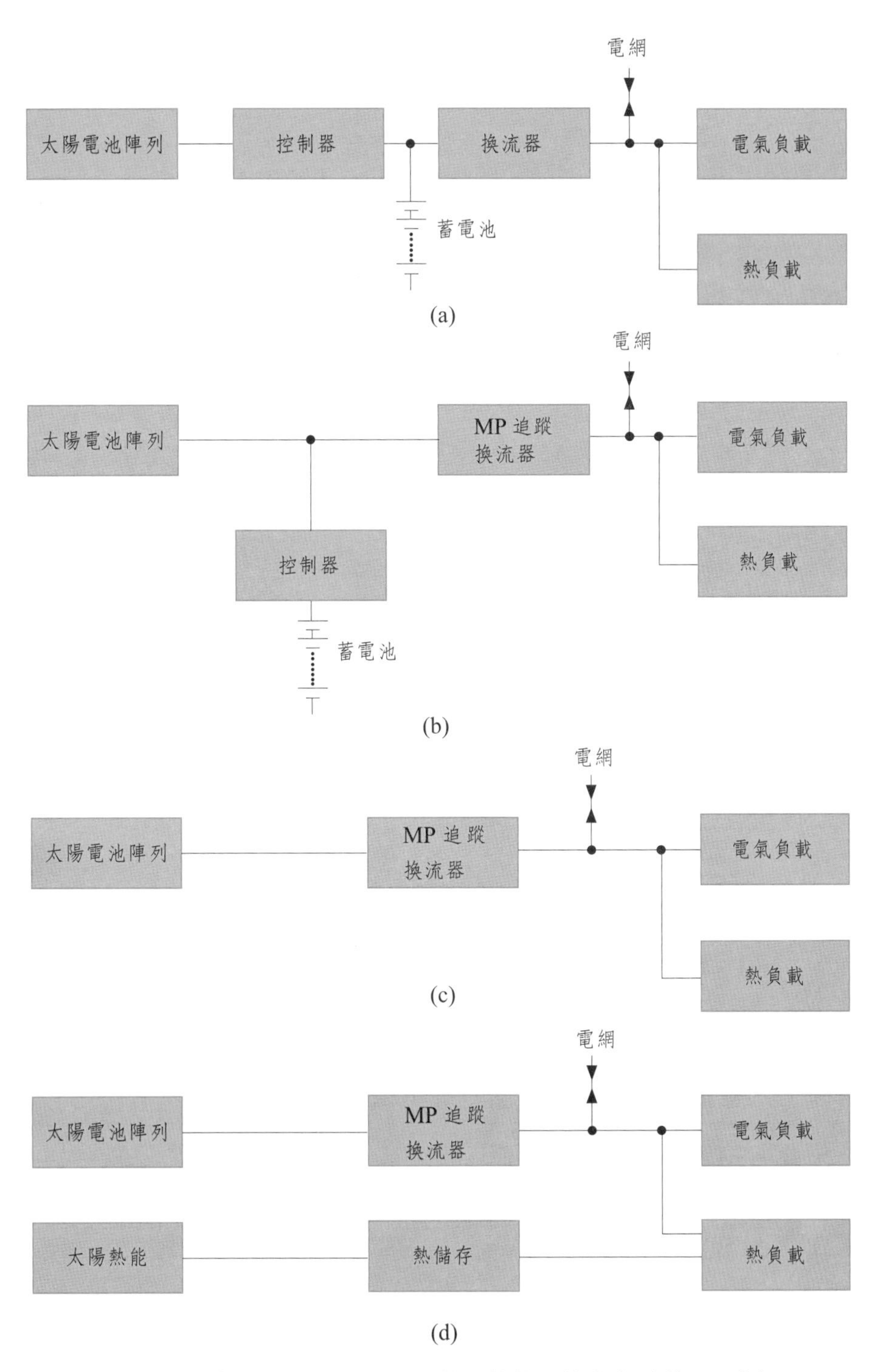

圖 14.3 住宅用太陽光電系統可能的連接方案（詳見正文）

14.2.5 示範計畫

1979 年末期，美國能源部發起了一項住宅用太陽光電計劃（Solar Photovoltaic Residential Project）。其目的在於釐清在電網涵蓋範圍內，住宅用太陽光電系統的有關議題，並促進適用系統的商品化。正如原來擬定的[14.6]，該項計畫將於 1988 年完成。如圖 14.4 所示，此計劃分為三個主要階段：

第一個階段是在具代表性的農村地區建立區域性的實驗站。這些實驗站將測試由工廠設計並製造的原型（prototype）系統。這些安裝在實驗站的原型系統是純屋頂式系統，提供經過估算之住戶需要的電能和熱能。同時監測實驗站附近住戶的實際用電量，以檢測原型系統性能的適用性。

在接下來的階段，將實驗結果良好的系統修改後安裝在實驗站附近少數有人居住的住宅進行實驗。這些初期系統的評價實驗不僅著重在其物理性能，同時著眼於住戶和有關當局的反應。

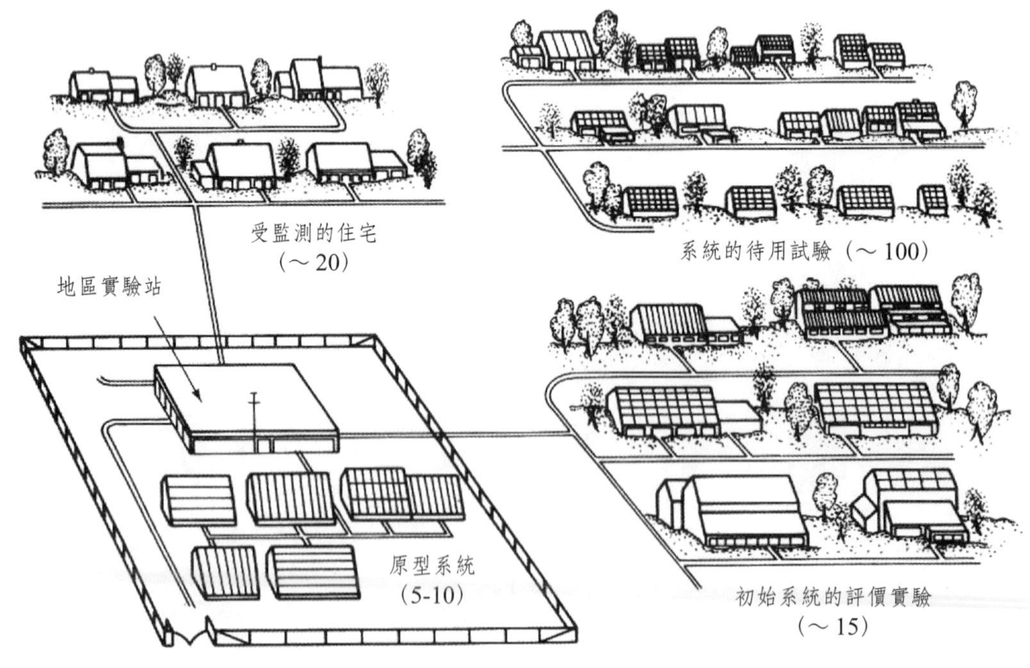

圖 14.4 ☼ 能源部住宅用太陽光電計劃的示意圖。從地實驗站的初始原型實驗系統到商業上待用實驗的大量太陽電池供電住宅[14.6]

最後一個階段，時程訂為自 1984 年開始，將脫離地區實驗站獨立地進行系統的待用實驗（readiness experiments）。在這個階段中將建立約 100 個太陽能供電住宅群，以發掘由於太陽光電系統在住宅區廣泛應用所引起的法規的和工程上的問題 [14.7]。

14.3 集中型發電廠

14.3.1 一般考量

太陽光電的最終目標是在用於集中型發電廠大量發電時，在經濟上能與傳統發電方法相競爭。若干研究已明確指出了實現上述目標的必要條件。

一個很明顯的條件是集中型發電廠用的太陽電池模組必須是便宜的，其價格必須比住宅用的要稍微低一些。其次，模組效率必須高。太陽電池陣列的效率希望至少達到 10%。對同樣的輸出功率而言，低效率會增加所需要的陣列面積，這樣也就增加了諸如場地準備、支架結構、安裝和維護等成本。這些費用以及功率調節裝置的費用通常都歸於系統平衡（balance-of-system）成本，故必須加以審慎周詳的考慮，以使此成本降到最低。

研究顯示，大規模應用的模組最佳尺寸大約為 1.2×2.4 m[14.8]。在支架結構上，已經有許多不同方法被研究過。支架結構的最嚴苛負荷自來風力，風力負荷的設計在很大程度上決定了支架結構的成本。低矮的陣列以及陣列場區內相鄰陣列或周圍圍牆的氣流遮罩作用都會大大減小這些負荷。初步結果顯示：圖 14.5(a) 的木樁支架系統適用於較小型的裝置；圖 14.5(b) 的混凝土桁架式（concrete-truss）支架系統則在大型裝置上較具有競爭能力 [14.9]。

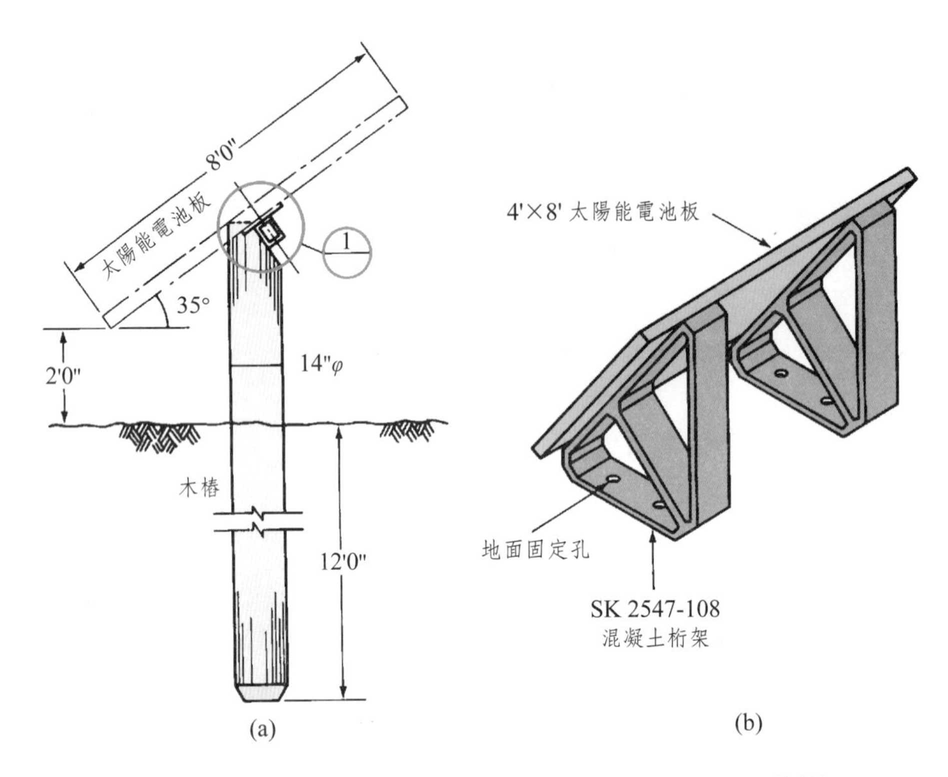

圖 14.5 ☼ 大場地安裝的支撐太陽電池模組的兩種可用方案 [14.9]
(a) 木樁／扭力管系統（**torson tube**）；**(b)** 混凝土桁架系統

在任何電網中，不大可能只採用地面太陽光電系統做為唯一電源，這或者是因為長期儲能成本太高，亦或是因為若要在陰天能供給所需的電能，陣列尺寸就必須很大。藉由將太陽光電系統與一低功率非太陽光電發電廠及短期的儲能裝置並用可減輕此一困難。在可預見的未來，太陽光電系統在大型電網中最可能扮演的角色是燃料替代（fuel-displacement）。因為這樣的電網在滿足隨時間變化的用電需求時具有相當大的伸縮性，所以只要太陽光電系統所供電量不超過電網總容量的 10%，太陽光電系統便可在沒有儲能的情況下使用。

由於太陽輻射的漫射特性，用太陽光電系統產生大量的能量時需要大面積土地。有關土地利用的問題，從研究一些國家採用太陽光電系統產生其所需要的全部能量時，所用到的土地面積占該國土地面積的百分比，便可以獲得瞭解。其計算結果見表 14.1。儘管有些歐洲國家的計算結果很明顯地並不能令人滿意，但是在諸如美國等許多國家所需要的土地面積卻少於目前人工建築場（如房屋和道路）所覆蓋的面積。在幾十年內建造一個能供應全世界能量需求的太陽光電系統雖然很艱巨，但在工程上卻是可能的。

14.3.2 運轉模式

圖 14.6(a) 是一個假想的電力公司一天當中的典型用電曲線，同時也呈現出當太陽能電廠連到該電力公司的網路時，對系統其餘部分所供給負載的影響。如果系統的用電尖峰在傍晚，太陽能電站的作用是使日供電曲線的波峰變尖，波谷加寬。

表 14.1 1970 年用效率為 10% 的太陽能系統產生該國所需全部能量，所需要的土地面積占全國土地面積的百分比

國家	百分比
澳洲	0.03
加拿大	0.20
丹麥	4.5
愛爾蘭	1
法國	3.5
以色列	2.5
義大利	4
荷蘭	15
挪威	0.50
南非	0.25
西班牙	1
瑞典	0.75
英國	8
美國	1.5
西德	8

來源：引用 D. O. Hall, “Will Photosynthesis Solve the Energy Problem?” *in Solar Power and Fuels*, ed. J. R. Bolton (New York: Academic Press, 1977), p. 36。

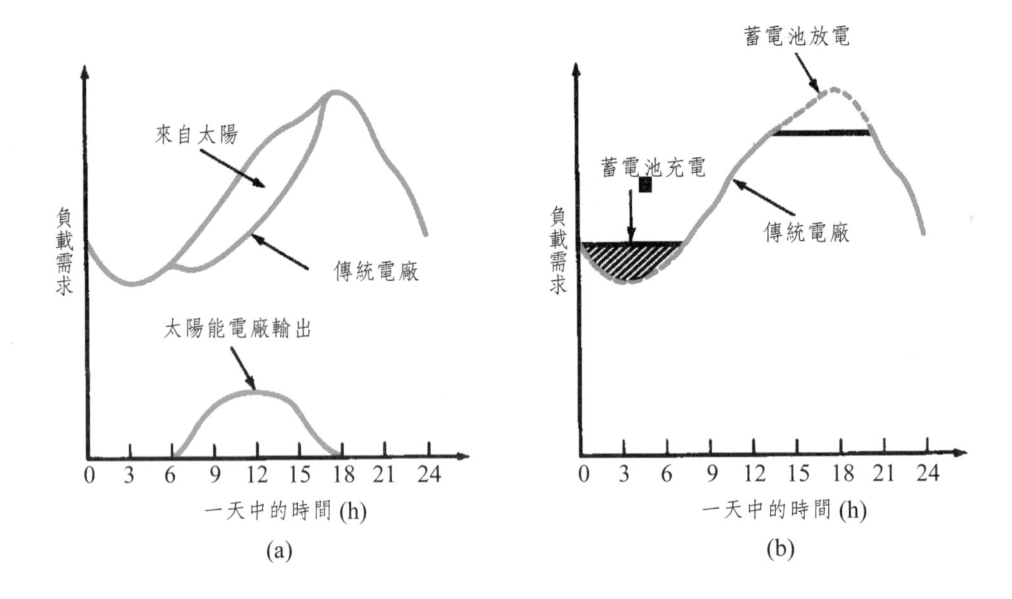

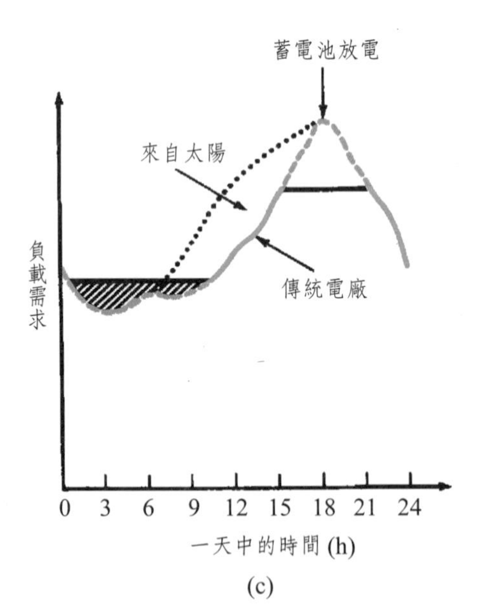

圖 14.6 **(a)** 典型的日用電曲線（同時顯示太陽能電廠少量供電的影響）；**(b)** 對無太陽能電廠的系統利用能量儲存削平用電曲線的高峰；**(c)** 除有太陽能電廠輸入外，其他同 **(b)**[14.10]

如前所述，如果太陽光電系統所供電量只占電網總容量的很少部分，則太陽光電系統可在沒有儲能的情況下運作。正如能承受既有的負載波動一樣，電力系統也能夠承受太陽能供電的波動。在沒有儲能的情況下，太陽能電廠可用來節約燃料，並縮短發電裝置處於中等和尖峰發電狀態的時間。但是，如圖 14.6(b) 和 14.6(c) 所示，太陽能電廠使得用電曲線波峰變尖的趨勢可以提高削平曲線高峰所需儲存能量的效率。所以，如圖 14.6(b) 所示，儘管儲能裝置是由電網上的基載（base-load）發電機組充電而不是由太陽能電廠充電，在太陽能電廠和儲能裝置間存在一種加乘效應（synergistic effect），彼此會提高對方的性能和壽命。因此，目前裝有儲能裝置的燃煤或核能基載電廠，在將來一旦搭配上太陽能發電廠後就會處於最佳狀態。

有關集中型發電廠運轉的另一個重要概念是太陽能電廠的容量信用（capacity credit）。也許有人會認為，太陽能電廠不會有什麼容量信用。因為陰天時其輸出很低，在這樣的日子裡還需要備載容量（backup capacity）來彌補。實際情況並不是這麼單純，傳統發電裝置有時也會因突然出現故障而無法供電。計算系統容量的一種方法是，制定符合用電需求的可靠程度（level of reliability），並計算在此可靠程度下的最大負載。

圖 14.7 顯示一個特別的電力系統在三種情況下的計算結果。這三種情況是：不包括太陽能電廠的基本系統；裝有 500 MWp 太陽能電廠的系統；有 500 MWp 太陽能電廠並有 2000 MWh 蓄電池的系統 [14.10]。在此系統中，太陽能發電廠的容量信用是峰值容量的三分之一。若加上蓄電池儲能，容量信用增加到 580 MW。在此例中，用電最多的時間是在夏天的下午 6 點，這是美國許多電力公司典型的用電情況。如果用電的尖峰是在中午前後，那麼單有太陽能電廠時的容量信用將占尖峰用電更大的部分。相反地，如果系統用電尖峰不在白天（如冬季傍晚），則容量信用將會小得多。

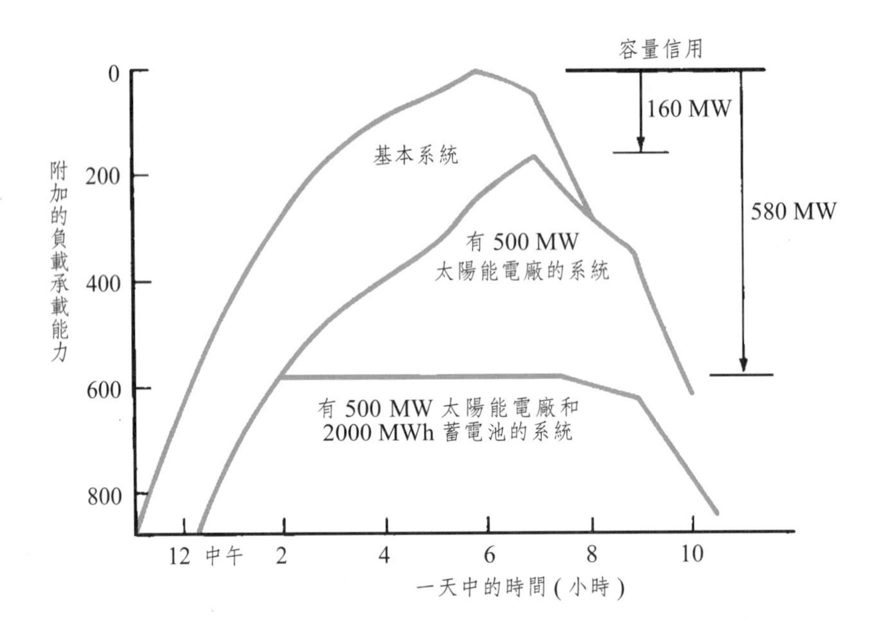

圖 14.7 太陽能電廠貢獻的容量信用之電腦模擬結果。所示範例中容量信用約為發電廠額定尖峰容量的三分之一。蓄電池儲能大大增加了容量信用 [14.10]

14.3.3 衛星太陽能發電站

全方位論述太陽能發電的書籍，或多或少都會提及一個充滿想像力的構想，也就是利用大型太陽電池陣列在太空中接受太陽光，並將能量以微波束（microware beam）方式傳送回地面。此一構想的大意如圖 14.8 所示。衛星太陽能發電站必須安裝在圍繞地球的同步衛星軌道上，其高度大於地球半徑，這樣可以確保除了在春、秋分前後幾星期中，該地午夜前後的一小時以外，地球陰影不會遮住陣列。參考文獻 [14.11] 對此提供了更詳細的探討。

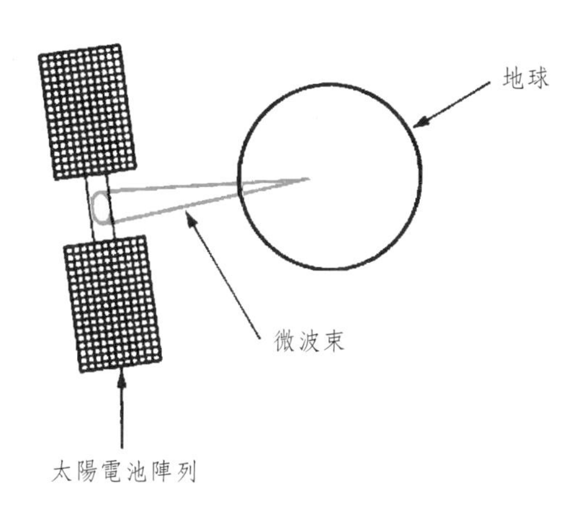

圖 14.8 衛星太陽能電站。所收集的太陽能以微波束的形式發送回地面。

這種太陽能發電站的主要優點除了上面所提到的時間以外，陽光可以連續取得。這種發電站不需要儲能，並可擔任基載的角色。其他優點還包括在太空中陽光強度較高，並且陣列比較容易保持與太陽光線幾乎垂直。處在峰值工作狀態的太空太陽電池陣列所能發出的能量，為位於陽光充足地區之同樣大小的地面陣列所發出能量的五至八倍。因為在將所收集到的能量傳輸到地面的過程中，能量會有損耗，所以這個倍數會減少一些。

這種太陽能電站的主要缺點是戰略上的脆弱性和非常高的系統平衡成本。此外，如何在太空建立這樣的陣列以及如何維護還是尚待解決的大問題，而且還必須在地面建造巨大的能量接受器。具有所需大小和強度的微波束對環境的影響，也值得仔細研究。

14.4 | 結語

本書的最後一章討論了有關太陽電池兩種長遠應用的議題。為了使太陽電池在這兩種應用中得以生存，所要求的電池價格，在技術上其可能性是無庸置疑的。

市電併聯型住宅用太陽光電模組的成本可以比集中型發電廠電池模組成本高一些。因為在前一種情況下，計算成本是從用戶觀點出發。從技術上來看，已經有幾種太陽電池技術被認為可以依此用途所要的成本製造出電池。太陽電池發電用於住戶的主要障礙不在於技術，而在於制度。這些議題涉及建立法規、與電力公司的整合以及太陽陣列的投資等等。

太陽光電系統不大可能單獨用作集中型發電廠，因為所需要的儲能成本太高。對供電量只占電網容量的一小部分但貢獻重大的太陽能發電廠，不一定非要儲能不可。太陽能發電廠和儲能裝置確實在某種程度上具有加乘效果，兩者相輔相成。在具有非太陽能的備用系統和合適數量的儲能情況下，太陽光電發電廠最終將能發出電網提供的大部分電力。

當今能夠生產出單位面積成本符合集中型發電廠應用要求的太陽電池技術非薄膜技術莫屬。但這種電池的單位面積功率輸出仍有待提高。非晶矽薄膜電池在 1980 年已經商品化，對於室內應用，其性能相當於高品質單晶矽電池。太陽光電技術所面臨的挑戰是製造出能達到上述水準的戶外用薄膜電池。

參考文獻

[14.1] W. Feduska et al., *Energy Storage for Photovoltaic Conversion; Residential Systems-Final Report*, Vol. 3, prepared for US National Science Foundation, Contract No. NSF C-7522180, September 1977.

[14.2] A. R. Millner and T. Dinwoodie, "System Design, Test Results, and Economic Analysis of a Flywheel Energy storage and Conversion System for Photovoltaic Applications," *Conference Record, 14th IEEE Photovoltaic Specialists Conference, San Diego*, 1980, pp. 1018-1024.

[14.3] P. R. Rittelmann, "Residential Photovoltaic Module and Array Requirements Study," in *Proceedings of the U.S. DOE Semi-Annual Program Review of Photovoltaics Technology Development, Applications and Commercialization*, U. S. Department of Energy, Report No. CONF791159(1979), pp. 201-223.

[14.4] N. F. Shepard, Jr. and L. E. SanChez, "Development of a Shingle-Type Solar Cell Module," *Conference Record, 13th IEEE Photovoltaic Specialists Conference, Washington, D. C.*, 1978, pp. 160-164.

[14.5] V. Chobotov and B.Siegal, "Analysis of Photovoltaic Total Energy System Concepts for Single-Family Residential Applications," *Coference Record, 13th IEEE Photovoltaic Specialists Conference, Washington, D. C.*, 1978, pp. 1179-1184.

[14.6] M. D. Pope, "Residential Systems Activities," in *Proceedings of the U.S. DOE Semi-Annual Program Review of Photovoltaics Technology Development, Applications and Commercialization*, U.S. Departement of Energy, Report No. CONF-791159 (1979), pp. 346-352.

[14.7] E. C. Kern, Jr. "Residential Experiments," in *Proceedings of Photovoltaics Advanced R and D Annual Review Meeting*, Solar Energy Research Institute Report No. SERI/TP-311-428 (1979), pp. 17-36.

[14.8] P. Tsou and W. Stolte, "Effects of Design of Flat-Plate Solar Photovoltaic Arrays for Terrestrial Central Station Power Applications," *Conference Record, 13th IEEE photovoltaic Specialists Conference, Washington, D. C.*, 1978, pp. 1196-1201.

[14.9] H. N. Post, "Lost Cost Structures for Photovoltaic Arrays," *Conference Record, 14th IEEE Photovoltaic Specialists Conference*, *San Diego*, 1980, pp. 1133-1138.

[14.10] C. R. Chowaniec et al., "Energy Storage Operation of Combined Photovoltaic/Battery Plants in Utility Networks," *Conference Record, 13th IEEE Photovoltaic Specialists Conference, Washington, D. C.*, 1978, pp. 1185-1189.

[14.11] D. L. Pulfrey, *Photovoltaic Power Generation* (New York: Van Nostrand Reinhold. 1978), pp. 56-62.

附錄

A. 物理常數

B. 矽的部分特性（300K 時）

C. 符號一覽表

A. 物理常數

q	電子電荷 = 1.602×10^{-19} 庫倫
m_0	電子靜止質量 = 9.108×10^{-28} g
	= 9.108×10^{-31} kg
c	真空中的光速 = 2.998×10^{10} cm/s
	= 2.998×10^{8} m/s
ε_0	自由空間介電常數 = 8.854×10^{-14} farad/cm
	= 8.854×10^{-12} farad/m
h	普朗克常數 = 6.625×10^{-27} erg-s
	= 6.625×10^{-34} joule-s
k	波茲曼常數 = 1.380×10^{-16} erg/K
	= 1.380×10^{-23} joule/K
$\frac{kT}{q}$	熱電壓 = 0.02586 V（在 300 K 時）
λ_0	真空中 1 eV 能量的光子對應的波長 = 1.239 μm

字首

毫 (m) = 10^{-3}

微 (μ) = 10^{-6}

奈 (n) = 10^{-9}

微微 (p) = 10^{-12}

千 (k) = 10^{3}

百萬 (M) = 10^{6}

十億 (G) = 10^{9}

B. 矽的部分特性（300 K 時）

E_g	能隙 = 1.1 eV（見表 3.1）
N_C	導帶有效態位密度 = 3×10^{19} cm^{-3}

$= 3 \times 10^{25}\ m^{-3}$

N_V　價帶有效態位密度 $= 1 \times 10^{19}\ cm^{-3}$

$= 1 \times 10^{25}\ m^{-3}$

n_i　本質濃度 $= 1.5 \times 10^{10}\ cm^{-3}$

$= 1 \times 10^{16}\ m^{-3}$

ϵ_r　相對介電常數 $= 11.7$

$\hat{n}$　折射係數 = 3.5（波長 1.1 μm 時）（見圖 3.1）

μ_e　電子遷移率 ≦ 1350 cm^2/V-s

≦ 0.135 m^2/V-s［見方程式（2.36）］

μ_h　電洞遷移率 ≦ 480 cm^2/V-s

≦ 0.048 m^2/V-s［見方程式（2.36）］

D_e　電子擴散係數 = 0.02586 μ_e

D_h　電洞擴散係數 = 0.02586 μ_h

ρ　電阻率［見方程式（2.35）］

密度 = 2.33 g/cm^3 = 2330 kg/m^3

C. 符號一覽表

ξ　電場強度

α　吸收係數

ϵ　介電常數

ϕ　功函數

ϕ_B　電位勢

λ　波長

μ　遷移率

η　效率

ρ　空間電荷密度；電阻率；片電阻；比接觸電阻

σ	電導率
τ	生命期
ψ_0	內建電位障
χ	電子親合力
A	截面積
c	真空中的光速
D	擴散係數
E	能量
E_c	導帶底能量
E_v	價帶頂能量
f_c	光生載子收集率
E_F	費米能階
FF	太陽電池填滿因子
G	電子－電洞對產生率
h	普朗克常數
I	電流；強度
I_0	二極體飽和電流
I_{sc}	短路電流
J	電流密度
J_e	電子電流密度
J_h	電洞電流密度
k	波茲曼常數
$\hat{k}$	消光係數
L_e	電子擴散長度
L_h	電洞擴散長度
m_0	電子靜止質量
m_e^*	電子有效質量

m_h^*	電洞有效質量
n	電子密度
n_{n0}	n 型半導體熱平衡電子濃度
n_{p0}	p 型半導體熱平衡電子濃度
$\hat{n}_c$	折射係數
$\hat{n}$	折射係數的實部
n_i	本質載子濃度
N_C	導帶有效態密度
N_V	價帶有效態密度
N_A	受體濃度
N_D	施體濃度
p	電洞濃度；晶體動量；部分功率損失
p_{n0}	n 型半導體熱平衡電洞濃度
p_{p0}	p 型半導體熱平衡電洞濃度
q	電子電荷
R	電阻
t	時間
T	溫度
U	淨復合率
V	電壓；電勢
V_{OC}	開路電壓

參考書目

Backus, C. E., ed., *Solar Cells.* New York: IEEE Press, 1976. A collection of technical papers significant in the development of sloar cells.

Hovel, H. J., *Solar Cells*, Vol.11, Semiconductor and Semimetal Series, ed. R. W. Richardson and A. C. Beer. New York: Academic Press, 1975. A review of the theory and performance of solar cells.

Johnston, W. D., *Solar Voltaic Cells*. New York: Marcel Dekker, 1980. Review of the current status of photovoltaic development.

Merrigan, J. A., *Sunlight to Electricity: Prospects for Solar Energy Conversion by Photovoltaics*. Cambridge, Mass.: MIT Press, 1975. Investigates the technical practicality and economic viability of solar cells.

Neville, R. C., *Solar Energy Conversion: The Solar Cell*. Amsterdam: Elsevier, 1978. Emphasis on the theoretical effects of relevant parameters on solar cell performance.

Pulfrey, D. L., *Photovoltaic Power Generation*. New York: Van Nostrand Reinhold, 1978. Treatment of the technical, economic, and institutional issues relevant to the large-scale terrestrial application of solar cells.

Rauschenbach, H. S., *Solar Cell Array Design Handbook*. New York: Van Nostrand Reinhold, 1980. Source of practical data related to solar cell module and array design for terrestrial and space systems.

Sittig, M., S*olar Cells for Photovoltaic Generation of Electricity*. Park Ridge, N.J.: Noyes Data Corporation, 1979. A guide to U. S. patent literature in the photovoltaic field between 1970 and 1979.

索 引

D

E

H

I

J

L

M

N

O

P

Q

R

S

T

U

V

W

Z

國家圖書館出版品預行編目資料

太陽電池工作原理、技術與系統應用／Martin A. Green著；曹昭陽、狄大衛、李秀文等譯. ——初版. ——臺北市：五南, 2009.08
面； 公分
參考書目：面
含索引
譯自：Solar cells:operating principles, technology, and system applications
ISBN 978-957-11-5756-6（平裝）
1. 太陽能電池
337.42 98013815

5DB7

太陽電池工作原理、技術與系統應用

Solar Cells: *Operating Principles, Technology and System Applications*

作　　者 — Martin A. Green
譯　　者 — 曹昭陽　狄大衛　李秀文等
校　　閱 — 周儷芬
發 行 人 — 楊榮川
總 編 輯 — 龐君豪
主　　編 — 穆文娟
責任編輯 — 蔡曉雯
文字編輯 — 施榮華
封面設計 — 林心馨
出 版 者 — 五南圖書出版股份有限公司
地　　址：106台北市大安區和平東路二段339號4樓
電　　話：(02)2705-5066　　傳　　真：(02)2706-6100
網　　址：http://www.wunan.com.tw
電子郵件：wunan@wunan.com.tw
劃撥帳號：01068953
戶　　名：五南圖書出版股份有限公司
台中市駐區辦公室/台中市中區中山路6號
電　　話：(04)2223-0891　　傳　　真：(04)2223-3549
高雄市駐區辦公室/高雄市新興區中山一路290號
電　　話：(07)2358-702　　傳　　真：(07)2350-236
法律顧問　元貞聯合法律事務所　張澤平律師
出版日期　2009年 8 月初版一刷
　　　　　2011年11月初版二刷
定　　價　新臺幣560元

凝煉知識品味閱讀